D1319245

L'amour au temps d'une guerre

Tome 3

1945-1948

LOUISE TREMBLAY D'ESSIAMBRE

L'amour au temps d'une guerre

Tome 3
1945-1948

Guy Saint-Jean
ÉDITEUR

Guy Saint-Jean Éditeur
3440, boul. Industriel
Laval (Québec) Canada H7L 4R9
450 663-1777
info@saint-jeanediteur.com
www.saint-jeanediteur.com

. . . .

**Données de catalogage avant publication disponibles à Bibliothèque et Archives nationales
du Québec et à Bibliothèque et Archives Canada**

. . . .

Nous reconnaissons l'aide financière du gouvernement du Canada par l'entremise du Fonds
du livre du Canada (FLC) ainsi que celle de la SODEC pour nos activités d'édition. Nous remercions
le Conseil des Arts de l'aide accordée à notre programme de publication.

Gouvernement du Québec – Programme de crédit d'impôt pour l'édition de livres – Gestion SODEC

© Guy Saint-Jean Éditeur inc., 2016

Révision : Isabelle Pauzé
Correction d'épreuves : Johanne Hamel
Conception graphique : Christiane Séguin
Photographie de la page couverture : Dark Moon Pictures/Shutterstock.com

Dépôt légal – Bibliothèque et Archives nationales du Québec, Bibliothèque et Archives Canada, 2016
ISBN : 978-2-89758-223-4
ISBN EPUB : 978-2-89758-224-1
ISBN PDF : 978-2-89758-225-8

Imprimé et relié au Canada
1re impression, octobre 2016

Guy Saint-Jean Éditeur est membre de
l'Association nationale des éditeurs de livres (ANEL).

À Céline, juste pour qu'elle comprenne…

À Lucie, Paule (s), Ginette, Suzanne, Claire, Hélène, Nancy, Michèle, Loulou… dans l'ordre et dans le désordre ! Ce sont mes amies de Québec, des femmes d'exception. J'ai cet immense privilège de faire partie de leur vie.

« Il a neigé trois fois la hauteur des maisons
Il a plu quatre fois comme l'anse est profonde
Le vent a fait trois fois cent fois le tour du monde
Le soleil a poli des siècles de saisons
Et mes amours sont demeurées les mêmes
Je t'aime »

GILLES VIGNEAULT

NOTE DE L'AUTEUR

« La guerre est finie ! »

Que d'allégresse dans ces quatre mots !

Chacun des personnages de la courte série *L'amour au temps d'une guerre* a dû les prononcer avec enthousiasme et soulagement, j'en suis persuadée, même si je n'étais pas à leurs côtés quand on a déclaré sur les ondes de toutes les radios de France que les Allemands avaient signé leur reddition.

Vous en souvenez-vous ? À ce moment-là, j'étais à Moosburg et à Ebensee avec Rémi et Jacob.

« La guerre est finie ! »

Même si, de notre côté de l'Atlantique, on avait moins souffert des affres de cet interminable conflit, les cloches de toutes les églises du Québec se sont mises à carillonner. Les fils et les pères, les frères et les fiancés, les maris et les amis allaient revenir. Enfin !

Je sens mes lèvres s'étirer en un grand sourire, car, à présent, il y a une image particulière qui me revient, comme une portion de film qui tourne en boucle dans ma tête : cliché figé dans le temps, je vois une jolie jeune femme toute souriante, en robe fleurie, puisque c'est le printemps, et elle court sur le quai d'une gare pour se jeter dans les bras d'un soldat tout ému. Peut-être bien que vous aussi, tout comme moi, vous la voyez, cette image, inondée de soleil, parsemée de gaieté et de joyeuse insouciance. Elle nous a souvent été présentée, quand on voulait souligner la fin de cette Seconde Guerre, un moment tant espéré.

Une scène, une seule, comme le symbole d'un dénouement idyllique inventé tout exprès pour semer le détachement et cultiver l'oubli. La guerre est derrière nous et, subitement, toute la souffrance vécue s'envole en fumée blanche. Devrait s'envoler en fumée blanche.

Finis les déchirures, les privations et les deuils, les larmes et les incertitudes. On efface tout et on recommence.

La vie en rose quoi, puisque la guerre est finie ! On l'a même chanté. Alors, tout le monde sourit...

Malheureusement, la réalité est parfois tout autre. Il y a certaines cicatrices qui ne s'effacent pas complètement, il y a de ces blessures à l'âme qui s'entêtent à faire mal, et, quoi qu'on en pense, toute la meilleure volonté du monde ne peut rien y changer. Alors, de grâce, ne venez surtout pas me dire que c'est une simple question d'attitude. Cette excuse n'en serait pas une et encore moins un prétexte pour jeter la pierre aux autres. Ne reste peut-être que l'amour et la persévérance, la douceur et la persuasion, la foi et la passion, et beaucoup, beaucoup de patience pour arriver à tout reconstruire, tant les pays et les êtres humains ont été ravagés et meurtris.

J'en suis là dans ma réflexion et j'espère que vous me suivrez. Je suis de ceux qui croient au bien-fondé d'entretenir la mémoire. Je suis de ceux qui disent de ne jamais oublier les pires moments de l'histoire de l'humanité afin d'éviter les récidives. Si certains d'entre vous prétendent que ça n'intéresse plus personne, ces vieilles histoires d'autrefois, c'est que, malheureusement, ces personnes-là n'ont rien compris du tout. Dommage. Elles n'ont pourtant qu'à poser les yeux un peu partout autour d'elles, chez nous comme ailleurs, pour comprendre à quel point l'œuvre de mémoire est importante.

Alors, il y a Jacob, qui revient de l'enfer et qui ne peut oublier.

Ses filles ont survécu et il a envie de bénir le Ciel pour cela ; sa femme Bertha n'est plus, et il le maudit. Sa foi vacille, alors qu'elle a réussi à tenir bon durant ses abominables séjours à Auschwitz et à Mauthausen. La mort probable de Bertha, de sa Bertha, a tout remis en question.

Pourquoi Dieu a-t-il permis une telle atrocité ?

Voulait-Il punir Jacob pour les ignominies commises en toute bonne foi au nom de la liberté, au nom du devoir envers les siens, alors que pour rester vivant, il avait servi bien malgré lui la cause de ce Hitler ?

Le pauvre homme ne sait pas, ne comprend pas. Il croyait sincèrement avoir payé son dû à travers l'intensité de la détresse ressentie lors de sa captivité, de la souffrance vécue au jour le jour, interminable, alors qu'il côtoyait des enfants promis à la mort. Alors, où donc se cache ce Dieu de bonté, de miséricorde et de réconfort, en qui il avait mis toute sa confiance ? Jacob hésite.

Et si le Ciel n'existait pas ?

Pour ses filles, Jacob Reif continuera d'avancer malgré tout, malgré le doute terrible qui l'assaille. Il n'a ni le choix ni l'envie d'agir autrement, il aime tant Klara et Anna. Pour elles, il est prêt à tout, même à sacrifier ses convictions les plus profondes. Cependant, Jacob Reif est conscient, douloureusement conscient, qu'en lui, la guerre continue de faire rage. Rien n'est terminé. On le dit chanceux d'avoir survécu, il n'en est plus certain, parce que les tourments du cœur sont si intenses et ceux de l'âme si puissants qu'ils en deviennent parfois intolérables.

À des centaines de kilomètres de là, il y a François et Brigitte qui ont vu mourir un être cher et qui ne peuvent oublier.

Pour François, c'est toute une vie passée à deux dont il doit trier et classer les souvenirs. Les bons comme les moins bons. Il voudrait tant arriver à reprendre pied dans la réalité du quotidien pour aider sa fille Françoise, pour préparer l'avenir de Nathan, son petit-fils qu'il aime tant. Pour l'instant, il n'y arrive pas. L'image de Madeleine, son rire, ses répliques parfois cinglantes, sa seule présence continuent de le hanter et la vision de son verger détruit par les bombardements l'accueille au réveil de chacun des matins.

Quant à Brigitte, c'est la vie qu'elle avait espérée et tant de fois imaginée qu'elle doit enterrer.

Les rêves d'une existence à deux, les espoirs de voyages outre-mer, la possibilité d'une famille bien à elle n'auront-ils été qu'un écran de fumée volatile et éphémère? Il semble bien que oui, et, au bout du compte, André Constantin n'aura fait que passer dans la vie de Brigitte. Un mirage, rien de plus. Voilà pourquoi la jeune femme n'arrive pas à comprendre comment il se fait qu'elle se sente si meurtrie, si désemparée. Après tout, les rêves finissent toujours par s'évanouir, n'est-ce pas?

Même ceux qui nous semblent les plus réels. Alors, pourquoi celui-ci s'entête-t-il à faire mal ?

François et Brigitte ont l'impression que la guerre, même si elle est finie, continue de leur plaquer une main devant la figure, les empêchant de respirer à fond.

Ce n'est facile ni pour l'un ni pour l'autre, car ensevelir l'espoir même précaire semble aussi difficile que de revoir certains souvenirs, même les plus beaux.

À côté d'eux, déconcertés, Françoise et son mari Rémi ont compris qu'ils devront apprendre à vivre à deux, parce qu'en fin de compte, à cause de la guerre, ils n'ont jamais vraiment connu ce temps de l'apprivoisement. Par contre, ils s'aimaient, ça oui, il n'y a aucun doute là-dessus ! Alors, où donc est passée cette complicité entre eux qui semblait indéfectible ? Et pourquoi, grands dieux, le désir de l'autre se fait-il attendre ainsi, comme s'il se trouvait bien, à l'abri derrière un paravent d'embarras et de pudeur ? Serait-il mort, ce grand désir, victime d'une trop longue attente ? Pourtant, Françoise et Rémi se sont tellement languis l'un de l'autre…

Est-ce que l'absence peut faire mourir l'envie de quelqu'un ? Peut-elle détruire la passion et le désir d'être ensemble ? Françoise et Rémi, sans en parler, y pensent sans relâche. Ils ont peur de ce que l'avenir leur prépare.

Il y a aussi le petit Nathan qui, du haut de ses quatre ans, pose un regard intrigué sur cet étranger venu s'imposer dans leur vie. Sa mère lui en avait souvent parlé, de ce papa parti à la guerre, bien sûr, et Nathan avait espéré son retour, comme on espère la venue improbable d'un héros de conte. Inutile de dire qu'il ne l'avait pas imaginé ainsi, silencieux, sans entrain, au sourire bien rare et un peu triste. Puis, après tout ce qu'il vient de connaître en ces temps de guerre, les bombardements qui font peur, la mort de sa grand-mère et le verger détruit, alors qu'il aimait tant y jouer, le petit garçon n'est pas certain d'avoir envie de partager sa mère avec qui que ce soit. Cette maman est le seul rempart qui n'ait pas bougé et il y tient de façon exclusive.

Au village, hébergé chez un vague cousin du côté maternel, il y a René, ce vieux célibataire endurci. Sans famille pour le soutenir ou pour donner un sens aux années qui viennent, en perdant son bar-tabac, René a perdu sa raison d'être. Le bâtiment n'est plus que cendres et ruines. Un geste gratuit, cruel et inutile de la part des Allemands qui s'y étaient installés, un geste posé le jour où ils ont fui devant l'avancée rapide des Alliés, au moment du débarquement. Peut-être ne pouvaient-ils emporter avec eux toute cette paperasse qu'ils croyaient si importante et avaient-ils alors décidé d'y mettre le feu ? On ne le saura jamais. Mais la rage qui bouillonne en René est violente, presque palpable, alimentée par la haine tenace qu'il entretient depuis tant d'années à l'égard des « Boches ». Personne ne sait si, un jour, le pauvre homme arrivera à faire la paix avec ce qu'il appelle « cette vie de merde », celle qui lui a tout volé. René aura-t-il le courage de reconstruire son bar-tabac et ainsi redonner un sens à son existence ? Il en parle parfois, vaguement, comme trop fatigué pour entreprendre un si gros chantier.

De l'autre côté de la Manche, à Aldershot, il y a aussi Raymond Constantin, il ne faudrait pas l'oublier. S'il se réjouit d'avoir retrouvé son jeune frère Gérard, en pleine forme et trépignant d'impatience de rentrer au Québec, Raymond n'en pleure pas moins la mort de son aîné, André, en même temps qu'il s'est découvert un véritable attachement pour les Vieux Pays.

Non seulement pour l'Angleterre, parce qu'au royaume de Sa Majesté, il s'est senti chez lui dès le premier contact, malgré plusieurs différences notoires, mais également pour la France, à cause de la langue, se répète-t-il, essayant de s'en convaincre, bien maladroitement d'ailleurs, et malgré la ferme résolution d'ignorer le sourire las d'une certaine Brigitte. Un sourire qui l'a atteint d'un direct au cœur, comme il l'avait fait précédemment avec son frère André.

En effet, la France, au-delà d'une langue et de racines communes, c'est aussi Brigitte. « La belle Brigitte », comme l'avait surnommée son frère. Au premier regard, Raymond avait compris à quel point André avait eu raison. Depuis, le soldat Constantin ne cesse de penser à elle.

Cette grande jeune femme a fait naître en lui des émotions qui lui étaient étrangères et l'attirance instinctive qu'il ressent pour la belle Normande y est probablement pour quelque chose dans cette envie irrépressible qu'il a de retourner en France.

Sans doute, peut-être…

Comment savoir vraiment ? Raymond n'y connaît à peu près rien, à cet univers féminin et à tout ce qui peut s'y rattacher. À cet égard, Raymond n'est pas tellement différent de son aîné. Si, avant la guerre, André avait consacré l'essentiel de son temps aux études, négligeant les compagnies féminines, Raymond, lui, s'était donné corps et âme à la mécanique, en partie par réel intérêt, certes, mais aussi pour que son père ne soit pas déçu de voir son second fils bouder l'université.

Raymond Constantin ne serait peut-être ni avocat ni ingénieur comme ses frères, car il avait choisi d'être un simple mécanicien, mais, tenez-vous-le pour dit, il serait le meilleur ! Il avait donc consacré le plus clair de son temps à son apprentissage et les femmes n'avaient pris que bien peu de place dans sa vie.

Néanmoins, jusqu'à ce jour, Raymond n'avait rien regretté, surtout pas le fait d'être resté célibataire et sans attaches sentimentales. Cette liberté d'action lui avait permis de faire la guerre comme et quand il l'entendait, et cela, jamais il ne le regretterait, malgré les privations quotidiennes, les inquiétudes parfois insupportables, et la peur au ventre quasi douloureuse, toutes émotions qu'il a éprouvées lorsqu'il sillonnait les routes de Normandie, afin de mener à bien les tâches qu'on lui avait assignées.

Mais la guerre de Raymond ne s'était pas limitée au débarquement.

Une fois les côtes de Normandie libérées, Raymond était remonté vers le nord avec son régiment, de village en village, pour se retrouver finalement en Belgique, puis aux Pays-Bas, afin d'assurer le ravitaillement, le transport des munitions et parfois celui des blessés.

Ils ont parfois été accueillis comme des héros !

Ensuite, il avait traversé la frontière pour fouler le sol allemand.

Ce fut lorsque son régiment s'apprêtait à attaquer la

base navale d'Emden que la guerre avait brusquement cessé pour Raymond. L'ennemi avait fui en catimini et, trois jours plus tard, les forces de l'Axe signaient enfin leur capitulation.

Par après, rebroussant chemin vers la côte atlantique, traversant à rebours les Pays-Bas et la Belgique, il avait regagné la France. Promesse faite à son frère et enfin tenue, Raymond avait passé un court moment en Normandie, où il avait brièvement rencontré Brigitte, ébloui à son tour par sa gentillesse et ses longues jambes. Ensuite, il avait traversé la Manche en sens inverse. Installé maintenant en Angleterre, il est en attente de son rapatriement vers le Canada, un rapatriement qui se fait selon un principe de points établis et basés sur l'ancienneté et les charges familiales. Normalement, si tout va bien, Raymond Constantin devrait être de retour chez lui pour l'automne. Sans prétention aucune, le jeune soldat se dit que c'est un peu grâce à sa volonté et à son courage s'ils ont gagné la guerre. Tout comme de nombreux autres soldats canadiens, américains, australiens, Raymond en est très fier.

Tous pour un, un pour tous, n'est-ce pas? Ces quelques mots l'avaient soutenu et ils avaient alimenté sa volonté durant les combats.

Pourquoi, alors, ne pas rester pour aider à tout reconstruire? Là aussi, toutes les bonnes volontés seraient appréciées, c'est évident.

Le jeune homme en est là dans sa réflexion.

Il aimerait bien avoir le droit d'affirmer haut et fort qu'il veut rester pour Brigitte, prétendre que son avenir est ici.

D'autres soldats ont manifesté leur désir de demeurer en Europe pour une telle raison, et les autorités en tiennent compte. Néanmoins, si l'envie est là, la permission n'y est pas. En effet, à cause de son frère André, qui lui a avoué avoir aimé Brigitte bien avant lui, Raymond ne se sent pas le droit de courtiser la jeune femme. Alors, de toutes ses forces, Raymond essaie de faire abstraction de l'attirance qu'il ressent pour elle.

De toute manière, qui lui dit que Brigitte serait sensible à ses avances? Ce n'est pas parce que celle-ci avait aimé André qu'elle serait nécessairement prête à s'intéresser à son frère. Même si Raymond et André Constantin auraient pu passer pour des jumeaux identiques…

La vie est parfois cruelle, n'est-ce pas? Incompréhensible et décevante à travers tous ces méandres où l'âme se sent projetée, ballottée par les indécisions, les déchirures, les espoirs déçus.

Comment voulez-vous, dans de telles conditions, que j'arrive à quitter tous ces personnages sans au moins jeter un dernier regard attentionné sur leur destinée?

D'autant plus qu'il y a tout un pays à reconstruire, des pays à reconstruire, et que, d'une certaine façon, ils y contribueront tous, chacun à sa manière.

C'est pourquoi, à travers l'histoire de nouveaux personnages, à peine suggérés dans les premiers tomes, il y aura aussi tous ceux que l'on connaît bien, pour qui la liberté est devenue une notion à apprivoiser à travers des choix, parfois déchirants à faire.

Je vous avais promis ce livre pour l'automne 2016, le voici donc! Ce sera le dernier de cette série et il racontera la destinée de ceux qui ont eu à se reconstruire, après la guerre. La destinée de ceux qui ont eu leur monde à refaire, une pierre à la fois, mettant un pas devant l'autre.

Il y aura tous ces personnages que vous connaissez déjà, en France, bien sûr, et au Québec, car après tout, Gilberte et tous les siens continuent de vivre eux aussi, au jour le jour, à travers l'amour, l'espoir et les décisions à prendre. Si vous saviez à quel point je les aime !

Ce livre que vous avez entre les mains, il est à la fois une conclusion des *Héritiers du fleuve,* une suite et la fin de *L'amour au temps d'une guerre* et, pour moi, un dernier livre dans cet univers qui aura été le mien durant plus de trente ans.

C'est fou comme le temps passe vite !

Par la suite, quelque part en 2017, je commencerai une autre page dans l'écriture dans un tout autre univers, avec de nouveaux personnages et des histoires différentes. N'ayez crainte, je resterai toujours celle qui aime raconter l'histoire de gens ordinaires, comme vous et moi. Et ces romans teintés de réalisme, ils se passeront parfois dans le passé, mais aussi, à l'occasion, ils se situeront au temps d'aujourd'hui. Il y a tant à dire et à écrire sur ce monde qui est le nôtre !

Pour l'instant, il ne me reste plus qu'à vous souhaiter : « bonne lecture ! »

P.-S. Pour quiconque serait un grand lecteur, de ceux qui dévorent les livres et qui souvent emmêlent les personnages et les intrigues, comme cela m'arrive parfois, je vais tenter de vous donner suffisamment d'indices pour vous y retrouver et il y a, à la fin de ce bouquin, une présentation des personnages qui saura faciliter votre lecture !

PREMIÈRE PARTIE

Juillet 1945 – Décembre 1945

« *La guerre est finie !* »

« La vraie générosité envers l'avenir consiste
à tout donner au présent. »

ALBERT CAMUS

CHAPITRE 1

Paris, le mercredi 11 juillet 1945

D'abord en Normandie, chez les parents de Brigitte Lacroix, puis, quelques jours plus tard, chez madame Foucault, sa logeuse à Paris

La décision s'était prise d'elle-même. Sans questionnements prolongés, sans véritables regrets ni déchirements d'aucune sorte.

— Nous comprenons, ma fille, lui avait dit son père, avec tout le sérieux attendu devant une telle proposition, toute l'austérité dont il faisait habituellement preuve devant ses enfants.

La veille, Brigitte avait timidement abordé le sujet de son avenir avec ses parents.

— Maintenant que la guerre est terminée, pouvons-nous espérer ton retour au village, Brigitte ? avait demandé sa mère tout en brassant une sauce. Je comprends qu'habiter Paris était important durant la guerre, avec tous ces gens que tu as aidés à fuir, mais maintenant…

— Je ne sais trop, avait répondu évasivement Brigitte, décontenancée par une question qu'elle n'attendait pas aussi tôt.

Mensonge éhonté, puisqu'elle n'avait nulle envie de revenir s'installer en Normandie.

Brigitte avait alors pris une longue inspiration pour se donner une petite dose de courage, puis elle avait modulé sa réponse en mettant, dans sa voix, une pointe d'enthousiasme primesautier, tandis qu'elle avait rappelé le grand rêve de sa vie :

— Maintenant que vous en parlez, maman... Justement parce que la guerre est finie, peut-être bien que je pourrais enfin m'inscrire à ce cours dont je vous ai rebattu les oreilles durant des années ! Après tout, si j'étais à Paris au début de la guerre, c'était pour suivre ce cours, n'est-ce pas ?

Au fil des mots, Brigitte s'était échauffée.

— Vous savez bien, le cours de secrétariat ! Vous devez vous en souvenir, n'est-ce pas ? J'en ai tant parlé, j'en ai tant rêvé ! Alors, vous deux, qu'est-ce que vous en pensez ?

Spontanément, les parents s'étaient consultés du regard. C'est qu'il y avait une telle ferveur dans la voix de leur fille ! Ça méritait réflexion.

Au bout d'un court silence à l'intensité peu commune, faite d'attente anxieuse, d'une part, et de consultation muette, d'autre part, il y avait eu ces quelques mots :

— Si tu crois que Paris est important pour toi, avait commenté son père de sa voix chuintante, alors va à Paris. Nous comprenons, ma fille.

Il donnait suite ainsi à un bref signe de tête de la part de sa femme et la discussion n'avait pas débordé de cette approbation. Brigitte avait en effet décidé à brûle-pourpoint de profiter de cette permission inattendue, elle qui anticipait plutôt quelques bâtons dans les roues.

Voilà pourquoi, un peu plus tôt ce matin, Maurice Lacroix avait rejoint Brigitte dans sa chambre pour lui remettre une enveloppe. La jeune femme était en train de préparer sa petite valise en prévision du départ.

— C'est peu, je le concède, avait-il avoué de sa voix si particulière, mais c'est de bon cœur. Si ce modeste présent permet d'alléger le fardeau des études que tu veux entreprendre, cela nous fait plaisir de te l'offrir, ta mère et moi.

— Mais papa…

Brigitte était restée interdite, ne sachant que répondre. Néanmoins, incapable de retenir sa curiosité, elle avait finalement jeté un coup d'œil au contenu de l'enveloppe. Le cadeau, aussi modeste fût-il, était un don inestimable au regard des conditions financières plutôt précaires de la famille Lacroix. Il serait tout de même d'un bon secours.

Cette offrande était d'autant plus surprenante que les présents ne faisaient pas partie des traditions familiales.

Aussitôt, Brigitte s'était mise à rougir devant cette générosité inopinée. Mais avant qu'elle n'ait pu trouver un ou deux mots susceptibles d'être à la hauteur des remerciements qu'elle aurait tant voulu adresser à son père, celui-ci l'avait devancée.

— Allez, Brigitte, cesse tes simagrées et accepte cette enveloppe de bon gré, parce que c'est ainsi qu'elle t'est donnée. Vite! Cache-moi ça dans tes bagages avant que je ne change d'avis, avait-il ronchonné, un peu bourru et visiblement ému, les mots sifflant de plus belle au sortir de ses lèvres.

Puis, il avait conclu, sur ce ton d'humour un peu grinçant qui était le sien depuis toujours :

— C'est ma façon à moi, un peu tordue, je l'admets, pour t'obliger à penser à tes vieux parents quotidiennement.

Ces derniers mots avaient aussitôt détendu l'atmosphère.

— Comme si j'allais vous oublier ! avait lancé Brigitte, faussement bougonne à son tour.

— Sait-on jamais !

— Allons donc ! avait alors rétorqué la jeune femme, sur un ton qui se voulait léger, alors qu'elle tentait de calmer les battements accélérés de son cœur. Tenez-vous-le pour dit, papa : maintenant que la guerre est chose du passé et que les routes sont sans danger, vous allez me voir nettement plus souvent. À force de faire le trajet avec mes réfugiés, je sais pertinemment que le chemin qui mène de Paris à la Normandie n'est pas aussi long qu'on pourrait le croire.

Durant ce bref mais intense dialogue, le père et la fille s'étaient dévorés des yeux. Puis, le silence s'était imposé entre eux, puisque tout semblait avoir été précisé. Les Lacroix étaient une famille de peu de mots. Le père avait alors détourné les yeux.

— Nous ne nous plaindrons jamais d'avoir la chance de te voir, avait-il ajouté, incapable de retenir cette dernière mise au point. Jamais, tu m'entends, Brigitte... Et merci pour tout ce que tu as fait pour le pays. Ça m'a touché de façon personnelle.

Brusquement, le ton venait de changer du tout au tout, plus ténu, plus réservé, presque fugace. Maurice Lacroix, revenu défiguré de la Grande Guerre, utilisait toujours cette intonation à la fois grave et détachée pour dire les choses du cœur, la France étant rangée sur le même rang que les humains.

La jeune femme le sachant en avait été émue aux larmes. Elle avait alors posé une main toute légère sur le bras de son père en guise d'affection, de remerciement.

Comme les accolades ou les baisers n'avaient jamais fait partie des démonstrations affectueuses de la famille, Maurice Lacroix avait aisément compris le sens de ce simple geste, empreint de timidité et de pudeur. À son tour, il avait posé sa main large et chaude sur celle de sa fille. Il l'avait serrée un instant avant de quitter la chambre, sans ajouter le moindre mot. Brigitte s'était alors remise à faire sa valise, soulagée, le cœur presque joyeux.

Elle partirait avec l'approbation de ses parents, et elle venait de comprendre que c'était très important pour elle.

Dans l'heure, Brigitte avait quitté la maison au toit de chaume avec moult promesses d'y revenir bientôt.

— Croyez-moi! C'est à peine si on va avoir le temps de s'ennuyer les uns des autres!

En fin de journée, la jeune femme était de retour à Paris.

Dans les faits, le séjour en Normandie n'avait duré que deux jours. D'abord, il y avait eu une courte avant-midi occupée à encourager Françoise, sa meilleure amie, la presque sœur qui n'en menait pas très large devant son mari Rémi, qui peinait toujours à se faire à l'idée d'une vie si différente de celle qu'il avait espérée. En effet, prisonnier de guerre durant plus de quatre ans, il était revenu de captivité avec les mains blessées et insensibles. De toute évidence, cet état de choses ne lui permettrait pas de devenir mécanicien comme il en avait rêvé, le moindre boulon étant devenu impossible à saisir. Puis, Brigitte avait passé un moment trop bref à jouer avec Nathan, le fils de Françoise et son filleul, avant de faire le point avec ses parents, hier en fin de journée. Quand tout avait été dit et fait, Brigitte n'avait plus eu qu'une idée en tête, et c'était de repartir vers Paris.

La route avait été plutôt agréable, sous le soleil de juillet, qui, s'il donnait un relief accentué aux ruines laissées par la guerre, permettait aussi l'espoir.

Un pied à peine posé sur le trottoir devant la gare Montparnasse, et la jeune femme sut tout de suite qu'elle avait pris la bonne décision.

Nez en l'air, elle huma longuement les senteurs de la ville.

Évidemment qu'elle était faite pour vivre à Paris ! Elle en aimait le bruit, l'odeur, les possibilités, l'effervescence, les passants, les voitures.

Elle en aimait aussi deux résidantes, habitant à quelques kilomètres de là, et tant mieux si ses parents partageaient son point de vue. Ça ajoutait à cette grande sensation d'euphorie qui l'envahissait présentement.

Il n'y aurait donc ni regrets ni déceptions, et l'avenir de Brigitte Lacroix passerait désormais par Paris avec la bénédiction de tous.

La jeune femme eut à ce moment une pensée pour André Constantin, ce soldat canadien qui aurait pu modifier cette vision de l'avenir, puis elle secoua vivement la tête. André n'était plus là et, malgré la peine qui persistait quand Brigitte pensait à lui, la vie continuait inexorablement.

Alors, Brigitte inspira longuement, jeta un dernier regard autour d'elle, puis, empruntant la rue de Vaugirard, elle se mit en marche vers la tour Eiffel, dont la fine pointe se profilait au loin, juste au-dessus des toits. Une petite demi-heure d'une promenade rapide et elle serait enfin rendue !

Tout à coup, son cœur lui semblait aussi léger que le petit bagage qu'elle avait à la main.

Une eau tremblante entrevue furtivement au coin d'une paupière de Simone Foucault, sa logeuse, la rassura définitivement. Elle était la bienvenue. Brigitte s'en doutait quand même un peu ! Mais de le constater, encore une fois, et dès son arrivée, contribua à entretenir sa bonne humeur.

Eva, une gamine recueillie par madame Simone durant la guerre, une petite bohémienne, comme s'entêtait à le dire madame Simone, avait été séparée de ses parents, qu'on n'avait jamais revus. Elle poussa un cri de joie quand elle reconnut Brigitte dans l'embrasure de la porte laquée de rouge qui donnait directement sur le trottoir. Ce bel entrain souligna le retour de Brigitte d'un grand éclat de rire. Sans le moindre doute possible, la gamine était ravie, et il y eut alors deux regards complices qui se rencontrèrent au-dessus de sa tête bouclée.

Un instant de bonheur partagé à trois, puis Brigitte entra dans la maison.

— J'avais peur de ne pas vous revoir, jeune fille !

bougonna madame Foucault, la précédant dans le long corridor.

Puis, quelques instants plus tard, alors qu'elle versait une bonne rasade de thé glacé dans ses plus beaux verres, elle précisa :

— Admettez tout de même comme moi qu'avec la jeunesse d'aujourd'hui, on ne sait jamais vraiment sur quel pied danser.

— Allons donc, madame Simone ! lança Brigitte sur un ton badin. Pour danser, ça prend les deux pieds !

Haussement d'épaules en guise de réponse, le geste exprimait une certaine vulnérabilité. Alors, plus modérée, la jeune femme ajouta :

— Vous n'étiez pas vraiment sérieuse, n'est-ce pas, en disant cela ?

Émotion partagée, la sollicitude était facilement perceptible dans la voix de Brigitte.

La vieille dame s'était donc réellement inquiétée ?

Redevenue sérieuse devant la mine grave de sa logeuse, Brigitte demanda encore :

— Vous pensiez sincèrement que je ne reviendrais jamais ?

— Hé ! Comment être certaine des intentions d'autrui, jeune fille ? Même ceux que l'on croit bien connaître arrivent à nous surprendre, et parfois de curieuse façon. Alors… Malgré vos dires et tout ce que vous pouvez prétendre au sujet de vos nombreux frères qui ont tendance à vous envahir quand vous retournez chez vos parents, je le sais bien, allez, que vous les aimez beaucoup.

Brigitte esquissa un pâle sourire.

— Je les aime, oui, nul doute là-dessus, mais me revoilà tout de même, ici, avec vous, déclara la jeune femme, une inflexion affectueuse dans la voix. Cela veut dire quelque chose, non ? Et si je suis là, c'est pour un bon moment, d'ailleurs, puisque j'entends bien commencer ce fichu cours qui m'avait amenée à Paris, il y a de cela des siècles, me semble-t-il… Mes parents m'ont même donné un petit montant d'argent pour aider ma cause.

— À la bonne heure ! Cela souligne l'importance qu'ils accordent à votre choix, jeune fille.

— Je le vois dans le même sens que vous, madame Simone, souligna Brigitte, touchée de voir que sa logeuse pensait comme elle.

Le temps d'un soupir empreint d'une petite, d'une toute petite mélancolie, et Brigitte reprit.

— N'empêche que c'est bien peu, ce que mes parents m'ont donné, et que je vais devoir me trouver un emploi.

— C'est normal, vous ne pensez pas ? Vous êtes jeune et en santé. Tous les jeunes de votre âge travaillent.

— Peut-être bien, oui… Par contre, tous les jeunes de mon âge ne vont pas à l'école en même temps.

À ces quelques mots qu'elle entendit comme une jérémiade, madame Simone leva les yeux au plafond.

— Mais qu'est-ce que c'est que ce raisonnement ? gronda-t-elle, tout en reportant un regard irrité sur Brigitte.

— Ça veut tout simplement dire que l'idéal serait d'avoir un emploi à mi-temps, se hâta de préciser la jeune femme. Avec les études, je ne vois pas comment je vais…

— Arrêtez de vous plaindre, Brigitte ! interrompit sèchement madame Foucault. Vous n'êtes pas la première à devoir occuper un emploi tout en poursuivant vos études! Et vous ne serez pas la dernière, non plus… Puis, quelques heures de travail par semaine, ça ne fait mourir personne, et ça devrait suffire à couvrir vos petites dépenses. Ainsi qu'à payer votre inscription, bien entendu. Avouez tout de même que ça ne serait pas la mer à boire, quelques heures d'un boulot qui vous plairait! D'autant plus que par les temps qui courent, on a presque l'embarras du choix. Pourquoi toujours vous mettre martel en tête, ma pauvre fille?

Quand madame Simone y allait de cette expression, c'était que «la pauvre fille» commençait à l'exaspérer. La voix de Brigitte se fit alors douce comme le miel.

— Je ne me tourmente pas inutilement, madame Simone. Qu'est-ce que c'est que cette idée, et pourquoi vous en prendre à moi de la sorte? C'est à vous que je pense, en m'interrogeant ainsi. Je veux que tout aille pour le mieux pour tout le monde. S'il n'était question que de mes menues dépenses, oui, quelques heures de travail par semaine devraient suffire, vous avez tout à fait raison. Je suis économe par principe, et je n'aime pas jeter l'argent par les fenêtres. Vous le savez.

— Je le sais. Alors? Qu'est-ce qui vous chicote? Et qu'est-ce que je viens faire là-dedans? Je ne vous suis pas très bien dans votre réflexion et je le vois, allez, que vous êtes tiraillée!

— C'est qu'il y a aussi le loyer, madame Simone! Pas juste mes menues dépenses. Il y a aussi les comptes, et la nourriture, et…

— Qui parle de loyer, ici? coupa sévèrement la vieille

dame. Il me semble avoir déjà eu cette discussion avec vous. L'auriez-vous oublié? Et il me semble aussi qu'on avait réglé le problème. Quant à la nourriture, il y a toujours eu quelque chose sur la table, non?

Tout en parlant, et peut-être pour éviter d'avoir à croiser le regard de Brigitte tant elle craignait de lever le ton, Simone Foucault détourna les yeux et se mit à détailler la cuisine.

Les étagères commençaient à se remplir lentement, au fur et à mesure que les denrées se faisaient plus disponibles. C'était un réel plaisir pour Simone Foucault de retrouver la normalité des choses, en ce temps de l'après-guerre, mais il était vrai, aussi, que tout cela coûtait très cher, beaucoup plus qu'avant ces dernières années de disette.

La vieille dame retint un soupir d'impatience.

La nourriture était-elle devenue à ce point dispendieuse que ce fait d'une banalité navrante pourrait lui donner envie de revenir sur une décision qu'elle croyait irrévocable?

En clair, se casser la tête pour joindre les deux bouts serait-il suffisant pour oser demander une pension à cette Brigitte qu'elle préférait considérer un peu comme sa fille?

Madame Simone le poussa finalement, ce long soupir qu'elle avait retenu, surprise de se sentir tout hésitante, et trouvant surtout infiniment désagréable de devoir toujours tout ramener à l'argent.

Par ailleurs, même si tout lui semblait affreusement cher depuis la fin de la guerre, toutes ces dernières années de privation avaient eu cela de bon: elle, Simone Foucault, avait appris à faire à peu près tout avec moins. N'en déplaise à Brigitte, qui s'était souvent plainte de la soupe aux choux, d'ailleurs! Au moins sa jeune pensionnaire avait-elle mangé à sa faim et personne ne s'était ruiné!

Ce petit souvenir ramena madame Simone à de meilleurs sentiments et son irritation fondit comme neige au soleil. Pourquoi s'en prendre à Brigitte, qui faisait preuve d'une belle loyauté à son égard et ne voulait sûrement pas l'importuner inutilement?

Bien au contraire, l'intention généreuse de la jeune femme était tout à son honneur.

C'est pourquoi, malgré la tentation qui se faisait pernicieuse, Simone tiendrait bon et ne demanderait rien. Et c'était bien plus qu'une simple question de principe, il lui fallait le reconnaître: à ses yeux, Brigitte Lacroix ne serait plus jamais une simple locataire.

En fait, depuis des mois et des mois, maintenant, Brigitte ne lui avait pas donné le moindre centime, et elles avaient quand même réussi à survivre, toutes les deux, puis, toutes les trois, à partir du moment où on avait ajouté Eva à l'équation. Sans en avoir l'air, la vie avait fait en sorte que la relation entre les deux femmes avait largement débordé de ce cadre de propriétaire-locataire qui s'était spontanément instauré à l'arrivée de la jeune femme à l'été 1940. C'est ce que Simone Foucault allait tenter de faire comprendre à Brigitte, une bonne fois pour toutes!

De son côté, Brigitte s'était bien gardée d'interrompre ce court moment de réflexion, connaissant de mieux en mieux les habitudes et les manies de madame Foucault.

Depuis longtemps, elle savait qu'il ne servait à rien de bousculer cette vieille dame qui avait le caractère plutôt prompt !

Pendant ce temps, Eva, assise tout à côté, ne cessait de dévorer la jeune femme des yeux. Manifestement, à l'instar de celle qui l'avait recueillie, la gamine avait entretenu la crainte insensée, et surtout fort inutile, de ne jamais revoir Brigitte.

Le temps de jeter à son tour un long regard sur la cuisine et ce coin de jardin qu'on apercevait à travers le grillage de la porte, le temps aussi de se répéter, toujours aussi émue, que dans cette maison, elle se sentait aussi bien que chez ses parents, et Brigitte tourna enfin la tête vers madame Simone.

— Je sais bien que vous n'avez pas parlé du loyer, reprit-elle tout doucement, mais quand même... Il me semble, maintenant que la guerre est finie, que la situation n'est plus tout à fait pareille et...

— Taisez-vous, jeune fille !

Simone Foucault s'était redressée. Le ton employé était péremptoire, malgré la surprenante clémence qui enveloppait cette voix plutôt rocailleuse.

— Ne dites pas de sottises, vous pourriez le regretter !

À ces derniers mots, lancés malicieusement, Brigitte crut deviner ce qui allait suivre. Les discours alambiqués de Simone Foucault se faisaient souvent obscurs, certes, mais elle commençait à y être habituée. Elle soupçonna donc que la vieille dame lui affirmerait, haut et fort, qu'elle ne voulait recevoir aucun loyer ! N'empêche que pour Brigitte, ce qui pouvait être bon en temps de guerre ne l'était pas nécessairement aujourd'hui, et elle avait bien l'intention de tenir son bout.

Au même instant, flairant, elle aussi, que Brigitte allait insister, Simone Foucault l'observait à la dérobée. Lèvres mordillées et sourcils froncés sur un regard vague, la réflexion de Brigitte semblait intense. Alors, bonne joueuse, madame Simone décida d'y mettre un terme immédiat. Elle lança donc, pince-sans-rire :

— S'il fallait que le côté mercantile découlant de votre insistance à vouloir payer une pension me saute aux yeux, c'est vous, jeune fille, qui perdriez au change !

Brigitte sursauta et tourna la tête. À l'autre bout de la table, le regard de Simone Foucault brillait d'un éclat espiègle, presque juvénile, tout à fait inattendu.

— Vous ne voyez donc pas l'effort titanesque que me demande la décision d'écarter une éventuelle mensualité ? insista la logeuse, toujours sur le même ton taquin.

— Alors là…

Regard fripon et index tapotant la table, madame Simone la fixait avec attention, un sourire amusé sur les lèvres.

La détente ressentie par Brigitte fut instantanée, et il n'en fallut pas plus pour qu'elle admette enfin que la proposition était sincère et, sans aucun doute, longuement mûrie.

Quoi qu'il en soit, le sourire de madame Simone était d'une éloquence persuasive, elle qui ne souriait que très peu, sauf en présence d'Eva.

Brigitte comprit au même instant que son intuition avait été la bonne et que les liens l'unissant à madame

Foucault n'étaient pas uniquement dus aux tensions pro-voquées récemment par la guerre, comme on aurait pu le croire, ou tributaires de cette obligation qu'ils avaient tous ressentie à se serrer les coudes. Entre les deux femmes, il y avait beaucoup plus qu'une attitude de convenance, découlant d'un simple compromis dû aux circonstances passées, ou encore provenant de certaines confidences, échangées de part et d'autre, lors de moments particuliè-rement éprouvants. Brigitte eut alors l'absolue conviction que la maison de Simone Foucault était aussi la sienne.

Une longue inspiration de soulagement souligna cette constatation et, à son tour, Brigitte offrit un large sourire à la vieille dame que la vie n'avait pas particulièrement gâtée. Restée veuve à la fin de la Grande Guerre, Simone Foucault avait perdu son unique fille quelques années plus tard, victime d'une leucémie. Si aujourd'hui Brigitte avait sensiblement l'âge qu'aurait sa fille Nicole, et qu'aux yeux de madame Simone, elle l'avait en quelque sorte remplacée, il y avait aussi la petite Eva qui avait pris la place laissée vacante dans son cœur, puisque sa fille était morte en bas âge.

— Si j'ai bien compris, le loyer n'est pas un sujet de conversation possible entre nous deux, n'est-ce pas ? demanda alors Brigitte.

— Enfin !

— D'accord, madame Simone, je n'en parlerai plus. Cependant, promettez-moi qu'en cas de besoin, vous me ferez signe.

— Qu'est-ce que vous allez penser là ? Bien sûr que je vous ferai signe.

Les sourcils de madame Simone avaient repris leur place habituelle, froncés au-dessus de son regard perçant, et la bouche était de nouveau entourée par deux rides de chamaillerie.

— Je ne me laisserai pas mourir de faim pour vos beaux yeux, jeune fille, soyez-en certaine, grommela Simone Foucault à sa manière coutumière... Cependant, je doute grandement qu'on soit obligées d'en arriver là. Ceci étant dit, dorénavant, dans cette demeure, vivront une vieille dame un peu bourrue, je l'admets, une enfant adorable qui se prénomme Eva, et une jeune femme un brin anxieuse devant la vie et qui fait un lien plutôt harmonieux entre les deux... Est-ce que cela vous convient, Brigitte?

— Bien sûr, qu'est-ce que vous croyez?

— Alors tant mieux, nous envisageons la situation d'un même œil. À nous trois, vous, Eva et moi, nous formerons une belle petite famille.

Au mot «famille», le nom d'André Constantin traversa malencontreusement l'esprit de Brigitte. Sursaut du cœur, la jeune femme fut brusquement attristée. La mort du jeune soldat canadien, rencontré chez son amie Françoise, avait laissé un grand vide dans le cœur de Brigitte. Cependant, si la jeune femme tiqua mentalement, elle n'en laissa rien voir. Le moment ne se prêtait pas aux vains regrets ni aux confidences nostalgiques, tandis qu'à travers ses propos, madame Simone regardait résolument vers l'avenir.

— Alors, Brigitte? demanda-t-elle enfin. Et ce cours de secrétariat que vous venez de mentionner, à l'instant?

Quand est-ce que vous comptez vous y inscrire?

Tout en questionnant de la sorte, Simone Foucault s'était levée de table et elle avait ramassé les verres vides au passage. Présentement, elle clopinait dans la cuisine, passant de la table à l'évier, puis de l'évier au garde-manger. Elle avait une carotte et quelques haricots jaunes à ajouter au menu du soir et, pourquoi pas, un dessert à confectionner. Après tout, c'était jour de fête, puisque Brigitte était de retour.

Puis Eva serait contente!

Le repas fut donc préparé dans une joyeuse ambiance. On parla évidemment du cours qui, normalement, devrait commencer à l'automne.

— Du moins était-ce là la date dont on avait parlé, au moment de ma première inscription. Si vous saviez, madame Simone, comme cette époque me semble lointaine!

— Et à moi, donc! J'ai l'impression que c'est toute une vie qui a eu le temps de s'écouler depuis le jour où vous avez sonné à ma porte! Mais dites donc! Si le cours n'est qu'à l'automne, vous aurez amplement le temps de vous amasser un petit pécule! Souci de moins pour vous, n'est-ce pas, quand les études commenceront!

Ensuite, comme de raison, on apprécia l'été, qui était beau.

— Le fait de savoir que la guerre est bel et bien terminée donne un éclat nouveau au soleil, je crois bien. Ne trouvez-vous pas, Brigitte?

— C'est vrai! À moi aussi, tout semble plus beau, plus joyeux.

Enfin, tout en dressant la table, on se demanda, sur un ton rempli d'espoir et de respect, ce qu'étaient devenus Jacob Reif et sa famille.

Les Reif étaient cette famille juive que Brigitte avait connue à son arrivée à Paris, le père, Jacob Reif, étant son patron à la blanchisserie où elle avait travaillé durant quelque temps.

De nombreux mois plus tard, Brigitte avait aidé la mère et les deux filles à fuir vers des cieux plus cléments. En effet, tandis que Bertha, Klara et Anna Reif avaient pu se rendre en Normandie, Jacob, le père, était resté à Paris pour camoufler leur fuite, disait-il. Malheureusement, quelques jours plus tard et avant qu'il puisse rejoindre sa famille, il avait été arrêté lors d'une des nombreuses rafles qui avaient visé les Juifs. Heureusement, il s'en était sorti sain et sauf, comme Brigitte avait pu le constater lors d'une courte visite, quelques semaines auparavant, alors que le pauvre homme était justement à la recherche de sa femme et de ses filles. Depuis, Brigitte ne l'avait pas revu.

— Si vous saviez à quel point j'espère toujours recevoir de leurs nouvelles, soupira la jeune femme. Je rêve même qu'un beau jour, ils vont être là, tous ensemble, devant la porte… Ou alors, je recevrai à tout le moins une lettre me donnant l'heure juste les concernant !

— Moi aussi, jeune fille, j'aimerais bien savoir ce qu'il devient, votre monsieur Jacob ! Vous aviez raison, vous savez : une toute petite soirée a suffi pour que je comprenne ce que vous vouliez dire quand vous affirmiez que votre patron était un homme exceptionnel, un être hors du commun.

— C'est vrai. Monsieur Jacob est sans conteste un être d'exception.

L'air venu de la cour était doux comme une caresse, tandis que le soleil s'entêtait à rester accroché haut dans le ciel, comme s'il n'avait pas l'intention de se coucher, aujourd'hui.

— Et maintenant, à table! claironna Brigitte, à l'instant précis où le «drelin» de la petite sonnette fixée sur la porte d'entrée se faisait entendre.

Les deux femmes échangèrent un regard surpris au-dessus de la table bien garnie.

— Mais voulez-vous bien me dire…

De toute évidence, Simone Foucault était inquiète.

— Installez-vous avec Eva, ordonna-t-elle précipitamment à Brigitte. Attendez-moi pour manger, cependant, je reviens à l'instant. Mais qui donc…

Sans compléter sa pensée, Simone Foucault arracha son tablier et le lança sur une chaise. Anxieuse par réflexe, une attitude tout à fait normale après toutes ces années sombres qu'elle venait de traverser, madame Simone quitta la cuisine sans tarder.

D'un pas résolu, même si, malgré la chaleur de l'été, il lui restait un léger boitillement dû à l'arthrite, madame Foucault se dirigea vers l'autre bout du long couloir qui suivait le mur mitoyen de la maison. Tout en avançant vers la porte donnant sur le trottoir, elle tentait de se raisonner. Après tout, elle était ici chez elle et le gaz, tout comme l'électricité, avait été payé en avance. Même la guerre était chose du passé.

Alors? Pourquoi tant d'émoi pour un simple coup de

sonnette? Finirait-elle un jour par ne plus avoir peur?

Une fois rendue devant la porte, la curiosité l'emporta cependant sur la crainte.

Simone Foucault inspira profondément pour se calmer, puis elle ouvrit sur un gamin d'à peine quinze ou seize ans, du moins était-ce là l'estimation qu'elle eut au premier regard.

— Mais qu'est-ce que tu fais là, toi? demanda-t-elle aussitôt, d'une voix qui se voulait sévère. Et qui es-tu d'abord, pour oser sonner chez les gens à l'heure du dîner? On ne t'a jamais appris que...

Madame Simone se tut brusquement, et, tandis que son front se couvrait de rides profondes dénotant ainsi son intense réflexion, elle ajouta, sans attendre la moindre réponse:

— Mais attends donc une minute, toi... Il me semble que je te connais, que je t'ai déjà vu...

La mémoire lui revint d'un coup.

La pauvre madame Foucault recula d'un pas, toute tremblante, le cœur dans un étau, car, subitement, l'inconnu n'en était plus un.

Un simple regard entre eux, une première impression intuitive et aussitôt, le jeune garçon avait retrouvé son identité, son nom et la longue histoire triste qui s'y rattachait.

Une histoire emmêlée à certains souvenirs que Simone Foucault aurait nettement préféré ne jamais avoir besoin de se rappeler.

Néanmoins, malgré le passage du temps, la ressemblance était trop frappante pour ne pas la constater, et, à son corps défendant, madame Simone venait de faire le rapprochement.

Elle porta une main à ses lèvres pour tenter d'en maîtriser le tremblement, et, se retournant, elle essaya de crier pour appeler Brigitte. Mais le son de sa voix sortit tout étranglé, et ce fut à peine si l'appel arriva à se faufiler jusqu'à la cuisine.

— Brigitte! Vite, Brigitte, venez!

Madame Simone toussota pour raffermir sa voix, et, tout en se tordant les mains d'anxiété, toujours sans quitter le jeune garçon des yeux, elle murmura, angoissée:

— Seigneur, je Vous en supplie, pas ça! C'est impossible, n'est-ce pas? C'est impossible. Pas ça.

Enfin, d'une voix plus ferme, et un peu plus forte, elle cria encore:

— Mais qu'est-ce que vous fabriquez, Brigitte? Qu'est-ce que vous attendez pour venir me rejoindre? Dépêchez-vous, j'ai besoin de vous!

L'oreille tendue, la jeune femme avait bien perçu le premier appel de madame Simone et elle arrivait déjà, à grands pas, suivie de près par Eva qui étirait le cou pour tenter d'apercevoir ce qui pouvait bien se passer à la porte pour causer une telle agitation.

En effet, à peine âgée de sept ans, même la petite fille avait entendu l'inquiétude qui soutenait la demande répétée de madame Simone. Intuitive de nature, et anxieuse à cause de tout ce qu'elle avait vécu, Eva avait une maturité surprenante pour une gamine de son âge. Mais comment cette enfant pourrait-elle agir autrement, puisqu'elle éprouvait un attachement inconditionnel à l'égard de cette femme un peu rude qui l'avait accueillie sans réserve ?

Par la force des choses, Simone Foucault était devenue son repère et son rempart, au point où Eva l'appelait désormais « grand-mère », tout naturellement, et avec une grande tendresse. Alors, si cette même femme semblait contrariée ou soucieuse, c'était qu'il se passait quelque chose de particulier, et la jeune Eva n'aimait pas cela.

Avec raison, la pauvre petite détestait tout ce qui venait bousculer sa tranquillité.

Cependant, à l'instant où elle aperçut le garçon qui se tenait dans l'embrasure de la porte, Eva oublia aussitôt madame Simone et l'affection sincère qu'elle lui portait.

Encore une fois, Eva se sentait déséquilibrée par un événement imprévu, certes, mais en ce moment, l'enfant ne ressentait ni crainte ni incertitude, comme elle en avait éprouvé le matin où elle avait vu sa famille s'en aller sans elle.

Un large sourire la transfigura aussitôt.

Ce fut donc ce même petit bout de fille, inconsciente de tout le bouleversement que son geste allait causer, qui confirma les craintes les plus vives de Simone Foucault, car en écho à son large sourire, Eva poussa un cri de gorge guttural qui rappelait étrangement cette langue maternelle qu'elle était en train d'oublier.

Puis elle lança un nom.

— Johan !

Sans plus attendre, sans un seul regard pour madame Simone, Eva bouscula Brigitte qui se tenait devant elle dans l'étroit corridor. Livide et le cœur battant, la jeune femme vit la petite fille se précipiter vers le garçon malingre qui se tenait là, intimidé. Un jeune garçon qu'elle avait reconnu, elle aussi, et sans la moindre hésitation.

Brigitte eut spontanément un regard en coin pour madame Simone, tandis qu'Eva, tout à sa joie de retrouver un visage familier, et toujours sans tenir compte de qui que ce soit d'autre, se pendait au cou de son frère aîné, qui était resté immobile, un pied sur le trottoir et un autre sur le seuil de la porte.

Une ondée de larmes zébra dans l'instant les joues mal lavées de Johannes Engel.

Intense soulagement, le jeune garçon venait de comprendre hors de tout doute qu'il avait frappé à la bonne porte !

Cela faisait des semaines qu'il y pensait, à cet instant de retrouvailles, sans savoir s'il faisait bien d'y croire, tant leur réalisation restait aléatoire et dépendante d'un tas d'incertitudes. Néanmoins, cela faisait des jours qu'il marchait avec un seul but en tête : arriver jusqu'à la maison de madame Simone, dont il ne connaissait que le prénom. Son plus grand souhait était de retrouver sa petite sœur, pour ne plus connaître cette intolérable solitude que la vie lui avait imposée. Et parce qu'il l'avait promis à son père, avant que celui-ci ne disparaisse à son tour.

— Je cherche madame Simone, avait-il alors demandé à droite et à gauche. Madame Simone, s'il vous plaît !

Combien de fois avait-il prononcé ces quelques mots depuis son arrivée à Paris, se désespérant de retrouver la maison, car des Simone, il y en avait des milliers ?

Puis, au troisième jour de ses intenses recherches, il vit

enfin la tour Eiffel, immense devant lui. Impossible de s'y tromper, il était déjà passé par là.

Quelques souvenirs étaient alors remontés à la surface.

Il se souvint clairement du matin où il avait fui Paris en compagnie de ses parents, au printemps 1943. Il revit en pensée la charrette instable et la jeune femme qui les accompagnait.

Comment s'appelait-elle, encore, cette guide au gentil sourire ?

Il n'avait alors que quatorze ans. Ce matin-là, c'était au tournant d'une rue qu'il avait remarqué la présence de cet étrange assemblage de métal dont il ignorait le nom à l'époque. Alors, si, présentement, cette pointe effilée se dressait dans son champ de vision, c'était qu'il marchait dans la bonne direction, non ?

Un bref sourire avait aussitôt éclairé son regard et l'espoir avait refleuri dans son cœur. La maison où il s'était caché durant quelques jours ne devait plus être très loin.

Alors, Johannes avait encore marché. Longtemps.

Il s'était mis à scruter les façades de toutes les maisons. En vain.

Il avait demandé dans les cafés et il avait visité les petites boutiques. « Désolé », lui avait-on répondu.

Qu'importe !

Il s'était arrêté devant les comptoirs de fruits et il avait longé les étals de viande, et un peu partout, il avait questionné dans ce français correct, mais à l'accent un peu particulier, qui était le sien.

— Madame Simone, s'il vous plaît. Connaissez-vous une madame Simone ?

Au bout du compte, ça avait été la boulangère de la rue Cambronne qui l'avait renseigné.

— Madame Simone? Simone Foucault?

En entendant ce patronyme, le jeune garçon, soulagé, avait acquiescé en secouant vigoureusement la tête. Ce nom lui disait effectivement quelque chose.

— Je crois, oui. Je crois bien que c'est le nom que j'ai déjà entendu.

— Alors, tu es rendu, mon garçon! Quelques rues, et ça y est! Tiens, voici l'adresse, avait déclaré la boulangère, tout en lui tendant gentiment un bout de papier.

La marchande y avait griffonné un chiffre et le nom d'une rue.

— Tu y es presque. Tu ne peux pas te tromper: c'est droit devant, puis tu tournes à gauche. Allez! File, maintenant, je ferme.

C'est ainsi que, quelques minutes plus tard, Johannes Engel avait sonné à la porte de madame Simone, libérant par le fait même un torrent d'émotions et de souvenirs.

Si Eva et son frère semblaient heureux de se retrouver, malgré les larmes qui sillonnaient leurs joues, madame Simone, quant à elle, était à des lieues de se réjouir.

Tout comme les deux enfants, la pauvre femme avait le visage couvert de larmes, mais ce n'était pas du tout pour la même raison.

En effet, si le gamin avait frappé à sa porte, c'était que les parents n'étaient pas très loin, n'est-ce pas? Et si les parents d'Eva étaient revenus, c'était son avenir à elle qui n'aurait plus aucun sens.

Pour madame Foucault, cela ne faisait aucun doute.

Comme il semblait évident, par ailleurs, qu'Eva n'avait rien oublié de son passé. Quelle naïve elle avait été de supposer le contraire!

Son vieux cœur déchiré battait si fort que madame Simone porta machinalement les deux mains à sa poitrine, comme pour l'empêcher d'éclater de tristesse ou de s'envoler à tire-d'aile.

Le geste était d'une triste éloquence.

Brigitte fit alors un pas en avant et elle passa un bras rassurant autour des épaules de la vieille femme, faisant taire du coup ses propres sentiments. Elle pouvait comprendre le désarroi de madame Simone, même si, pour sa part, elle ressentait des émotions ambivalentes. Elle était à la fois heureuse de voir Johannes, alors qu'elle était toujours pétrie de culpabilité de n'avoir su mieux protéger la famille Engel, celle qu'elle avait promis de mener en lieu sûr, depuis Paris jusqu'à la Normandie. Brigitte était aussi infiniment triste pour madame Simone, qui allait peut-être devoir se séparer d'Eva. Malgré cela, ses propos se voulurent réconfortants.

— Ça va aller, madame Simone. Ça va aller.

— Non, ça ne va pas, contredit aussitôt la vieille femme, d'une voix hachurée... Ça ne va pas du tout... Vous ne comprenez donc pas ce qui se passe en ce moment, Brigitte?

— Ce que je comprends surtout, c'est que Johannes est seul...

L'évidence venait de sauter aux yeux de Brigitte. Elle insista.

— Johannes est venu seul, madame Simone, tout seul.

— Et alors ?

— Si les parents étaient vivants, déclara la jeune femme d'une voix ferme, malgré la présence de Johannes, ils seraient là, avec lui... Vous ne pensez pas, vous ?

La vieille dame resta sans mots, incapable de la moindre cohérence pour l'instant, tout en essayant tant bien que mal d'ajuster le tourbillon de ses pensées folles à celui de ses émotions déchirantes.

Et si Brigitte avait raison ?

Prenant la situation en mains, celle-ci repoussa doucement madame Simone pour libérer un peu d'espace devant la porte et, de la main, elle fit signe à Johannes d'entrer dans la maison.

— Venez, jeune homme ! On ne se donne pas en spectacle sur le trottoir comme vous le faites. Le repas est prêt, suivez-nous !

Devant l'hésitation de Johannes, elle précisa :

— On allait se mettre à table, alors on va partager avec toi.

Le tutoiement venait de s'imposer à Brigitte, tellement Johannes lui parut jeune quand il leva les yeux vers elle.

— Allez, madame Simone, encouragea Brigitte en se tournant vers sa logeuse, on va manger. Ça sent bon et tout est à point. On y va ?

Johannes était affamé. Il engloutit tout ce qui se présenta devant lui, même si les portions qu'on lui servit étaient plutôt copieuses, puisque ni Brigitte ni Simone Foucault n'avaient grand appétit.

Pour l'une, l'inquiétude dominait, sans la moindre possibilité de s'en détacher, malgré les propos rassurants qu'elle avait entendus. Pour l'autre, c'était surtout l'éventualité de savoir enfin ce qui s'était vraiment passé lors de l'embuscade qui obnubilait ses pensées, et cette perspective l'effrayait un peu.

Pour se détendre, Brigitte s'entêta à faire le service, surveillant les uns et les autres. Elle sentait le besoin d'être active pour ne pas trop penser. Depuis tout à l'heure, elle avait la sensation bien tangible que le passé lui courait après, et, si elle avait hâte de savoir ce que la famille Engel avait vécu de son côté, elle demeurait tout de même tendue.

Une fois les couverts retirés, alors qu'il ne restait plus que la tarte aux fraises au milieu de la table et une pile d'assiettes pour recevoir les portions de dessert, Brigitte se tourna franchement vers Johannes. Il était temps, maintenant, que le jeune garçon raconte tout ce qu'il avait vécu, ce qui s'était réellement passé depuis le jour où, désespérée, elle avait vu se volatiliser une famille au grand complet, sous ses yeux ou presque. Contre toute attente, Brigitte aurait peut-être le droit de mettre un point final à cette attaque allemande qui avait coûté la vie à monsieur Calvé, le conducteur de la charrette. En principe, cet homme aurait dû l'accompagner jusqu'au bout d'un voyage sans histoire, conduisant en sécurité tous les membres de la famille Engel, comme ils l'avaient si souvent fait par le passé. Seule la petite Eva n'avait pas suivi, ce matin-là. Victime d'une forte entérite, l'enfant était restée à Paris, chez madame Foucault, le temps de se remettre, avait-on décidé. Quand elle irait mieux, Eva rejoindrait le reste de sa famille qui l'attendrait en sécurité, en Normandie.

L'attaque allemande avait changé les plans de cette fuite désespérée et la vie de plusieurs.

De fait, Eva n'avait jamais eu la chance de retrouver sa famille, puisque celle-ci avait curieusement disparu. Du moins était-ce là ce que l'on avait sincèrement cru. La petite fille n'avait donc pas quitté la maison de madame Simone et, depuis, elle vivait chez celle qui avait franchement espéré avoir le droit de l'adopter légalement, un jour.

La présence de Johannes venait de modifier la donne, Brigitte en était cruellement consciente. La douleur au cœur ressentie par madame Simone devait être terrible.

Toutefois, tant pour sa logeuse que pour elle-même, et, quel que soit le prix à payer, Brigitte voulait savoir ce qui était arrivé, ce matin-là, alors que sans demander son reste, elle avait couru à travers champ pour sauver sa vie. Depuis, n'ayant jamais eu de nouvelles de la famille Engel et puisque, quelques heures plus tard, elle n'avait retrouvé que leurs légers bagages sur le site de l'embuscade, Brigitte d'abord, puis madame Foucault ensuite, avaient cru en toute bonne foi qu'ils avaient tous été emmenés, puis qu'ils étaient décédés. Plus les mois passaient et plus elles en étaient convaincues. Le père, la mère et les enfants avaient été arrêtés, ce matin-là, et ils étaient probablement tous morts. Comme tant d'autres.

De toute évidence il n'en était rien, puisque Johannes était là.

Mais seul.

À cette pensée, le cœur lourd, Brigitte tendit la main pour venir la poser sur celle du jeune garçon qui, après un bref moment d'hésitation, tourna les yeux vers elle.

— Raconte-moi, Johannes, demanda alors Brigitte d'une voix très douce. Raconte-moi ce qui vous est arrivé, ce jour-là. La charrette, le voyage, les Allemands… Tu t'en souviens, n'est-ce pas?

Comme bougie que l'on souffle, le regard de Johannes s'éteignit.

— Je m'en souviens, oui, murmura-t-il, au bout d'un long silence bouleversant, je n'ai rien oublié.

Ce retour dans le passé semblait lui être douloureux, et de grosses larmes s'étaient remises à briller dans ses yeux.

— Jamais je ne vais oublier. Jamais.

La voix de Johannes était rauque et tremblante, chargée d'une infinie tristesse, tandis que madame Simone et Brigitte restaient suspendues à ses lèvres. Seule la petite Eva paraissait indifférente à ce qui se disait autour d'elle. Elle n'avait d'yeux que pour son frère, bien sûr, et sa joie semblait se contenter de cette présence qui la ravissait.

À aucun moment, depuis l'apparition de Johannes dans le cadre de la porte de madame Foucault, Eva n'avait parlé de ses parents ou de son autre frère et de ses sœurs. Peut-être bien parce qu'à sept ans, le moment présent suffisait amplement à rendre une petite fille tout à fait heureuse.

— J'ai eu peur et j'ai couru, souffla alors Johannes, le regard vague, tandis que Brigitte, subjuguée, buvait chacune de ses paroles.

Ainsi donc, chacun pour soi, de part et d'autre de la route, ils avaient vécu la même chose?

— Mon père me tenait par la main, expliqua Johannes,

confirmant ainsi les présomptions de Brigitte. Il tirait de toutes ses forces sur mon bras pour que je le suive. Il tirait tellement fort que, parfois, j'avais vraiment l'impression de voler derrière lui. On courait tellement vite. Puis on est arrivés à un boisé de gros arbres et...

Johannes se tut brusquement. Il regarda autour de lui, comme surpris de se voir dans une cuisine étrangère et non dans la campagne normande qui continuait d'envahir ses nuits, sous forme de cauchemars récurrents. L'adolescent poussa un long soupir avant de reprendre dans un souffle le fil de son histoire.

— C'est en arrivant au bois que mon petit frère est tombé, ajouta-t-il avec un trémolo dans la voix, et c'est à ce moment-là que j'ai entendu le bruit des coups de feu, le sifflement des balles. C'est curieux, mais avant, je ne les entendais pas. Mon père s'est arrêté pour prendre mon frère dans ses bras et on s'est enfoncés dans le bois : Miguel, appuyé sur la poitrine de mon père, et moi, marchant à côté d'eux. Sans dire un mot, on a marché longtemps, très longtemps. On a marché jusqu'au soir.

Le reste de l'histoire de Johannes tenait à quelques mots : Miguel était déjà mort quand ils avaient demandé asile dans une ferme de la région. Une fois la nuit tombée, on l'avait enterré dans le jardin du fermier.

Johannes n'avait jamais revu sa mère et ses sœurs, qui avaient été emmenées par les Allemands. Son père lui avait expliqué qu'il faudrait attendre la fin de la guerre pour les revoir. Mais la guerre était finie, et elles n'étaient pas revenues.

Quant à Johannes et à son père Stefan, ils étaient restés

de longs mois à la ferme avant que ce dernier ne soit dénoncé par un voisin et emmené par les Allemands, à son tour. Ce jour-là, Johannes était aux champs avec le fils du fermier et il n'avait pas été inquiété. Par la suite, le fermier avait prétendu que le jeune garçon était son neveu et personne ne l'avait contredit.

Johannes n'avait jamais revu son père, non plus. Pourtant, dès la fin de la guerre, il avait questionné les autorités à maintes reprises. Mais les noms des membres de la famille Engel ne figuraient nulle part.

C'est alors que Johannes avait pensé à sa petite sœur, Eva. S'il y avait encore quelqu'un de vivant dans sa famille, c'était probablement elle. Un espoir bien fragile l'avait porté jusqu'à Paris.

— C'est pourquoi je suis ici, conclut-il.

D'une longue inspiration, Johannes Engel sembla reprendre une certaine contenance.

— En venant à Paris, ajouta-t-il, j'espérais retrouver ce qui reste de ma famille, et le nom d'Eva m'a accompagné tout au long de la route. En autocar, d'abord, depuis la Bretagne, puis à pied, un peu partout à travers la ville.

— Et tu as finalement retrouvé Eva, murmura Simone Foucault, bouleversée par le récit, et rassurée quant à l'avenir immédiat de sa petite protégée. Grâce à Dieu, Johannes, il te reste ta petite sœur Eva.

— Elle a l'air bien, constata le jeune homme, promenant un regard reconnaissant depuis sa sœur jusqu'à madame Simone.

— Elle est bien, oui. En santé, et maligne comme un singe. Cette enfant-là est une véritable bénédiction du ciel.

— Non, vous vous trompez, interrompit Johannes, d'une voix étrangement calme, froide et catégorique.

Une chape d'embarras, lourde et gênante, s'étendit sur la pièce. Brigitte échangea un regard interrogateur avec madame Simone, tandis que Johannes poursuivait.

— Ce n'est pas grâce à Dieu si ma sœur est là, grommela-t-il. C'est grâce à vous, madame Simone. Les miracles, moi, je n'y crois plus.

Quand il prononça cette dernière tirade, le regard du jeune homme n'était plus celui d'un enfant, mais bien celui d'un homme. D'un homme désabusé, de surcroît.

Et sa voix s'était durcie.

— Que mon père me pardonne, gronda-t-il, mais Dieu n'a plus rien à voir avec moi… Il ne me reste que ma sœur, et je vais être là pour elle. Il est normal, je crois, qu'un frère s'occupe de sa petite sœur. C'est ce que mon père m'avait demandé, au cas où il lui arriverait quelque chose, et moi, je lui avais promis de faire de mon mieux. Je suis heureux et soulagé de voir que je vais pouvoir tenir cette promesse, maintenant que j'ai retrouvé Eva.

Inquiète pour madame Simone, Brigitte tourna encore une fois les yeux vers sa logeuse. Comment celle-ci allait-elle réagir devant une prise de position aussi ferme, même si elle était tout à fait légitime ?

Cependant, contre toute attente, Simone Foucault avait le regard vague et serein. Elle hochait tout doucement la tête, comme si elle soutenait une réflexion qui ne semblait pas vraiment douloureuse. Brigitte en fut soulagée.

Peut-être bien, après tout, que madame Simone pensait à la même chose qu'elle ?

Un ange passa, puis madame Simone se leva en repoussant sa chaise, dont les pattes de métal râpèrent bruyamment le plancher de tuiles inégales. Compte tenu des circonstances, la vieille dame paraissait relativement paisible, malgré la mine sévère qu'elle affichait. Elle s'empara d'un couteau, d'une fourchette et, comme si de rien n'était, elle commença à tailler des pointes bien droites dans la tarte aux fraises.

— Si j'ai bien compris, Johannes, déclara-t-elle alors, en écho à la réflexion de Brigitte, vous êtes venu seul depuis la Bretagne pour retrouver Eva, et ce, sans même savoir où j'habitais exactement?

— Oui, c'est bien cela.

— Mince alors! C'est grand Paris quand on doit chercher quelqu'un… C'est donc que tu l'aimes beaucoup, cette petite sœur, constata madame Simone sur un ton qui n'appelait aucune réponse.

Les pointes de tarte glissaient adroitement dans chacune des assiettes que Brigitte avait empilées sur la table.

— Pas question de vous séparer encore une fois, ce serait cruel, précisa madame Simone, tout en distribuant les parts de dessert.

— C'est ce que je crois, moi aussi, approuva Johannes.

— Le contraire m'aurait grandement attristée… et choquée, n'ayons pas peur de la vérité, commenta alors madame Simone. À vue de nez, comme ça, il ne reste donc qu'une seule possibilité. Du moins, je le crois.

À ces mots, le regard que Johannes Engel posa sur madame Simone était à la fois porteur d'une grande espérance et d'une inquiétude sans nom. Fourchette en attente, entre l'assiette qui venait d'apparaître devant lui et sa bouche, le jeune garçon n'osait manger. C'est qu'elle n'avait pas une physionomie très avenante, cette dame qui n'avait prononcé que quelques mots, depuis son arrivée! S'il fallait qu'elle lui demande de repartir avec Eva...

Confronté à ce visage plutôt sévère, comme tourmenté en permanence, ce qui rendait l'attente inconfortable, Johannes détourna les yeux et déposa sa fourchette dans l'assiette. Le dessert pouvait attendre un peu, le moment était grave.

En effet, puisque la guerre était finie, l'avenir aurait dû se dessiner clairement devant Johannes. Difficile, certes, auréolé de souvenirs terribles, d'accord, mais relativement précis. Il était jeune, fort et en santé, et les emplois ne manquaient pas. Pourtant, cet avenir que Johannes tentait d'imaginer, il avait l'opacité d'une nuit sans lune. Avec la charge d'une petite fille comme Eva, aussi jeune et vulnérable, comment pourrait-il s'en sortir? Bien sûr, en quittant le fermier qui l'avait accueilli, il espérait retrouver sa sœur. Il était sincère tant dans ses intentions que dans ses propos. Toutefois, à partir du moment où il l'aurait rejointe, s'il arrivait à le faire, bien entendu, Johannes n'avait pas la moindre idée de ce qu'il pourrait trouver pour subvenir à leurs besoins, tout en s'occupant soigneusement d'elle. Il y avait intensément pensé tout au long de la route qui l'avait mené jusqu'ici.

Et ce n'était là qu'une donnée à l'équation puisqu'il lui faudrait aussi dénicher un appartement pour la loger et fournir de quoi la nourrir adéquatement, cette petite sœur.

Après tout, Johannes n'avait que seize ans et aucune scolarité. Il ne savait de la vie que le peu enseigné par ses parents, et il n'avait en sa possession aucune preuve d'identité. Une autre corvée, d'ailleurs, que de se procurer des papiers en règle, une corvée qu'il aurait à affronter dans un délai assez court.

Par contre, Johannes était déterminé et n'avait pas peur de l'effort à fournir, lui qui avait travaillé aux côtés de ses parents depuis son plus jeune âge. Mais la débrouillardise suffirait-elle pour arriver à subvenir à leurs besoins à tous les deux, Eva et lui?

En désespoir de cause, Johannes se disait qu'il restait toujours le fermier chez qui il avait habité, ce dernier l'ayant assuré de son aide indéfectible.

— Tu reviens quand tu veux, Johannes, et avec ta sœur, s'il le faut. Jamais je ne t'obligerai à l'abandonner. Tu es costaud et tu n'as pas peur de travailler. Tu seras toujours le bienvenu.

Johannes s'était contenté de remercier poliment, sans faire aucune promesse. Il n'aimait pas le travail de la terre et n'avait nulle intention de revenir pour s'y consacrer jusqu'à la fin de ses jours. Deux saisons de labours et de récoltes avaient suffi à asseoir sa décision. Sauf en cas d'absolue nécessité, il n'avait pas l'intention de retourner en Bretagne.

Un regard à la dérobée sur Eva, et Johannes se demanda si, malheureusement, il n'en était pas arrivé à ce point où il n'aurait plus d'autre choix que de retourner chez le fermier. Le jeune homme sentit son cœur battre sa déception à contrecoup.

Ainsi plongé dans ses pensées, Johannes sursauta quand madame Simone, ayant repris sa place à la table, se remit à parler, comme si elle réfléchissait à haute voix :

— Pour ce soir, je n'ai à t'offrir qu'une petite chambre convertie en débarras, fit-elle, plus bougonne que jamais, réticente qu'elle était à exposer ses émotions, et, en ce moment, elles étaient poignantes. Mais dès demain, on pourra améliorer la situation avec un bon coup de torchon et quelques aménagements. Si ça te dit, bien entendu. Pour le reste, on y verra plus tard. Si jamais la chose peut t'intéresser, sache qu'il y a de bonnes écoles dans le quartier, ou de l'embauche pour qui en veut... Ce sera à ta convenance, bien sûr, mais au moins, ainsi, tu ne quitterais pas Eva. Alors, Johannes, que dis-tu de ma proposition ?

C'était du Simone Foucault tout craché que d'imposer ainsi ses vues sans trop en avoir l'air ! Mais comme encore une fois l'intention était louable et le résultat escompté plus qu'intéressant pour tout le monde, Brigitte ne put que l'approuver silencieusement, camouflant un petit sourire moqueur en gobant une bonne bouchée de tarte, tandis que, spontanément, ses yeux se tournaient vers Johannes qui semblait muet de stupeur.

Le jeune garçon regarda autour de lui, puis, lentement, un fragile sourire apparut à travers une ondée de larmes aussi subite qu'abondante. Un sourire qu'il offrit spontanément à madame Simone.

Ce fut la plus convaincante des réponses.

Mais ce déluge émotif ne dura guère. Tout aussi réservé que Simone Foucault pouvait l'être, Johannes essuya promptement son visage du revers de la main, et, baissant les yeux, il reprit sa fourchette et se mit à manger.

CHAPITRE 2

« Le secret du bonheur, c'est la liberté,
et le secret de la liberté, c'est le courage. »
THUCYDIDE

Pointe-à-la-Truite, le jeudi 12 juillet 1945

Sur la galerie de l'auberge de la mère Catherine

Décidément, Alexandrine ne s'en lasserait jamais, dût-elle vivre jusqu'à cent ans !

La dame aux cheveux de neige poussa un long soupir de félicité avant d'aspirer prudemment une petite gorgée de ce breuvage à la menthe pour lequel elle avait un faible gourmand. Réginald n'avait pas son pareil pour faire l'infusion des feuilles cueillies au jardin avec juste ce qu'il fallait d'eau bouillante et de sucre. Alexandrine préférait sa tisane brûlante, hiver comme été.

Elle souffla donc machinalement sur sa tasse, s'offrit une autre petite gorgée, prise du bout des lèvres, puis elle se laissa aller contre le dossier de sa chaise en rotin et porta les yeux au loin.

La soirée serait belle. Pas aussi caniculaire que celle d'hier, soit, mais c'était tant mieux. Tout à l'heure, le

sommeil serait plus agréable. L'humidité qui avait perduré durant plus d'une semaine avait été emportée par
un bref orage, la nuit précédente, laissant une petite
fraîcheur plutôt plaisante à ressentir sur les bras, même
si, par réflexe, Alexandrine remonta le châle de tricot sur
ses épaules.

De là où elle était assise, la vieille dame pouvait apercevoir le clocher de l'église de l'Anse-aux-Morilles, juste
devant elle, de l'autre côté du fleuve, et ce détail ajouta
aussitôt à son contentement.

En vérité, Alexandrine aimait bien apercevoir l'autre
rive. Ça donnait de l'envergure à sa réflexion et lui rappelait inéluctablement Emma, une amie d'enfance partie
s'installer sur la Côte-du-Sud, au moment de son mariage
avec Matthieu Bouchard, un garçon de la paroisse, lui
aussi, et qui venait de dénicher une ferme à vendre
à l'Anse-aux-Morilles. C'était donc le clocher de cette
paroisse qu'Alexandrine pouvait apercevoir de l'autre
côté du fleuve, mais uniquement par temps clair.

« Emma s'en va à l'autre bout du monde », s'était dit
Alexandrine, le cœur gros, quand elle avait vu son amie
s'embarquer sur une goélette dès les noces terminées.

Par la suite, les deux jeunes femmes ne s'étaient revues
qu'en de trop rares occasions. Malheureusement, Emma
était décédée depuis plusieurs années déjà. Usée avant
l'âge par de trop nombreuses maternités, elle avait rendu
l'âme à la naissance de sa petite Béatrice, qui avait été
élevée ici, à Pointe-à-la-Truite, par une amie commune
qui s'appelait Victoire.

Chaque fois qu'Alexandrine avait la chance d'apercevoir

le village d'en face, elle avait une pensée pour Emma.

Sauf hier soir, bien entendu, parce que la chape d'humidité était trop dense et qu'elle gommait le paysage, tout en bouchant l'horizon. Alexandrine en avait été désappointée et elle avait alors écourté son moment de détente, y prenant nettement moins de plaisir.

Mais ce soir, le ciel était clair et l'horizon intact.

Pour l'instant, le soleil commençait à baisser derrière la falaise et ses derniers rayons scintillaient au large, à mi-chemin entre les deux rives. Le panorama était beau à couper le souffle, et Alexandrine appréciait de ne pas avoir à le partager avec qui que ce soit. Elle se disait, en guise de justification, qu'il y a de ces choses qu'on aime goûter seule, sans avoir à tout commenter. Heureusement, comme depuis quelques années, l'octogénaire préférait manger tôt, le soir venu, il arrivait régulièrement qu'elle se retrouve ainsi, sur la galerie de l'auberge, sans la moindre compagnie, alors que le murmure feutré des voix qui lui parvenait depuis la salle à manger s'amalgamait au chant des oiseaux qui se préparaient pour la nuit. En pleine saison touristique, ces quelques instants de solitude faisaient son bonheur.

Plus elle gagnait en âge, et plus Alexandrine recherchait ces longs moments de solitude, face à la mer, comme les riverains se faisaient un devoir d'appeler le large fleuve Saint-Laurent, une fois que la pointe de L'Isle-aux-Coudres était derrière soi.

— Après tout, l'eau d'icitte est salée, non ?

C'était l'argument qui faisait taire habituellement les plus sceptiques ou les adeptes de cette idée saugrenue que l'on devait obligatoirement n'avoir que de l'eau comme horizon pour parler de la mer.

— Une belle follerie, oui, d'oser dire que c'est pas la mer, murmura alors Alexandrine, les yeux rivés sur la masse bleutée qui ondulait devant elle. Quand l'eau est salée pis qu'on peut naviguer durant des heures sans accoster, c'est que ça commence à être la mer.

Sur ce constat, la vieille dame sirota un peu de sa tisane qui avait refroidi, tout en remarquant du coin de l'œil qu'un peu plus loin, quelques marcheurs arpentaient le cimetière. Situé près de la grève, l'endroit ressemblait à un jardin et il était plutôt joli.

Alexandrine ébaucha un sourire nostalgique. Elle aussi, elle aimait bien s'y promener, dans ce cimetière. Le besoin qu'elle ressentait de passer de longs moments devant la tombe des Tremblay, là où était enterré son mari Clovis, lui était essentiel, car depuis le matin des funérailles, Alexandrine avait la sensation d'une coupure très nette dans sa vie, d'une déchirure dans son cœur, tant elle avait vécu en symbiose avec son mari. La douleur de l'absence de Clovis perdurait, malgré le passage du temps, d'où cette nécessité, maintes fois ressentie, qui l'obligeait à quitter l'auberge pour se diriger instinctivement vers le cimetière. Comme elle avait tenté de l'expliquer à son fils Léopold, qui s'inquiétait de la voir aussi souvent recueillie devant la tombe de son père, même en hiver, Alexandrine avait eu ces quelques mots :

— C'est comme toi pour ton bras, mon fils. Même si la Grande Guerre te l'a arraché, il continue parfois de te faire mal. C'est toi-même qui me l'as avoué. Moi, vois-tu, c'est ton père que la vie m'a arraché, mais dis-toi bien que la douleur reste la même.

Léopold n'en avait plus jamais reparlé.

Alors, Alexandrine avait continué de se rendre au cimetière dès que la mélancolie se faisait trop forte, et elle insistait pour y aller en solitaire. Non qu'elle fût allergique à la compagnie des gens, la belle Alexandrine, ou timorée devant les étrangers, le grand âge lui donnant une assurance qu'elle n'avait pas vraiment ressentie quand elle était plus jeune, mais l'accumulation des années faisait en sorte que la très vieille dame qu'elle était devenue aspirait au repos et au silence, de plus en plus souvent, d'ailleurs. Alors, parfois, Alexandrine vivait cette solitude au cimetière, en compagnie de son Clovis, à qui elle parlait dans son cœur, comme aux plus beaux jours de leur jeunesse. Cependant, à d'autres moments, comme présentement, elle préférait rester assise, seule sur la longue galerie de l'auberge, parce que les clients l'avaient désertée pour le repas et que la température s'y prêtait bien.

Pour cette femme qui avait élevé une famille relativement nombreuse, la détente passait obligatoirement par cet isolement qu'elle jugeait mérité et par ce silence, soutenu uniquement par le chant des oiseaux, ou la cassure des vagues, quand le vent se faisait opiniâtre et qu'il portait le bruit de la marée jusqu'à elle. Alors, Alexandrine pouvait contempler le fleuve sans avoir à soutenir quelque conversation que ce soit et cela lui était très bon.

Cependant, sa réflexion, même si elle paraissait intense, ne débordait plus vraiment d'une certaine routine un peu usée, mais combien agréable. Quand la vie s'est faite belle malgré les épreuves, quand l'amour a régné en maître jour après jour, quoi de mieux, n'est-ce pas, que de se tourner vers ses souvenirs ?

C'est ce qu'Alexandrine faisait régulièrement.

Tout en contemplant le fleuve, elle se répétait que ce long cours d'eau avait été tour à tour son ami, son complice et son pire bourreau.

En effet, le Saint-Laurent avait été le compagnon de ses jeunes années, alors qu'au clair de lune, elle venait marcher sur la plage en compagnie de Clovis, son fiancé. Cette masse d'eau immense et capricieuse avait été le témoin privilégié de leurs tout premiers baisers.

Puis, ce même long fleuve avait été son complice, quelques années plus tard, quand il était devenu le gagne-pain de sa famille, tandis que Clovis, son mari, y avait caboté durant de longues saisons. Combien d'heures Alexandrine avait-elle passées à scruter l'horizon dans l'espoir d'y voir apparaître la goélette de son homme ? Sans être riches, ils n'avaient jamais manqué de quoi que ce soit, et ils avaient même pu offrir un cours universitaire en architecture à leur second fils, Paul. Depuis quelques années, cependant, celui-ci s'était converti en aubergiste, doublé d'un cuisinier hors du commun, et il filait un bonheur discret, mais sans faille, aux côtés de son compagnon, Réginald. Aujourd'hui, après avoir cédé sa maison à son autre fils, Léopold, pour qu'il puisse y élever sa famille, Alexandrine habitait à l'auberge avec Paul et Réginald.

Pourtant, ce même fleuve était devenu son ennemi juré quand son aîné, Joseph, y avait laissé la vie, avant même d'avoir pu devenir un homme. Le jeune garçon avait disparu dans les eaux glauques, par jour d'orage. On n'avait jamais retrouvé son corps. Alors oui, Alexandrine avait maudit le fleuve durant de nombreuses années, elle l'avait même renié, se refusant jusqu'au plaisir de l'admirer, se contentant de l'observer, de loin, le cœur chargé d'inquiétude et de colère, jusqu'à ce que le bateau de Clovis apparaisse. De nombreuses années plus tard, elle s'était même désespérée de voir un autre de ses fils embrasser le métier de marin.

Puis les années avaient passé, et, contre toute attente, la vie avait repris ses droits, à travers les naissances et les petites joies du quotidien.

Aujourd'hui, le fleuve était redevenu un compagnon au jour le jour. Son pouvoir apaisant était de retour, alors qu'il était le lien l'unissant à ceux qui étaient morts depuis si longtemps déjà. Alexandrine confiait au long cours d'eau ses petits tracas, ses ennuis et ses joies, comme jadis elle l'avait fait avec son Clovis, ou encore comme elle l'avait fait parfois avec Victoire, cette amie qu'elle avait aimée comme une sœur, elle aussi partie trop vite, emportée par un cancer.

Victoire lui manquait beaucoup depuis quelque temps. Comme un vif regret de toute cette jeunesse envolée trop vite.

Alors, tous les soirs, quand la température le permettait, Alexandrine venait siroter un thé ou une tisane, installée sur la longue galerie de l'auberge, et, tout en admirant les derniers éclats de lumière qui s'éteignaient petit à petit, tandis que le soleil plongeait derrière la falaise, elle réinventait sa vie en s'imaginant centenaire, et elle faisait l'inventaire de ses plus beaux souvenirs.

— Madame Alexandrine !

Contrariée, cette dernière pinça les lèvres. Un peu dure d'oreille depuis quelques mois, la vieille dame n'avait pas reconnu la voix de celui ou de celle qui l'interpellait ainsi. Mais, politesse oblige, elle tourna néanmoins la tête en affichant un sourire de convenance.

Lorsqu'elle comprit que c'était Ernest Constantin qui se dirigeait vers elle, la maussaderie d'Alexandrine s'effaça aussitôt. Elle aimait bien cet homme qui avait ses habitudes à l'auberge de son fils depuis de nombreuses années déjà. Ingénieur de profession, Ernest Constantin avait été responsable des travaux routiers de la région et il avait passé quelques étés en leur compagnie. Alexandrine lui fit donc un petit signe de la main pour l'inviter à la rejoindre.

— Monsieur Ernest ! lança-t-elle d'une voix pétillante et claire qui n'avait rien à voir avec son grand âge. Venez donc vous asseoir avec moi. Vous allez me tenir compagnie !

Puis, sans plus de cérémonie, elle demanda, tandis que monsieur Constantin s'approchait :

— Mais que se passe-t-il, ce soir ? Votre garçon n'est pas avec vous ?

Ernest leva les yeux au ciel.

— Ne m'en parlez pas ! Imaginez-vous que ce cher Hubert en a assez de la foule. Du moins, c'est ce que j'ai cru comprendre. Mais toujours est-il que tout à l'heure, il a catégoriquement refusé de m'accompagner à la salle à manger. J'ai dû lui monter un plateau pour qu'il consente à se nourrir.

— Ah! Je vois... Pas toujours facile, n'est-ce pas, de faire ce qu'on veut avec nos enfants? Et vous, cher monsieur, comment allez-vous?

— Bien.

Réponse trop brève, trop sèche, pour être vraie. Alexandrine fronça les sourcils.

— Et si je vous disais que je ne vous crois pas?

Connaissant l'entêtement proverbial d'Alexandrine Tremblay quand elle se mettait en tête de savoir quelque chose, Ernest Constantin esquissa un sourire légèrement moqueur.

— Je répondrais que vous avez probablement raison, admit-il sans faux-fuyant, tout en s'assoyant à son tour. Je suis heureux d'être ici, c'est un fait indéniable. J'aime Pointe-à-la-Truite et Gilberte avait raison d'insister tout au long de l'hiver, puis au printemps, comme elle l'a fait avec une patience d'ange. Mais de voir mon fils aussi malheureux assombrit ma joie. Ça aussi, c'est un fait indéniable.

— Je peux comprendre.

Tout en répondant, Alexandrine avait reporté les yeux sur le fleuve, où il ne restait plus qu'une mince ligne de brillance entre les deux rives.

— Les humeurs de mes enfants m'ont toujours affectée, moi aussi, constata-t-elle tout bonnement. Leurs joies comme leurs peines, d'ailleurs. Mais c'est normal, je pense bien. Comme ma mère le disait souvent: « Avoir un p'tit, c'est un contrat pour la vie. » Elle avait raison.

— Curieuse coïncidence, ma mère disait exactement la même chose…

Tête grise et tête blanche se tournèrent à l'unisson l'une vers l'autre, tandis qu'Alexandrine et Ernest échangeaient un sourire.

— N'empêche, poursuivit alors Ernest, malgré la lourdeur de la tâche, parfois, c'est un beau contrat, avoir des enfants, et je n'ai jamais refusé les responsabilités qui l'accompagnent. Voyez-vous, madame Alexandrine, être père a été la plus belle part de ma vie, malgré les difficultés que j'ai rencontrées. Et elles ont été nombreuses, croyez-moi! Élever seul une famille de quatre garçons, ça n'a pas toujours été une sinécure, je vous l'assure. Malgré cela, je ne regrette rien.

— Ben voyons donc! Jamais j'aurais pu penser une affaire comme celle-là! Je vous connais quand même depuis longtemps, monsieur Ernest, et je sais très bien que vous aimez votre famille. De toute façon, comment est-ce qu'on pourrait regretter une chose aussi belle que celle d'avoir un enfant, je vous le demande un peu? Alors, je repose ma question, mais d'une autre façon: au-delà de votre garçon Hubert qui fait son grognon, ce soir, comment allez-vous, vous?

La question d'Alexandrine n'était pas innocente, puisque la vieille dame connaissait le drame qui venait de toucher la vie d'Ernest Constantin, laissant une blessure à vif, une blessure qu'elle avait elle-même fort bien connue jadis et dont la guérison ne s'était jamais faite complètement. Elle savait aussi que la présence de cet homme à l'auberge de la Pointe n'était pas une simple question de vacances annuelles ou le fruit du hasard. Tout comme Ernest venait de le souligner, sa bonne amie, Gilberte Bouchard, avait vu à interrompre une solitude qui n'avait aucun point commun avec celle qu'Alexandrine entretenait parfois. Ce fut donc en usant de tout son pouvoir de persuasion, la semaine dernière, au cours de l'un de ses quelques voyages vers la capitale, que Gilberte avait réussi à ramener monsieur Ernest avec elle depuis Québec. Autrement, il aurait continué à se terrer dans sa maison, comme il le faisait depuis des mois. Du moins, était-ce là ce qu'Alexandrine avait appris à travers les branches.

— Alors, monsieur Ernest ? Comment allez-vous vraiment ? répéta Alexandrine devant le silence persistant de l'homme qui se berçait machinalement à ses côtés.

— Je ne sais pas, avoua-t-il enfin dans un souffle. Je ne sais pas comment je me sens.

Alexandrine resta silencieuse, devinant qu'en ce moment, Ernest Constantin avait surtout besoin d'une présence, et comme pour lui donner raison, au bout de quelques instants de réflexion, celui-ci reprit sa confession d'une voix étouffée, un fil de voix tendue qui franchissait ses lèvres avec lenteur.

— La mort d'André, mon aîné, me bouleverse toujours autant, avoua-t-il sans réserve. Guerre maudite, oui ! Et dire qu'on était si proches de la fin... Je n'arrive pas à me faire à l'idée que je ne le reverrai jamais. Je n'arrête pas d'imaginer un avion qui tombe en vrille. La nuit, dans mes rêves, j'entends le bruit de l'appareil qui fend l'air, comme aux nouvelles filmées du cinéma... Si au moins j'avais un corps à enterrer, un endroit où aller me recueillir… Mais non! Le lieutenant André Constantin a disparu corps et biens, comme il était écrit dans la lettre de l'armée. Si vous saviez comme c'est difficile à vivre, tout ça!

— Je sais, oui.

Tout doucement, Alexandrine hochait la tête en guise d'assentiment, le regard tourné vers les flots qui venaient de prendre cette couleur anthracite qui précède la fin du jour.

Il y eut un court silence, puis:

— Malgré ce que vous pouvez peut-être penser en vous imaginant seul au monde à souffrir autant, ajouta-t-elle, songeuse, je comprends très bien ce que vous vivez.

À ces derniers mots, Alexandrine avait machinalement détourné les yeux pour les poser sur le cimetière. L'ombre d'un sourire chargé de mélancolie effleura encore une fois son visage. Puis, brusquement, elle donna une petite tape sèche sur le bras de son fauteuil, faisant ainsi sursauter l'homme assis à ses côtés.

— Venez, ordonna-t-elle, subitement inspirée, tout en déposant sa tasse sur la petite table jouxtant son fauteuil. Suivez-moi, monsieur Ernest, j'ai quelque chose à vous montrer… À moins que… Peut-être que vous préférez qu'Hubert vienne avec nous?

— Non, ça ne sera pas nécessaire. Le pauvre garçon dort comme un loir! Sa crise d'avant le repas l'a épuisé. Je vais tout de même prévenir monsieur Réginald que je m'absente pour un moment.

Quelques instants plus tard, côte à côte, Alexandrine Tremblay et Ernest Constantin remontèrent l'allée bordée de lys qui menait à la route principale du village, faite de terre battue. Tournant à droite, Alexandrine marcha ensuite résolument vers la plage.

— Et où allons-nous d'un si bon pas?

— Vous allez voir.

Ernest Constantin ne parvint à tirer que ces quelques mots de la vieille dame, qui ne s'arrêta qu'une fois arrivée devant le portillon ouvrant sur le cimetière. Sans hésiter, elle tendit la main pour pousser le battant de fer forgé qui s'ouvrit en grinçant. Était-ce ce bruit désagréable qui l'incommoda? Au même instant, Ernest Constantin eut un geste de recul.

— Pourquoi, madame Alexandrine, murmura-t-il alors d'une voix enrouée, toute curiosité envolée, pourquoi tourner le fer dans la plaie? Je n'ai rien à faire ici et…

— De quoi avez-vous peur, monsieur Ernest? Des fantômes? De toute façon, pourquoi est-ce que vous ne me faites pas confiance?

— Mais je vous fais confiance.

— Alors, venez.

La voix d'Alexandrine avait retrouvé tout naturellement cette intonation de mère, celle de l'autorité enveloppée de douceur, celle qu'elle avait si souvent employée jadis, quand elle cherchait à rassurer l'un de ses enfants. Après tout, en âge et malgré ses cheveux gris, Ernest Constantin aurait presque pu être l'un d'entre eux.

— Venez, Ernest, fit-elle sur un ton familier, plutôt inhabituel entre eux. Je pense que vous allez comprendre assez facilement pourquoi je vous ai emmené jusqu'ici.

Le guidant à travers les monuments, Alexandrine

emprunta les petits sentiers qui sillonnaient le cimetière et elle conduisit Ernest Constantin jusqu'à une pierre de belle dimension où de nombreux noms étaient déjà inscrits.

— On est rendus, annonça-t-elle en s'arrêtant.

Puis, après un regard détaillant les noms inscrits sur la pierre, elle ajouta :

— Il y a pas à dire, c'est une grande famille, les Tremblay.

Seul le silence lui répondit. Alors, Alexandrine prit le temps de se recueillir comme Ernest semblait le faire, puis elle reprit.

— Regardez, fit-elle en pointant le doigt. Tout en haut de la deuxième colonne, c'est le nom de mon mari : Clovis Tremblay, capitaine. C'était l'aîné de sa famille, voyez-vous, alors je tenais à ce que son nom soit inscrit tout en haut, à côté de celui de son père.

Il y avait une telle fierté dans la voix d'Alexandrine !

— Chez les Tremblay, on est capitaine de père en fils, précisa-t-elle, songeuse.

Sur ce, la vieille dame haussa les épaules avec une certaine fatalité, avant d'ajouter :

— Et en dessous du nom de mon Clovis, qu'est-ce que vous voyez ?

Parce que la pénombre était en train de tomber, Ernest Constantin avança d'un pas. Il plissa les yeux pour arriver à déchiffrer les lettres que les embruns de mer avaient partiellement effacées, puis il reprit sa place.

— J'ai lu le nom d'un certain Joseph, déclara-t-il au bout d'un instant. À voir les dates, je dirais même qu'il est mort plutôt jeune.

— Ouais, il était jeune, confirma la vieille dame d'une voix sourde. Beaucoup trop jeune.

D'abord le bruit du ressac prit toute la place, le temps de permettre aux émotions de s'ajuster, puis une question s'imposa à Ernest.

— C'était votre fils, n'est-ce pas ? osa-t-il demander, ayant appris par son amie Gilberte qu'Alexandrine avait perdu deux de ses enfants.

— C'était mon fils, oui… Mon aîné, tout comme l'était votre André.

Un silence respectueux se glissa entre eux.

— Alors, je vous envie, souffla enfin Ernest Constantin… Parce que vous avez ça, ajouta-t-il en guise d'explication, montrant le cimetière d'un large mouvement du bras. Ce cimetière, ce nom inscrit, cet endroit calme et inspirant pour penser à lui…

Tout en parlant, Ernest Constantin regardait tout autour de lui. Puis, il reporta les yeux sur la pierre tombale.

— Ça doit aider à faire le deuil, ajouta-t-il sur un ton qui n'avait rien d'interrogatif. Ça doit être apaisant, venir se recueillir ici. Moi, je n'ai rien de tout cela. Le corps d'André a disparu. À tout jamais.

Un autre bref silence, puis Alexandrine confia :

— Celui de Joseph aussi, monsieur Ernest… Disparu à tout jamais.

Les voix n'étaient plus que murmures soutenus par le bruit des vagues qui cassaient mollement à seulement quelques pieds d'eux.

— Il est là, mon fils, ajouta Alexandrine en redressant les épaules.

D'un geste tout aussi large que celui de monsieur Ernest, quelques instants auparavant, la vieille dame désignait le fleuve.

— Comme votre André, le corps de mon garçon repose au fond de la mer, expliqua-t-elle. Comme votre André, mon fils a payé son dû à la vie avec ce qu'il aimait le plus : l'eau salée et sa passion pour les bateaux. Pour votre André, si je me rappelle bien ce qu'on m'a expliqué, c'étaient les avions qui étaient sa passion, n'est-ce pas ?

— Vous avez raison, admit alors Ernest Constantin, lui aussi le regard vrillé sur les eaux noires du fleuve qui retrouvaient peu à peu une belle brillance sous les rayons de la lune, tandis que l'astre de la nuit montait tranquillement au-dessus des collines de la Côte-du-Sud. André aimait passionnément piloter son avion. Son « coucou » comme il l'appelait.

— Alors, votre fils est mort heureux, constata Alexandrine. Tout comme mon garçon. C'est ça qui compte, non ? Pis quand on y pense ben comme il faut, d'ici à l'Angleterre, c'est juste comme un lac, un ben grand lac. Après tout, notre Saint-Laurent, il se jette dans l'Atlantique, pis les océans, tout le monde le sait, ça fait le tour de la Terre. Ça fait que votre garçon pis le mien, ils sont ensemble pour l'éternité… Ouais, pour moi, c'est ben évident… Ici, fit alors Alexandrine en ramenant les yeux sur l'épitaphe dont le granit luisait sous les rayons de la lune, c'est juste un nom de gravé dans la pierre pour aider la mémoire, parce que le corps de mon garçon, il est pas là… Qu'est-ce qui vous empêche de faire pareil, monsieur Ernest ? Comme ça, quand vous irez vous recueillir sur la tombe de votre femme décédée, il y aura aussi le nom de votre garçon…

Un bref silence suivait cette constatation.

— J'ai pour mon dire, poursuivit alors Alexandrine, qu'une fois que les gens sont rendus de l'autre bord, ça fait pas une grosse différence, le fait que le corps soye là ou pas… Pis en plus, dites-vous ben que votre femme devait être là pour l'accueillir, votre garçon. Comme mon Joseph avait son grand-père. Pis plus tard, ça a été au tour de Joseph pis de sa sœur Rose d'être probablement là pour recevoir leur père, quand son tour de partir est arrivé. C'est de même que je vois ça, après la mort, monsieur Ernest : on va finir par toutes se retrouver. Pis d'y penser avec confiance, ça aide à faire accepter tout le reste… C'est ça que j'avais à vous dire, monsieur Ernest, en venant dans notre cimetière. Faut pas trop s'en faire pour un corps qu'on a pas retrouvé. Ça m'a pris ben des années pour le comprendre, mais astheure que c'est fait, je me dis que je me suis rendue malheureuse pour rien durant trop longtemps. Dans le fond, ceux qu'on aime, ceux qui sont partis avant nous autres, ben, c'est dans notre cœur pis dans notre mémoire qu'ils continuent de vivre. Après toute, même si le corps de mon mari Clovis est enterré ici, il doit plus rester grand-chose de ses vieux os. Elle est où la différence d'avec mon Joseph qui a jamais été enterré ici ? Moi, je la vois pas ! C'est pour ça qu'au prochain décès dans la famille, m'en vas faire ajouter le nom de ma fille Rose qui a été enterrée à Québec. Elle avec, elle mérite d'être ici, avec nous autres. Comme ça, toute ma famille va finir par être réunie, un jour…

À la suite de son long monologue, Alexandrine entendit d'abord un reniflement qui se voulait discret, puis il y eut une voix grave qui chuchota :

— J'envie votre sérénité, madame.

— Je peux comprendre ça, mon pauvre Ernest ! Mais dites-vous ben que ça s'est pas faite en un jour, tout ça... C'est le temps, je crois ben, qui a fait son œuvre. Le temps, ben des larmes, du ressentiment, pis pas mal de recueillement, de questionnement. Malgré tout ça, je vous le cacherai pas : ça continue de tirailler par bouttes ! Mais ça s'endure... Ouais, ça s'endure... Si j'osais, je vous dirais que...

Brusquement, Alexandrine semblait hésitante.

— Si je peux me permettre...

— Allez, madame ! Dites tout ce que vous avez envie de dire ! Si vous saviez le bien que ça me fait de voir que je ne suis pas seul dans mon drame. Votre expérience et...

— Vous venez de le dire, mon pauvre Ernest, coupa Alexandrine. Être seul ! Mais pas dans le sens que vous venez de parler... Ouais, c'est fou comme la solitude peut nous sembler lourde par bouttes, ben lourde. J'ai pas besoin de vous le dire, vous le savez... Mais en même temps, elle est ben utile, notre solitude. Ouais... Me croiriez-vous si je vous disais que c'est grâce à la solitude qu'on peut finir par s'en sortir ?

— Je ne vous suis pas.

— Comment je pourrais ben vous expliquer ça... M'en vas peut-être me mêler de ce qui me regarde pas, mais...

— Allez !

— Comment je pourrais vous dire ça? répéta alors Alexandrine…

La vieille dame poussa un profond soupir, regarda autour d'elle comme si les explications se cachaient dans la noirceur qui envahissait le cimetière, puis, lentement, se fiant à son cœur pour trouver les mots et la manière de les dire, elle reprit.

— Ouais, tout ça, ça prend du temps. Pas juste des semaines pis des mois qui passent, mais du temps, ben du temps. Pis surtout du temps à vous. Ça prend la liberté de pleurer tout votre soûl, sans témoin, exposa-t-elle lentement. Ça prend le temps qu'il faut pour ressasser vos beaux souvenirs sans être dérangé par personne… Du temps, aussi, pour laisser exploser votre colère, parce que c'est normal d'être en colère contre la vie… Pis dans votre cas, du temps, ou de la liberté pour le dire autrement, vous en avez pas ben ben, n'est-ce pas?

— Pas vraiment, non. Avec Hubert, effectivement, tout mon temps est occupé. Ou presque!

— C'est ben ce que je me disais. Je vous regarde aller depuis que vous êtes à l'auberge, pis vos journées sont pas mal remplies à cause de votre Hubert. Il demande ben de l'organisation, votre garçon, pis de l'énergie que vous avez peut-être pas trop de lousse, par les temps qui courent.

— Vous n'avez pas tort, je suis épuisé. Mais comment faire autrement? Hubert est ce qu'il est et son handicap fait en sorte que je dois m'occuper de lui quasiment à plein temps. Par contre, c'est une décision que j'ai prise en toute connaissance de cause. Quand j'ai décidé de le retirer de l'asile où il vivait depuis sa naissance pour l'emmener vivre avec moi, j'avais quand même une bonne idée de ce qui m'attendait, n'est-ce pas? Alors, je n'ai pas le choix de l'assumer jusqu'au bout. Soyons clairs là-dessus.

— Pis c'est pas ce que je vous demande, pas pantoute. Ce que vous venez de me dire, je le savais, parce que Gilberte m'en a parlé, pis je comprends tout ça. Nos enfants sont nos enfants, quoi qu'il arrive... Dites-vous ben, monsieur Ernest, que ça fait des années que je vois Gilberte faire exactement la même chose que vous pour son neveu Germain... Pis pour son frère Célestin aussi, tant qu'à ça. C'est comme un grand enfant, le pauvre Célestin, un grand enfant qui aurait oublié de vieillir dans son cœur pis dans sa pensée. Vivre avec ces deux hommes-là, que Gilberte aime comme si c'étaient ses propres enfants, ça lui a demandé ben du renoncement. Là-dessus, Gilberte Bouchard a pas compté les tours. Saviez-vous ça, vous, que c'est elle toute seule qui a remplacé sa mère quand la pauvre Emma est décédée à la suite d'une naissance? Était pas ben vieille, la Gilberte, à ce moment-là. Douze, treize ans, peut-être... Tout ça pour vous dire qu'encore aujourd'hui, Gilberte est toujours là, disposée à les aider, ses deux hommes, à les écouter, à s'en occuper. Mais comme elle le dit elle-même: Germain pis Célestin lui donnent aussi ben du contentement, ce qui fait que c'est pas vraiment un sacrifice pour elle. Ni même une privation.

— Vous avez raison de parler ainsi, et je suis bien placé pour comprendre tout ce que vous venez de dire, madame Alexandrine. Je le vis tous les jours. En même temps, je ne vois pas vraiment où ça nous mène, vous et moi, de ressasser tout ça.

— Ça nous mène au fait que ça vous prendrait des heures à vous, un peu de liberté pour respirer à votre rythme! Ça prendrait, par bouttes, quelques heures pour vous, juste pour vous!

— J'aimerais bien, oui… Vous avez entièrement raison! Mais comment arriver à concilier les envies de tout le monde? Prenez ici, par exemple. J'aurais bien aimé voir Gilberte et sa famille plus souvent. En fait, Gilberte et moi, nous nous étions promis d'en profiter au maximum. Faire des pique-niques, des randonnées… Mais Hubert boude, se choque, refuse de m'accompagner. Je crois qu'il n'aime pas avoir été dérangé, déraciné de chez lui. À sa façon, il doit bien sentir que je ne suis pas heureux, et ça doit l'inquiéter, d'autant plus que je ne suis pas certain qu'il comprenne le sens du mot «temporaire». J'ai beau essayer de lui expliquer que bientôt nous allons retourner à la maison, je pense qu'il ne le comprend pas.

Bien malgré lui, Ernest Constantin échappa un long soupir.

— J'avoue que, parfois, la tâche me semble impossible.

— Impossible, sûrement pas.

Le ton employé par Alexandrine était on ne peut plus catégorique.

— Mais difficile, peut-être, concéda-t-elle dans la foulée. De toute façon, il y a rien de vraiment facile dans la vie. Mais pour astheure, tandis que vous êtes ici, confiez donc votre garçon à Gilberte, ou à Célestin, tiens! Tenez votre bout face à Hubert! Handicapé ou pas, un enfant, ça reste un enfant, et j'ai pour mon dire que le Germain à Gilberte ou votre Hubert à vous seront toujours des enfants. Astheure que c'est dit, j'aurais envie d'ajouter qu'un peu d'autorité, ça fait de mal à personne. Ben au contraire, c'est essentiel. Si vous suivez ben ma pensée, me semble que ça change un peu les choses, non? Profitez de votre visite chez nous pour prendre du temps pour vous. Allez vous promener le long de la plage en vous disant que votre André est pas si loin que ça.

Sur ce, Alexandrine porta les yeux sur le fleuve qui s'était remis à briller sous la voûte du ciel étoilé.

— Avec une chaloupe, pis ben de la volonté, vous pourriez quasiment ramer jusqu'à votre garçon, ajouta-t-elle avec un sourire dans la voix. Parlez-y à votre André, dites-y que vous avez de la peine. C'est encore lui qui est le mieux placé pour vous aider.

— C'est drôle, mais Gilberte me dit la même chose. Cependant, je n'ose pas lui laisser Hubert. Elle a déjà tant à faire avec Germain.

— Pourquoi décider à sa place? C'est une femme de bon jugement, la Gilberte, et si elle dit qu'elle peut garder Hubert pour vous faciliter la vie, c'est qu'elle peut le faire! Et puis, Célestin est là pour l'aider! Il y en a pas deux comme lui pour comprendre Germain. Je suis certaine qu'il pourrait faire la même chose avec votre Hubert.

— C'est vrai qu'Hubert l'aime bien, le grand Célestin, admit alors Ernest Constantin. C'est curieux, d'ailleurs, car habituellement, mon fils a peur des étrangers. Après tout, il n'a vu Célestin qu'à quelques reprises et c'est toute une pièce d'homme.

Devant cette constatation, Alexandrine égrena un petit rire.

— Célestin en impose, oui, c'est le moins qu'on puisse dire! N'empêche qu'il a le cœur grand comme le monde et une patience en or. Il y a surtout aucune malice en lui! Alors, qu'est-ce qui vous retient, monsieur Ernest? Pourquoi autant d'embarras devant quelque chose d'aussi simple que de demander à Gilberte si ça lui convient de voir à votre Hubert pour quelques heures?

— C'est vrai que dit comme ça...

— Bon! Vous voyez bien qu'on a raison d'insister, Gilberte pis moi!

— Peut-être, admit enfin Ernest, visiblement tenté par la suggestion d'Alexandrine. Si je pouvais être certain de...

— C'est Gilberte elle-même qui m'en a parlé, coupa alors la vieille dame, peu encline à revenir sur des choses déjà dites.

Alexandrine était tout à fait consciente qu'elle s'apprêtait à trahir un secret, mais croyant le faire à bon escient et au bon moment, elle allait tout de même poursuivre.

— Gilberte m'a dit qu'en attendant que vos deux autres fils reviennent, elle avait bien l'intention de devenir votre famille, puisque vous avez personne d'autre, avoua-t-elle, tout simplement. Si je me fie à ces mots-là, elle espère vos visites, pis c'est sûrement pas en passant vos journées à l'auberge comme vous le faites, à satisfaire les moindres caprices de votre Hubert, que la pauvre femme va pouvoir vous aider.

— Gilberte a dit ça? Elle a dit qu'elle voulait être ma famille?

— Elle a dit ça, oui. Entre autres choses.

Heureusement qu'il faisait noir, car Ernest Constantin se sentit rougir comme un gamin. Il aimait tant cette Gilberte au grand cœur !

— Ça me fait plaisir d'entendre ça, reconnut-il, tout hésitant… Alors, c'est d'accord : demain, après le déjeuner, je me dirige vers la maison de Gilberte et, cette fois-ci, ça ne sera pas uniquement pour l'inviter à venir manger à l'auberge. Hubert n'a qu'à se bien tenir, je ne céderai pas à ses caprices.

— Ben tant mieux ! C'est une bonne décision, ça là. Astheure, si ça vous dérange pas trop, monsieur Ernest, on va rentrer à l'auberge.

Tout en parlant, Alexandrine avait remonté le châle de tricot sur ses épaules et elle le tenait étroitement croisé sur sa poitrine.

— Je commence à avoir des petits frissons, expliqua-t-elle tout en s'éloignant du lot familial des Tremblay. À mon âge, vous saurez, c'est traître, le serein du soir. Ça serait vraiment bête de tomber malade en plein été, comme ça !

Ernest Constantin emboîta immédiatement le pas à Alexandrine. Galant comme toujours, il soutenait l'un de ses coudes pour la guider dans l'obscurité, et c'est ainsi qu'ils regagnèrent la sortie du cimetière.

Le portillon grinça, un des quelques lampadaires du village glissa sa faible clarté jusqu'à eux, et, lentement, ils reprirent le chemin menant à l'auberge, tout en surveillant où ils mettaient les pieds. Après tout, ils n'étaient plus très jeunes, ni l'un ni l'autre.

— Astheure, monsieur Ernest, vous allez me parler de

vos autres garçons, glissa adroitement Alexandrine dans la discussion. Quand est-ce qu'ils doivent revenir au pays?

À ces mots, l'octogénaire crut apercevoir une lueur de contentement dans le regard qu'Ernest Constantin posa sur elle. Elle en fut heureuse pour lui. S'il savait se réjouir pour ses autres fils, c'était que la guérison n'était plus très loin.

— Mes garçons? répéta Ernest, avec une légèreté dans la voix qui faisait plaisir à entendre. Pour Gérard, on n'en sait encore rien. J'ai bien l'impression qu'il va être dans les derniers à quitter l'Angleterre, à cause de son âge et du peu de temps qu'il a passé là-bas. Mais Raymond, lui, devrait être ici avant l'Action de grâces! C'est ce qu'il m'a écrit dans sa dernière lettre.

Si Ernest avait su...

* * *

De l'autre côté de l'Atlantique, Raymond était de plus en plus indécis, et, à l'instant précis où son père parlait de lui, le jeune soldat tournait inlassablement entre ses draps, incapable de dormir, tourmenté par les décisions qu'il avait à prendre avant l'aube.

En effet, à l'heure du souper, les commandants avaient été formels quand ils leur avaient annoncé qu'un second détachement devrait bientôt partir pour l'Allemagne.

— On manque de volontaires! avaient-ils annoncé en grande pompe.

Tous les soldats présents à la cafétéria étaient déjà au courant qu'une nouvelle division avait été créée pour se rendre en Allemagne. La durée de l'engagement n'était pas plus déterminée qu'au mois de juin précédent, et, pour une dernière fois, on ne faisait appel qu'à des volontaires.

— Demain matin! avait clamé le colonel Langlois. C'est le dernier appel pour cette mission. Je veux avoir le nom des volontaires dès demain matin, avant le déjeuner. Après, nous n'aurons pas le choix et nous recruterons ceux qui ont moins de cinquante points de rapatriement. Ainsi, la 3e division d'occupation sera complétée et le reste du contingent partira pour Bad Zwischenahn rejoindre ceux qui y sont déjà.

Sur le coup, Raymond y avait vu un signe du Ciel, une réponse à toutes ses interrogations!

Se réengager pour quelques mois était une façon comme une autre de rester de ce côté-ci de l'Atlantique, n'est-ce pas? Raymond en rêvait!

Et comme on n'était plus en temps de guerre, que la mission en était une de surveillance et d'aide, le soldat Raymond Constantin devrait avoir des permissions régulières qu'il pourrait utiliser, à l'occasion, pour se rendre en Normandie.

Quoi de plus normal, je vous le demande, que de retourner voir ceux qui avaient été les bons samaritains de son frère André?

Il y avait surtout qu'avec un peu de chance, la belle Brigitte Lacroix serait présente.

Brusquement, l'avenir s'annonçait prometteur, et Raymond fut fortement tenté de donner sa réponse sur-le-champ.

Après tout, quel mal y avait-il à donner un petit coup de pouce au destin?

C'est alors qu'il avait pensé à son père et son bel enthousiasme avait fondu comme neige au soleil.

Ernest Constantin, tout à son chagrin de la mort d'André, devait certainement compter les jours et les heures le séparant du retour de ses autres fils. Raymond connaissait suffisamment son père pour que l'image qu'il s'en faisait présentement soit assez fidèle à la réalité.

Dans de telles conditions, comment Raymond pouvait-il songer sérieusement à rester en Europe? N'était-il qu'un fils ingrat, sans cœur?

D'autant plus que depuis son départ du Québec, son jeune frère Hubert était venu habiter la grande maison de la rue Bougainville. La tâche devait être titanesque, si Raymond se fiait à l'impression ressentie lors de chacune des visites qu'il avait faites à l'hospice pour rencontrer Hubert. Oui, vraiment, Ernest Constantin devait ronger son frein en attendant le retour de ses deux autres fils.

Que faire, dans de telles conditions?

Voilà pourquoi le sommeil tardait tant à venir et, tandis qu'Ernest, avec une pointe de triomphalisme et de soulagement dans la voix, annonçait le retour de son fils Raymond pour le début d'octobre, ce dernier ignorait toujours s'il serait vraiment chez lui à cette date-là.

Certes, sa raison et un bel attachement envers sa famille lui conseillaient de repartir pour le Canada. C'était évident. Si, d'une part, il y avait ici des pays à reconstruire, ceci étant dit sans trop penser à la belle Brigitte, d'autre part, il y avait un père qui se languissait de lui. Et cet ennui était tout à fait légitime, Raymond en était parfaitement conscient.

Entre les deux possibilités, il y avait en Raymond une valse-hésitation qui l'empêchait de dormir.

Au bout de longues heures d'insomnie, l'intuition du cœur sembla vouloir battre plus fort que la voix de la raison, comme c'était souvent le cas pour plusieurs. Raymond, par manque d'habitude, en resta perplexe.

Allait-il écouter ce que son cœur tentait de lui dire ?

L'aube d'une matinée grisâtre vit un homme aux traits tirés s'arracher du lit. Le jeune soldat avait la tête lourde et il se sentait courbaturé. Le temps de s'habiller, de tirer ses couvertures au cordeau et il quitta le bâtiment qui abritait les dortoirs. S'il avait triste mine à cause du manque de sommeil, Raymond n'en était pas moins exalté.

Sa décision était enfin prise, et, comme souvent dans sa vie, elle serait irrévocable.

De ce pas décidé qui était habituellement le sien quand il se sentait en contrôle, Raymond Constantin marcha fermement en direction des bureaux de l'administration pour aviser ses supérieurs qu'il donnait suite à leur demande. De tout ce questionnement nocturne, il ne restait plus, à ses yeux, qu'une simple formalité à remplir.

Après le déjeuner, devoir familial oblige, certes, mais amour fraternel aussi, Raymond irait voir son jeune frère pour s'entretenir de l'avenir avec lui. L'avenir à Québec, certes; l'avenir de leur famille, cela allait de soi; mais l'avenir en Europe aussi. Peut-être.

Après tout, c'était Gérard qui prendrait la relève auprès de leur père et il aurait certainement quelques comptes à lui rendre.

Du moins, pour quelques mois encore.

CHAPITRE 3

« Fais de ta plainte un chant d'amour
pour ne plus savoir que tu souffres. »
PROVERBE TOUAREG

Normandie, le vendredi 21 décembre 1945

À la ferme de François Nicolas, le matin très tôt à l'aube

L'hiver avait commencé brusquement.

D'abord, il y avait eu ce froid inusité, hier au réveil, puis un peu de grésil, en fin de journée. Le nez à la fenêtre, Nathan avait demandé à sa mère comment ça s'appelait, de la pluie glacée qui collait aux arbres. C'était la première fois qu'il en voyait. Finalement, la neige s'était mise à tomber durant la nuit. En bref, tout leur était tombé dessus d'un seul coup, et vingt-quatre heures à peine avaient suffi pour métamorphoser le paysage.

C'était le silence feutré de cette première neige qui avait réveillé François Nicolas bien avant l'aube. La maison était enveloppée d'un silence inhabituel, que même les oiseaux nocturnes n'osaient rompre de leur chant.

François s'était levé sans faire de bruit, avait vite enfilé des chaussons parce que le plancher était glacial, puis il avait endossé son lourd chandail de laine bouillie, aussi épaisse que du feutre, et dont il appréciait particulièrement la chaleur.

Ce chandail avait été le cadeau offert par Madeleine pour ses quarante ans, et c'était peut-être pour cette raison que François était en train de l'user jusqu'à la corde.

Ensuite, il avait gagné le corridor tout aussi silencieusement qu'une ombre, car depuis quelque temps, Nathan, son petit-fils, avait le sommeil léger.

— C'est depuis le gros orage du Bon Dieu que Nathan dort moins bien, avait expliqué Françoise, lors du retour de son père à la maison.

Au moment où elle avait prononcé ces quelques mots un peu obscurs, la jeune mère fronçait les sourcils et elle tenait son fils très fort contre elle pour que son père comprenne que la moindre demande d'explication immédiate serait déplacée. Précaution inutile, puisque François Nicolas avait aisément compris le message envoyé par sa fille lorsqu'elle avait instinctivement pris Nathan dans ses bras : s'il avait envie d'en savoir davantage sur l'événement, il devrait attendre que Nathan dorme ou soit absent.

Néanmoins, François n'était jamais revenu sur le sujet, car il avait vite appris que dans les faits, c'était lors de ce même bombardement que son épouse était morte. Le mari meurtri n'avait surtout pas envie d'en reparler. N'empêche que son petit-fils, bien inconsciemment, ne cessait de lui rappeler le drame, par ses cris, ses tremblements, ses pleurs.

En effet, depuis que la colline derrière la maison

avait été sauvagement bombardée, comme si elle était brusquement devenue une menace pour la sécurité des Allemands en fuite, depuis l'instant où le verger avait pris feu comme une torche, dans un grand vacarme de feu de Bengale, ce que Françoise avait appelé le grand orage du Bon Dieu, Nathan était resté particulièrement fragile aux bruits. Inquiet pour mille et une raisons, le gamin sursautait au moindre son discordant et, désormais, il ne dormait plus que d'un œil.

Devant quelqu'un d'autre, François Nicolas aurait piqué une vraie colère, jurant et tempêtant, prétextant l'exagération, et ordonnant surtout qu'on le laisse vivre son deuil en paix.

— Cessez ces pleurs inutiles, aurait-il grondé, car d'aucune façon, il n'avait besoin qu'on lui rappelle l'horreur que les siens avaient vécue.

François Nicolas avait mal en permanence, à hauteur de cœur, et c'était amplement suffisant pour entretenir la mémoire de quelque chose qu'il n'avait pas eu besoin de voir pour en mesurer toute l'horreur.

Face à Nathan, cependant, c'était différent.

François avait facilement accepté le désarroi de ce petit garçon qu'il aimait plus que tout au monde. Devant les crises d'angoisse du gamin, il ne passait jamais aucune remarque, et, bien souvent, il lui ouvrait les bras pour le réconforter.

Alors, ce matin, en accord avec cette nature particulièrement silencieuse sous sa couette de neige, François Nicolas se déplaçait sans bruit pour respecter le sommeil de son petit-fils.

En passant devant la porte de la chambre de sa fille Françoise, il crut entendre un léger ronflement.

Après plus d'un an d'hésitation, son gendre Rémi avait enfin décidé de réintégrer leur vie au quotidien.

En effet, dimanche dernier, après le petit déjeuner et sans préavis, Rémi Chaumette s'était présenté à leur porte. Il trimbalait avec lui tous ses pénates et autres outils, entassés un peu pêle-mêle dans l'automobile d'Octave Talon, son patron et son mentor.

— Il était temps que je quitte la maison de mes parents, avait-il déclaré sans préambule, le regard au sol comme s'il craignait d'être rembarré.

Puis, un peu plus tard, quand le garagiste de Falaise était reparti, Rémi avait ajouté :

— De toute façon, je n'avais plus rien à faire en banlieue de Falaise, puisque je ne peux plus travailler au garage du père Octave. Les dernières semaines me l'ont clairement fait comprendre. Avec mes doigts gourds, j'échappe tout. On en a parlé, le père Octave et moi, et c'est mieux ainsi.

Un regard lucide et fatigué vers ses mains blessées par des froids sibériens, alors qu'il vivait au camp de Custrin-sur-Oder, en Pologne, et qu'il travaillait à la réfection des voies ferrées, avait conclu éloquemment cette tirade empreinte d'amertume.

Malgré l'aigreur entendue dans cette explication, ou peut-être bien à cause d'elle, Françoise avait eu un geste d'accueil spontané. Elle s'était précipitée vers son mari pour l'enlacer. Qu'importe la raison invoquée, son mari était de retour à la maison, et cette fois-ci, il semblait sérieux, alors qu'il donnait suite à ses nombreuses supplications l'incitant à revenir vivre sous leur toit. Pour l'instant, rien d'autre n'avait d'importance aux yeux de la jeune femme. À deux, ils finiraient bien par trouver une solution acceptable qui permettrait à Rémi de se trouver un emploi et d'entrevoir l'avenir avec confiance.

Pour Françoise, il ne faisait aucun doute qu'une fois l'avenir assuré, tout redeviendrait comme avant entre eux.

L'accolade avait été brève, presque maladroite, mais comme c'était la première fois que François voyait un geste de rapprochement entre sa fille et Rémi, depuis que ce dernier était revenu au village après avoir été libéré, le père en lui en avait été très heureux pour Françoise qui, elle, n'avait jamais cessé d'espérer. François s'était alors répété qu'ils étaient faits pour vivre ensemble, ces deux-là, et qu'il ne restait plus qu'à Rémi à le comprendre à son tour.

Alors, en ce moment, tandis qu'il descendait l'escalier à pas de loup, François Nicolas esquissa un sourire. Même si rien n'était gagné d'avance, il osait croire que le jeune couple allait dans la bonne direction. À défaut de pouvoir faire autre chose, François priait pour eux tous les soirs.

Pourtant, en pratique, François Nicolas n'avait jamais été un fervent catholique. Il fréquentait l'église par obligation, pour accompagner son épouse et sa fille, mais sans plus, et il ne s'en cachait pas.

— Ma rencontre avec Dieu, c'est au verger qu'elle se fait, disait-il en guise de justification. Sachez que j'y prie le Seigneur tous les jours, avec ferveur et reconnaissance. En retour, Il m'aide dans mon labeur.

Curieusement, malgré une attitude toute rigoureuse face à la pratique religieuse, même le curé du village semblait accepter ce point de vue que d'aucuns auraient pu qualifier de discutable.

Toutefois, depuis qu'il avait appris la mort de sa femme, François n'était pas retourné au verger. Il avait la sensation bien réelle, quasi physique, qu'un lien essentiel entre Dieu et lui avait été rompu. François Nicolas n'avait pas l'intention de le renouer. Si Dieu voulait le rencontrer, c'était à Lui de faire le premier pas. Néanmoins, François s'était surpris à trouver plus facilement le sommeil quand il se décidait à prier.

Cependant, son dieu s'appelait désormais Madeleine, et son lieu de prière était leur chambre à coucher.

Une fois descendu à la cuisine, François hésita. Malgré l'envie pressante qu'il ressentait pour une boisson chaude, il n'osait préparer le café du matin. L'antique cafetière de fer-blanc percolait assurément trop fort pour se faire discrète, et, juste au-dessus de la cuisine, il y avait la chambre de Nathan. Le grand-père écarta donc son envie de café par une simple bouffée de tendresse pour le gamin et, pour la même raison, il se retint d'attiser le feu dans l'âtre. Il enfila donc son manteau, par-dessus son chandail, puis ses bottes, par-dessus ses chaussons. S'approchant ensuite de la porte, il fit glisser le pêne de la serrure en le tenant à deux mains. Le déclic, quand il céda, fut à peine perceptible et le battant s'ouvrit sur une douceur de l'air un peu surprenante.

C'était sans contredit une très belle nuit d'hiver.

François Nicolas inspira profondément, paupières

closes. Il resta ainsi dans l'embrasure de la porte entre-bâillée, offrant son front aux flocons tout légers qui tourbillonnaient de plus en plus nombreux, et qui cherchaient à s'inviter effrontément dans la maison. Alors, l'homme à la tête blanche fit un pas de plus, referma derrière lui, et, sans oser lever les yeux vers le haut de la colline, François Nicolas enfonça profondément ses mains dans les poches de son manteau et il avança dans la cour.

À l'autre bout de la maison, derrière le bâtiment principal et orienté vers le boisé, dans ce qui restait de libre des bâtiments depuis longtemps convertis en cave de chauffe et de macération pour le calvados, le caquètement des poules commençait à se faire entendre. Même si la nuit semblait encore là, les volatiles, eux, savaient d'instinct que le jour n'était pas loin. François leur envia cette faculté de s'en remettre à la nature, sans questionnement ni crainte, sans attente autre que celle du quotidien, immuable et rassurant. Durant de longues années, depuis son retour de la Grande Guerre jusqu'à maintenant, François Nicolas avait cultivé cette attitude, lui aussi, par choix et par plaisir, alors qu'il s'en remettait inconditionnellement à la nature pour guider le cours des saisons et celui de sa vie.

À ce souvenir, le pauvre homme sentit l'émotion lui monter à la gorge et la serrer au point de rendre la respiration difficile.

Pourquoi la vie avait-elle permis une telle souffrance, celle qu'il vivait depuis des mois, maintenant, tandis qu'il tentait désespérément d'apprivoiser l'absence de Madeleine? N'avait-il pas suffisamment mérité d'être heureux en pleurant durement la mort de son fils unique, à la suite d'un accident au verger, aussi bête qu'imprévisible ? N'avait-il pas assez donné en risquant sa vie pour sauver son pays, et deux fois plutôt qu'une ?

François Nicolas jugeait que oui.

Pourquoi, alors, avait-il fallu qu'en plus de perdre son aîné, il perde aussi sa femme, ainsi qu'une grande partie de ses pommiers ?

Si François ne cherchait pas vraiment à comprendre, parce que parfois, dans la vie, il n'y a rien à comprendre, il essayait toutefois d'accepter. De toutes ses forces, il voulait s'en sortir.

Il n'y arrivait pas.

Sans Madeleine et malgré la présence de Nathan, la maison lui semblait vide, désespérément vide.

François Nicolas arpenta la cour pendant un bon moment.

Sous la neige folle tombée durant la nuit, une fine couche de glace cédait à chacun de ses pas et ce petit craquement sec lui servit de compagnie, rendant la promenade moins solitaire.

Il s'en amusa durant un court instant.

Puis, François se lassa de tourner en rond. Il n'avait ni faim ni froid, et il n'avait pas envie, non plus, de retourner à l'intérieur.

Il était tout simplement agacé de répéter en gestes monotones ce qu'il ressentait face à sa vie.

Était-il condamné à tourner en rond pour l'éternité, faute d'énergie ? Avait-il épuisé la réserve d'ambition qui lui avait été allouée au jour de sa naissance, celle qui l'avait mené à la place enviable qui était la sienne à titre de producteur de calvados reconnu partout en France, et même au-delà des frontières?

Était-ce Madeleine, ce carburant essentiel qui lui permettait d'avancer dans la vie?

Brusquement, François Nicolas eut la sensation de se tenir sur la même corde raide que son ami René, qui, lui, avait perdu son bar-tabac, incendié par les Allemands au moment de leur fuite en catastrophe. Tous les deux, René et lui, amis de longue date et frères d'armes, se retrouvaient à la case départ, devant une vie détruite à rebâtir, à cette différence près que François avait une famille pour le soutenir, alors que René était seul dans l'existence.

Les poules caquetaient de plus belle et, même s'il savait que le jour se levait tardivement en cette période de l'année, François n'avait aucune notion de l'heure. Seule l'absence de lumière aux fenêtres de la maison lui indiquait qu'il était encore relativement tôt, puisque personne n'était levé.

Il poussa un long soupir qui s'éleva en une fine volute diaphane devant lui, glissant souplement entre les flocons. Machinalement, François la suivit des yeux en détournant la tête jusqu'à ce que, bien involontairement, son regard vienne buter contre la colline dévastée par les bombardements.

François Nicolas eut un geste de recul instinctif.

Jusqu'à maintenant, il avait évité de regarder la colline, sauf parfois, par inadvertance, le matin à son réveil, quand il scrutait le ciel par habitude pour connaître le temps qu'il ferait. Cependant, il ne s'y attardait jamais.

D'où lui venait, ce matin, ce besoin de détailler un paysage qui n'avait plus rien de familier ?

Présentement, à cause de la neige qui tombait, le ciel était délavé, plus gris que noir. Cependant, malgré la présence des nuages, la lueur rosée de l'aube montait tout de même au-dessus du verger dévasté, et, contre cette éclaircie du ciel, il y avait le squelette des pommiers calcinés.

L'image était lamentable.

Néanmoins, pour une toute première fois depuis son retour, François Nicolas s'obligea à fixer ces arbres morts, comme s'il devait en faire l'inventaire. Il avait le cœur en miettes et les larmes aux yeux. C'était le labeur de toute une vie dont il contemplait les ruines. Dans les branches tordues, dressées vers le ciel, le pauvre homme anéanti y vit un appel. Non, il entendit un appel, aussi clairement que la voix autoritaire de Madeleine aurait porté dans l'air vif de ce petit matin, si elle avait encore vécu et qu'elle l'avait appelé pour venir manger.

Ce verger, François Nicolas l'avait dans le sang depuis l'enfance.

Sans en prendre réellement conscience, il se remit alors à marcher, droit devant. Ce chemin en pente, il l'avait emprunté des milliers de fois, peut-être, hiver comme été. Souvent pour le travail, parfois pour le plaisir, seul ou avec Madeleine.

Plus tard, il y était venu avec son fils, puis avec sa fille, quand ils étaient tout petits, et encore plus tard, quand le temps de leur apprendre le métier était arrivé.

C'était là, tout là-haut, entouré de ses arbres, qu'il

s'était réjoui des bonnes années et qu'il s'était inquiété, à la suite des mauvaises.

C'était là aussi, aux côtés de Madeleine, qu'il était revenu, année après année, le jour anniversaire de la mort de leur fils Jasmin. À deux, ils avaient laissé les souvenirs remonter à la surface, comme on fait une prière, apprise par cœur. C'était leur pèlerinage, celui qu'ils vivaient à deux, chaque année, mais cela, Françoise l'ignorait. Cela ne lui appartenait pas. Voilà ce que se disaient François Nicolas et sa femme Madeleine, quand ils profitaient d'un moment de solitude pour monter en haut de la colline et se recueillir en mémoire de leur fils.

Aujourd'hui, avec qui François allait-il venir au verger quand il voudrait penser à Jasmin ?

Devant cette question sans réponse, l'ascension de la colline lui sembla plus difficile qu'à l'accoutumée. Par contre, il était vrai, aussi, que François Nicolas avait laissé une bonne part de son énergie à la guerre.

Et la majeure partie de ses illusions, aussi.

Non qu'il n'aimât pas sa fille et qu'elle ne donnât pas un certain sens à toutes ces petites choses du quotidien. Oser le prétendre comme excuse à son inertie aurait été un affront, un blasphème. Françoise, c'était encore et toujours sa relève, son unique enfant vivant. N'empêche que si un jour il se redressait et reprenait la vie à bras le corps, François Nicolas savait qu'il le ferait pour Nathan. Pourquoi lui plus que Françoise ? Il l'ignorait. C'était là, au fond de son cœur, sans raison autre que l'amour inconditionnel qu'il portait à ce petit garçon, de la même façon que Madeleine avait aimé Nathan de manière instinctive et absolue. La naïveté de l'enfance, sa pureté, sa fragilité aussi, y étaient peut-être pour quelque chose. Du moins, c'était là ce que Madeleine prétendait, quand elle tentait d'expliquer à son mari l'attachement viscéral qu'elle ressentait pour Nathan.

— Peut-être, aussi, que c'est uniquement parce qu'il est un garçon, ajoutait-elle parfois, songeuse, sur un ton qui n'avait rien d'interrogatif.

François le savait: Madeleine faisait ainsi référence à leur fils Jasmin, qui n'était jamais bien loin dans ses pensées.

Pour sa part, il préférait se dire que cet amour pour le gamin était dans le prolongement de l'amour qu'il ressentait pour sa fille.

Malheureusement, d'une chose à l'autre, Madeleine et lui n'avaient jamais approfondi la question ensemble. Ils n'en avaient pas eu le temps.

Madeleine…

François inspira profondément.

Quoi qu'il se passe, quelles que soient les pensées qui pouvaient l'assaillir, depuis son retour de la guerre, François Nicolas ramenait tout à sa femme. C'était plus fort que lui, ce réflexe du cœur, cet automatisme de l'esprit.

Pourtant, leur relation n'avait pas toujours été de tout repos. Loin de là! Tous les deux, ils étaient taillés dans le même bois dur de l'entêtement et, dans leur cas, c'étaient leurs ressemblances qui les avaient rapprochés, puis réunis. Ils se comprenaient sans se parler, s'acceptaient malgré les défauts, s'aimaient au-delà des mots pour l'exprimer. Si parfois François gardait le silence sur ses projets, ce n'était jamais par manque de confiance envers sa femme. C'était plutôt parce qu'il savait à l'avance l'inquiétude que Madeleine ressentirait. Malgré une façon d'être qui différait, l'un plus ouvert que l'autre, plus à l'écoute que l'autre, ils étaient tous les deux foncièrement trop semblables pour qu'il en soit autrement. L'attirance physique qu'ils avaient toujours éprouvée l'un pour l'autre s'occupait de tout le reste.

Pour eux, le dicton qui disait que les contraires s'attirent ne s'appliquait pas du tout.

Arrivé à la jonction entre les deux plus longs rangs de pommiers, une intersection encore visible malgré les buttes de terre labourée par les obus et en ce moment saupoudrées de neige, François s'arrêta net. En dépit de l'alignement précis des arbres rompu par une large échancrure, d'instinct, François reconnaissait l'endroit.

C'était ici qu'il venait avec Madeleine et nulle part ailleurs.

C'était cet arbre brisé et noirci, un peu plus haut que les autres, que Jasmin chevauchait quand la branche avait cédé, le précipitant dans la mort, alors qu'il cueillait des pommes avec ses copains.

Jasmin était alors à l'âge des fanfaronnades, l'âge de l'entre-deux, instable entre l'homme et l'enfant.

Le jeune homme avait-il cherché à impressionner une belle en essayant d'attraper la pomme la plus rouge, la plus grosse, celle qui le narguait au bout de la branche? Nul ne saurait le dire. Jasmin était parti en emportant son secret. Heureusement, le médecin avait été formel : le jeune homme était mort sans souffrir, le cou cassé.

Et c'était ici aussi que Madeleine était morte. Sans l'avoir demandé, François le savait.

Si sa femme était montée sur la colline, c'était pour se retrouver juste ici, où François se tenait présentement, car depuis la mort de leur fils, Madeleine n'était plus jamais venue sur la colline sauf en cet endroit précis.

Elle n'était plus jamais venue ici pour autre chose que pour se recueillir devant cet arbre en pensant à Jasmin.

Quand elle avait besoin de parler à François et qu'il était dans le verger, Madeleine se contentait de l'appeler depuis la cour de la maison.

Sa voix portait fort bien et François l'avait toujours entendue.

Madeleine allait et venait ailleurs dans le verger, certes, tous les jours, sans même y penser, mais jamais elle ne montait au sommet de la colline quand François n'était pas avec elle.

Ce matin-là, au jour du bombardement, quand elle était venue ici, seule, c'était assurément la guerre qui avait fait la différence.

La guerre faussait bien des choses et exacerbait de nombreuses émotions, n'est-ce pas?

François Nicolas en savait un bout sur le sujet.

Madeleine avait-elle souffert, ou, au contraire, était-elle morte sur le coup, comme on l'avait prétendu pour Jasmin? Avait-elle eu le temps d'avoir peur, de penser à lui? Nul ne le saurait jamais.

Et pourquoi, ce jour-là, était-elle venue ici toute seule, alors que le danger rôdait?

Autre question sans réponse.

C'est Françoise elle-même qui le lui avait dit : pendant plus d'une heure, les deux femmes avaient entendu les bombardements tout autour d'elles et ceux qui leur provenaient du village. Françoise en tremblait, Madeleine semblait indifférente. Puis, subitement, celle-ci avait décidé de sortir. Françoise avait exhorté sa mère à rester à l'intérieur avec elle et Nathan, Madeleine ne l'avait pas écoutée. Comme souvent, elle n'en avait fait qu'à sa tête.

— Je veux voir, avait-elle dit. Je veux savoir ce qui se passe.

Comme si c'était important ! Pourquoi agir ainsi, alors que le bon sens lui dictait, tout au contraire, de rester cachée ?

Madeleine avait-elle voulu rejoindre leur fils, le protéger des bombes qui pleuvaient sur la région ? Comment savoir ce qui peut se passer dans la tête d'une mère qui a peur ?

François avait le souffle court. Il regardait à droite, à gauche, avec les yeux méfiants d'une bête traquée.

Et si Madeleine avait délibérément décidé de lancer un défi à la mort pour rejoindre leur fils ?

Hagard, François Nicolas continuait de regarder tout autour de lui. Que des troncs inutiles, portant des branches inutiles. Ce n'était pas ici qu'il trouverait le réconfort dont il avait besoin ni la réponse à ses questions. Brusquement, le deuil du labeur de toute une vie se greffa aussitôt à celui de Madeleine.

Plus rien n'avait de sens dans la vie de François Nicolas.

Plus rien n'atteignait François Nicolas, hormis cette souffrance intolérable devant l'incertitude.

Pourquoi Madeleine était-elle montée sur la colline, elle qui n'y allait jamais sans lui? François aurait tant voulu avoir une réponse à cette question.

Était-ce réellement à cause de Jasmin que Madeleine était montée ici?

Subitement, François avait des doutes.

Peut-être, aussi, que c'était à cause de lui, parti en mission sans prévenir. Peut-être, oui, que Madeleine avait pris cette décision insensée à cause de lui. Malgré tout ce que Françoise lui avait raconté de son absence, malgré cette photo de son mari et de René que Madeleine avait vue, alors qu'il était prisonnier des SS de Klaus Barbie à Lyon, peut-être bien que sa femme le croyait mort.

Peut-être...

Quand elle avait quelque chose en tête, la belle Madeleine, bien peu de gens arrivaient à la faire changer d'idée, et on racontait tellement d'horreurs sur ce Klaus Barbie et les sévices qu'il faisait endurer à ses prisonniers. Alors oui, Madeleine avait pu croire son mari disparu à jamais, comme leur fils. Voilà pourquoi, ce matin-là, tandis que leur village se faisait mettre à sac, Madeleine avait choisi de monter seule sur la colline. Elle voulait peut-être rejoindre son mari et son fils.

Brusquement, François Nicolas se sentit coupable de la mort de sa femme. À trop vouloir protéger Madeleine, qui n'avait besoin d'aucune protection, il avait tout gâché. Il aurait dû la prévenir de la mission qu'il entreprenait. S'ils en avaient parlé ensemble, elle aurait attendu son retour. De cela, François Nicolas était intimement convaincu.

— Elle t'a cherché, papa, elle t'a tellement espéré, lui

avait confié Françoise. Elle ne comprenait pas que tu aies pu lui cacher quelque chose d'aussi important. Je crois bien que c'était ton silence qui lui faisait le plus mal. Au-delà de ton absence. Puis, un jour, j'ai eu l'impression qu'elle avait cessé de croire en ton retour. C'était comme si un ressort s'était cassé en elle. Seul Nathan arrivait encore à lui arracher de petits sourires, et encore.

Voilà ce que Françoise lui avait dit et François n'avait aucune difficulté à imaginer à quoi ressemblait la vie sur sa ferme, quand il était prisonnier à Lyon. Madeleine était déçue, désabusée, fatiguée, et tout était de sa faute à lui. François n'avait aucune difficulté à le reconnaître. Peut-être bien, oui, que Madeleine avait voulu mettre un terme à tout ça, l'attente, l'absence, les désillusions, le désespoir...

La guerre avait fini par lui ravir son mari, alors qu'elle avait tant supplié François de ne pas s'en mêler, cette fois-ci...

Il aurait dû l'écouter.

Le cri que François Nicolas poussa alors n'avait rien d'humain. Il partait de loin, du fond des entrailles où il était resté en latence depuis tous ces derniers mois, attendant le bon moment pour s'exprimer, sachant que l'occasion finirait bien par se présenter. Il ne pouvait souffrir à ce point sans que ça aboutisse, sans que ça éclate un jour.

François l'ignorait jusqu'à maintenant, mais c'était à l'aube d'une matinée d'hiver que le rendez-vous avait été fixé.

Le cri franchit d'abord le seuil de ses lèvres comme une

plainte animale ou le gémissement d'une mère en travail. Il venait des profondeurs de l'âme et labourait le corps au passage. Il enfla à la hauteur de sa douleur, passa par le cœur avant d'exploser dans l'air cru du petit jour, comme les bombes avaient explosé dans son verger, ravageant tout sous leur impact.

François Nicolas hurla à la mort face au soleil levant, durant de très longues minutes, puis, vidé de toute énergie, il sentit ses jambes le trahir et il s'effondra dans la neige mouillée.

Si Dieu existait, Il viendrait le chercher.

François Nicolas resta ainsi longtemps, très longtemps, prostré et transi. Nulle pensée en lui, sinon l'impression d'un grand vertige, d'une chute sans fin qui l'engourdissait petit à petit.

Tout à cette sensation de capitulation, François Nicolas n'entendit pas le bruit des bottes sur la neige, même si les pas qui s'approchaient de lui étaient lourds.

Puis, une odeur de tabac l'enveloppa et c'était le même que celui dont il aimait bourrer sa pipe.

Cette constatation bien involontaire ramena François à une certaine forme de réalité.

Il n'était donc pas mort, lui aussi?

Il y eut une main sous sa tête et François s'y abandonna un instant. Puis, une voix bien particulière lui demanda :

— Eh là, François? Ça va, mon vieux?

Non, ça n'allait pas, puisqu'il n'était pas mort. Mais comme il avait reconnu cette voix un peu sifflante, telle que décrite par sa fille Françoise et, de ce fait, reconnaissable entre toutes, François fit l'effort d'ouvrir les yeux.

Maurice Lacroix, le père de Brigitte, le regardait avec sollicitude.

— Qu'est-ce qui se passe? T'es tombé, François? T'es blessé?

François retint son souffle. En effet, que faisait-il là, couché dans la neige? Tout était si confus dans l'esprit de François Nicolas.

N'avait-il pas rendez-vous avec Madeleine, ici sur la colline? Il ne se souvenait de rien.

L'esprit engourdi, François Nicolas fixait Maurice Lacroix sans la moindre émotion apparente. Son regard était fixe, son visage impassible. Pourtant, avec les années, le visage défiguré de Maurice Lacroix avait pris l'allure d'un vieux morceau de cuir tanné, repoussant, et François aurait dû réagir. Il n'en était rien, car François avait reconnu le regard profond. Les deux hommes avaient été si proches, par le passé.

En effet, à l'époque de sa jeunesse, Maurice Lacroix et son épouse Adrienne avaient été leurs meilleurs amis, à Madeleine et lui. Mariés la même année, les deux femmes étaient de bonnes amies et les deux hommes se connaissaient depuis toujours. Quelques mois plus tard, Madeleine et Adrienne s'étaient soutenues mutuellement, lors de la Grande Guerre. Enceintes en même temps, elles avaient entretenu le même espoir, tandis que Maurice se battait aux côtés de François et René. Cependant, si ces derniers avaient repris leurs vies respectives dès leur retour de la guerre, Maurice, lui, avait vu la sienne basculer dans l'horreur, quelques jours à peine avant l'armistice de 1918. Complètement défiguré par les éclats d'un obus, Maurice Lacroix avait été laissé pour mort sur le champ de bataille. Il devait la vie au courage d'un soldat canadien qui n'avait pu se résoudre à le laisser dans la boue glacée, qu'il fût mort ou vivant n'ayant que fort peu d'importance à ses yeux. Le jeune Canadien avait donc ramené le corps avec lui, quand il s'était retiré vers les tranchées.

Au moins, cet homme-là aurait-il une sépulture décente, se disait-il.

Contre toute attente, Maurice Lacroix avait survécu.

Après un long séjour à l'hôpital, Maurice était enfin revenu à la maison pour apprendre que son fils aîné était décédé. Le bambin qu'il n'avait pas eu le temps de connaître avait sensiblement le même âge que le petit Jasmin et il était mort d'une forte fièvre, quelques mois auparavant. Pour faciliter la réhabilitation de Maurice, on avait préféré le tenir dans l'ignorance.

Adrienne et Maurice s'étaient alors reclus chez eux, pansant leurs plaies mutuellement, et ils avaient rompu les liens avec la communauté de leur village.

— Pas question de susciter la pitié, grondait Maurice, farouche et décidé. Je sais que je suis monstrueux et je n'ai que faire de l'apitoiement des gens sur mon sort. Si tu m'aimes encore, Adrienne, ça me suffit.

Adrienne l'aimait suffisamment pour faire huit enfants avec lui. Brigitte, qui, par la force du destin, deviendrait l'aînée de cette fratrie, et sept garçons, qui suivraient tous les deux ans, ou peu s'en faut. Maurice avait repris son métier d'horticulteur, il fallait bien nourrir cette famille, et Adrienne était devenue le lien entre leur ferme et les clients, qui n'étaient pas tellement nombreux, il faut l'avouer.

Maurice Lacroix, de par son caractère rêche et sa figure apocalyptique, faisait fuir les gens. Quand quelques irréductibles approchaient de chez lui pour acheter fruits et légumes, Maurice se retirait dans sa chambre en grommelant.

Ce fut donc par Adrienne, rencontrée parfois à l'église ou à la poste, que Madeleine et François avaient continué de suivre leurs amis de loin.

Pendant quelques mois.

Puis Adrienne avait déserté l'église à son tour, faute de temps probablement, et la vie les avait tenus éloignés les uns des autres jusqu'à ce que Brigitte devienne l'indispensable amie de leur fille Françoise. N'empêche que malgré les apparences, selon les dires de Brigitte, Maurice et Adrienne semblaient heureux de vivre ensemble.

Et ils avaient de bons enfants.

Fallait croire que le Ciel avait décidé de ne plus s'acharner sur les Lacroix, car, de cette seconde guerre, tous les fils engagés étaient revenus à la maison, sains et saufs.

Du monde extérieur à sa ferme, Maurice Lacroix n'en connaissait que ce que sa femme lui racontait, journal vivant des potins du village; il écoutait avidement ce que Brigitte lui en disait, ouverture sur Paris et la région; il observait avec attention ce que lui pouvait percevoir, à l'aube, quand il se décidait à marcher en solitaire, à l'abri des regards indiscrets.

Combien de fois au cours de sa vie Maurice avait-il

vu François Nicolas, allant et venant dans son verger, seul tout comme lui, tandis que le jour se levait à peine ? Combien de fois Maurice avait-il eu envie de le rejoindre, en souvenir de tous ces bons moments de leur jeunesse vécue l'un à côté de l'autre ? La tentation était grande de faire les quelques pas qui le séparaient de François, mais une main égarée sur ce visage défait ramenait Maurice Lacroix à la raison.

Alors, ses yeux réduits à des fentes distillaient la rage qu'il ressentait, tandis que son nez malhabilement reconstruit lui donnait l'air d'une gargouille, sur ce visage couvert de cicatrices.

Et il lui manquait une oreille et plusieurs dents.

Jamais, en plus de vingt ans, Maurice n'avait cédé à l'envie de revoir son ami. La honte d'être devenu une espèce de caricature humaine l'avait toujours retenu.

Mais ce matin, c'était différent. La rage et la douleur perçues dans le cri de François Nicolas étaient de la même trempe que toutes ces émotions terribles qu'il entretenait depuis tant d'années. Si lui avait le visage défait, son ami avait le cœur en lambeaux, et aux yeux de Maurice Lacroix, ça voulait dire exactement la même chose. Dans l'univers de la souffrance, ils étaient tous les deux à égalité en pays de connaissance.

Maurice Lacroix avait alors regretté de ne pas être venu chez François dès son retour de Paris, l'année précédente. Au nom de l'amitié et des souvenirs communs, il aurait pu le soutenir dans son deuil. Alors, sans hésiter, cette fois, il s'était approché par le petit bois qui menait de la route de pierrailles jusqu'au sommet de la colline.

— Viens, François, tu es tout mouillé.

Avec une délicatesse surprenante chez un homme de sa stature, Maurice Lacroix aida François Nicolas à se relever.

— Appuie-toi sur moi, on va rentrer.

La voix de Maurice sifflait aux oreilles de François.

— Tu dois te sécher si tu ne veux pas attraper la crève. Et puis, ta fille Françoise doit se faire du souci pour toi. Veux-tu bien me dire ce que tu faisais là, couché dans la neige ? Un vrai gamin, oui !

François leva la tête vers le ciel. Le jour, bien que grisâtre, était enfin là, et s'il neigeait toujours, c'était beaucoup plus faiblement.

— J'avais rendez-vous avec Madeleine, confia-t-il dans un soupir, en ramenant les yeux au sol. Je ne sais trop pourquoi, elle n'est pas venue.

— Je vois.

Maurice ne demanderait aucune autre explication et ne relèverait pas l'incohérence de ces quelques mots, il n'en avait pas besoin : de toute évidence, son ami François Nicolas avait atteint les plus sombres tréfonds du désespoir. Maurice ne pouvait s'y tromper, il était déjà passé par là.

Ce fut avec une infinie douceur que Maurice Lacroix aida son ami François à retourner chez lui. Les deux hommes marchaient les yeux au sol, sans dire un mot.

Brusquement, la neige cessa de tomber et un rayon de soleil glissa jusqu'à eux. À cause de cette clarté joyeuse, le bruit de leurs pas sembla immense dans l'air vif de cette autre journée d'hiver qui commençait.

Arrivé devant la maison, Maurice s'arrêta soudainement. Aux carreaux, la lumière luisait toujours, signe que la famille était réveillée. Voyant l'indécision de François, qui semblait encore totalement confus, Maurice fit un pas de plus, et, d'une bourrade amicale sur l'épaule, il poussa son ami vers la porte.

— Vas-y, mon vieux, tu y es presque. Tu n'as qu'à entrer. Il y a de la lumière, les tiens doivent être debout, maintenant...

— Ah oui?

François secoua la tête, regarda autour de lui, comme s'il venait d'être tiré du sommeil. Que faisait-il dehors? Il ne se souvenait pas d'être sorti de la maison. Il se pencha et tendit le cou vers la fenêtre.

— C'est vrai... Tout le monde est là. Je vois Nathan qui mange, assis au bout de la table.

— Va, François, va les rejoindre. Je connais bien Françoise, tu sais, elle saura t'aider. Ta fille est formidable.

Françoise était bien la seule personne étrangère à sa famille dont Maurice Lacroix avait toléré la présence chez lui, au fil des ans. La décision avait été difficile à prendre, mais parce que Brigitte était la seule fille de la maison et qu'Adrienne avait usé de tout son pouvoir de persuasion, Françoise avait finalement été la bienvenue, alors que ses fils, eux, n'avaient jamais pu inviter leurs copains.

— Au nombre que vous êtes, les garçons, vous vous suffisez à vous-mêmes, grondait-il quand le sujet était abordé. Pour votre sœur, c'est différent, et je ne veux plus en entendre parler, sinon...

Habituellement, la menace faisait grand effet durant un mois ou deux.

— Allez, François, répéta alors Maurice, tandis qu'il reculait de nouveau vers la cour, se disant que pour éviter les rencontres indésirables, il passerait par la forêt derrière la maison pour retourner chez lui. Va voir ta fille et dis-lui que tu arrives de la colline. Ça devrait suffire.

Brigitte lui avait parlé de tout ce qui se vivait chez les Nicolas. Les questionnements de François; le retour de Rémi, revenu de sa captivité blessé et désabusé; le petit Nathan perturbé; et Françoise, portant sa famille à bout de bras, seule et malgré le deuil de sa mère, qui ne semblait pas encore fait. Il y avait aussi l'apathie de François Nicolas, qui n'arrivait pas à retrouver l'énergie qui avait toujours été la sienne, alors que Françoise avait tant espéré ce retour pour l'aider à tout reconstruire.

— Vous savez, le père de Françoise ne regarde même plus la colline. Lui qui l'aimait tant. Il n'est même pas allé voir ce qui restait de son verger, papa. Ça ne ressemble pas à l'homme que j'ai connu.

Alors, présentement, Maurice se disait que si François mentionnait la colline, s'il avouait qu'il en revenait, il devrait déclencher une réflexion qui mènerait Françoise à comprendre le désarroi de son père. À tout le moins, cette confession et son regard éteint provoqueraient une discussion qui ne pouvait être que salutaire. Pour l'instant, Maurice Lacroix ne pouvait faire plus, à moins d'entrer lui aussi dans la maison, d'expliquer ce qui s'était passé, et cela, il s'y refusait. Il y avait ici un enfant que son visage de gueule cassée pouvait effaroucher, et le petit Nathan n'avait surtout pas besoin d'un autre sujet d'épouvante.

Quand il vit que François se décidait enfin à faire les quelques pas qui le séparaient de la maison, Maurice Lacroix se retourna vivement et se dirigea aussitôt vers le poulailler. Si jamais on l'interpellait, parce que Françoise était bien capable de le faire, il ne se retournerait même pas. Il se contenterait d'un geste de la main pour montrer qu'il avait entendu, qu'il la saluait, et il poursuivrait son chemin. François l'avait indéniablement reconnu, il saurait expliquer leur rencontre.

Tout en marchant, Maurice Lacroix fourragea dans la poche de son manteau pour retrouver sa pipe, les mains un peu tremblantes à cause de cette audace qu'il avait eue tout à l'heure. Il traversa la cour et, à grandes enjambées, il se dirigea vers la forêt.

Puis, il revit François, couché dans la neige, recroquevillé sur lui-même, et son cœur se serra de tristesse.

Fallait-il que son ami fût complètement perdu, pour qu'il n'ait pas la présence d'esprit de lui demander ce que lui, Maurice Lacroix, pouvait bien faire sur la colline à la pointe du jour.

Il y avait plus de vingt-cinq ans, maintenant, que les deux hommes ne s'étaient pas parlé ni même salués de loin.

Arrivé à la lisière des grands arbres, se sachant hors de portée de voix, Maurice Lacroix se retourna. La cour de la ferme de François Nicolas était déserte. La lumière aux fenêtres était éteinte et la cheminée fumait mollement. En apparence, tout allait bien.

Tout en observant la maison, rassuré, Maurice Lacroix

sortit sa blague à tabac, bourra le fourneau de sa pipe et l'alluma enfin, de ce geste sûr et précis de la grande habitude. Puis, les yeux mi-clos, il aspira la fumée réconfortante à petits coups secs. Il apprécia aussitôt la chaleur du fourneau contre le bout de ses doigts et le goût sucré de la fumée qu'il venait d'inhaler. Un dernier regard sur la maison, puis Maurice revint face au boisé. Repoussant une branche gênante d'un coup d'épaule, il s'enfonça entre les arbres. Il avait hâte de retrouver Adrienne pour lui raconter son aventure, lui qui n'avait, habituellement, jamais rien à dire.

La perspective de cette discussion, devant l'âtre et avec un café chaud, amena un sourire édenté sur le visage de Maurice.

Maintenant qu'un premier contact avait été établi, peut-être bien qu'ils pourraient inviter François à venir à la maison…

Pourquoi pas? Après tout, le jour de Noël et les fêtes de fin d'année approchaient à grands pas.

DEUXIÈME PARTIE

Mars 1946 – Septembre 1946

« *Les blessures
qui ne guérissent pas* »

CHAPITRE 4

« Rien n'est jamais fini, il suffit d'un peu de bonheur
pour que tout recommence. »
ÉMILE ZOLA

Grenoble, le mercredi 20 mars 1946

Dans un tout petit logement appartenant
à Georges le passeur, et mis à la
disposition de Jacob et de ses filles

L'été précédent avait filé dans les éclats de rire, tellement Klara et Anna étaient heureuses et apaisées d'avoir
retrouvé leur père.

Une fois les émotions des retrouvailles dissipées, elles
lui avaient spontanément confié l'organisation de leur
avenir. Maintenant que la guerre était finie, tout pouvait
avoir un éclairage nouveau, il suffisait de le vouloir. De
toute façon, leur père y verrait, n'est-ce pas? Klara et
Anna avaient en lui une confiance absolue.

Quand Jacob Reif avait-il déçu ses filles?

Pour Klara, le soulagement avait été sans réserve, et
l'envie de redevenir une enfant, instinctif. En quelques
jours à peine, elle s'était délestée du poids des responsabilités face à sa jeune sœur pour réapprendre à ne penser

qu'à elle, par moments du moins. Le retour de leur père lui avait redonné la légèreté de l'enfance que la guerre lui avait ravie, et elle ne se lassait pas de n'avoir aucune décision d'importance à prendre. Chaque réveil posait un sourire sur son visage.

De son côté, soucieux de ne pas déraciner ses filles trop brusquement de ce milieu qui les avait accueillies avec tant de générosité, Jacob avait accepté, sans trop se faire tirer l'oreille, de passer la belle saison avec elles au village d'Aillon-le-Jeune.

— D'accord. Vous avez gagné, nous restons ici pour l'été.

De toute manière, sans l'avouer, Jacob Reif était toujours aussi épuisé, alangui par une fatigue qui semblait vouloir perdurer jusqu'à la fin des temps. Dans de telles conditions, la perspective de reprendre la route l'angoissait. Son corps avait des années de privations à oublier, son cœur, des années de souffrances à panser, et son âme était toujours aussi bouleversée par la disparition de sa femme. Le pauvre homme avait donc besoin de temps afin de se ressaisir, de se relever, et pour ce faire, il préférait rester au village d'adoption de Klara et Anna, loin des foules. Ici, entouré de montagnes, il avait l'impression de toucher aux nuages. Il se sentait ainsi plus proche de sa très chère Bertha, cette femme qu'il avait aimée au-delà de sa propre vie.

Ce fut donc dans ce petit village, habitant chez le curé de la place, au creux des montagnes, au contact de ses filles et un jour à la fois, que Jacob Reif avait entamé sa résurrection. Pour Klara et Anna, et grâce à elles, il réapprendrait à vivre. C'était le but qu'il s'était fixé quand il était entré à Auschwitz: rester vivant pour reprendre sa place au sein de sa famille, car, à ses yeux, elle aurait toujours besoin de lui.

La seule fierté qui restait à Jacob Reif envers lui-même était bien celle d'avoir réussi à survivre.

Nourri copieusement, son corps avait donc commencé à reprendre des forces, et, chaque jour, pour apaiser son cœur, il faisait de longues promenades en compagnie de ses souvenirs.

Malheureusement, les larmes qui avaient coulé abondamment lors de son arrivée au village se refusaient maintenant à lui et cette sécheresse de l'âme était aussi douloureuse à vivre que l'absence de Bertha.

Et la prière avait déserté son quotidien, le laissant désorienté.

Jacob Reif en était bouleversé, lui qui s'en était toujours remis à Dieu pour guider ses pas. Aujourd'hui, dans le secret de ses pensées les plus intimes, il s'en remettait à Bertha pour le ramener sur le droit chemin. Si le Ciel existait vraiment, son épouse entendrait sa prière, et les mots pour s'adresser au Très-Haut lui reviendraient.

N'empêche que d'un repas à l'autre et d'une promenade à une autre, Jacob Reif avait fini par ressentir un certain mieux-être, tant dans son corps que dans son âme.

L'été réchauffait sa carcasse amaigrie et le rire de ses filles réchauffait sa sensibilité écorchée à vif.

La possibilité de repartir vers d'autres cieux lui avait alors semblé de nouveau acceptable. Cependant, avant même qu'il ait pu aborder le sujet avec ses filles, septembre fut là, lui réservant une vilaine grippe.

Comme malgré tout ce qu'il pouvait en penser, Jacob Reif était encore bien faible, le départ fut reporté.

Trop de privations accumulées, de désespoir entretenu, d'angoisse ressentie, et d'atroces souvenirs s'invitant encore dans son sommeil avaient eu raison de lui.

Rongé par toutes ces années en camp de concentration et ce qui en découlait, Jacob Reif n'avait eu d'autre choix que de garder le lit pour recouvrer une partie de ses forces. Elles lui étaient revenues au compte-gouttes et l'automne avait passé.

Par la suite, toutefois, Klara et Anna avaient dû longuement insister pour ne pas repartir aussitôt sa toux calmée.

— Il ne faudrait pas abuser de l'hospitalité des gens, avait argumenté Jacob. Puis, ça ne fait pas partie de nos coutumes, la fête de Noël. Nous, c'est Hanouka, avait-il ajouté, visiblement pressé de s'en aller, cherchant sans doute à profiter de cette santé qui lui semblait plus robuste.

— Et alors? avait répliqué Anna. Ici, Noël est un moment important dans l'année. N'oubliez pas que cela fait tout de même trois ans que nous habitons Aillon-le-Jeune… Même à Échirolles, papa, nous fêtions Noël avec maman et nos voisins, puisque nous étions supposément françaises… Allez, je vous en prie, dites oui! Qu'est-ce que ça peut bien changer, un nom ou l'autre? Noël ou Hanouka, ça reste un moment de réjouissance, non?

Devant tant d'arguments en faveur d'une telle coutume, et surtout devant leur belle logique universelle,

Jacob avait fini par céder et dire oui à la fête de Noël. Après tout, quel mal y avait-il à transgresser leurs habitudes, puisque Bertha l'avait fait avant lui ?

— Cependant, dès janvier commencé, nous partons !

— D'accord, avait-on soupiré à l'unisson.

Le ton employé manquait d'enthousiasme, certes, mais pas de respect. La vie avait fait en sorte que les deux sœurs Reif avaient eu cette chance inouïe de retrouver leur père, en dépit de toute vraisemblance et au-delà de leurs espoirs les plus fous. Elles en mesuraient sans difficulté la véritable portée : désormais, elles ne seraient plus seules au monde et, de ce fait, le mot « famille » avait retrouvé une bonne partie de son sens initial. Néanmoins, les trois années passées à Aillon-le-Jeune avaient été, à leur manière, des moments privilégiés dans leur courte vie, et tant Klara qu'Anna n'arrivaient pas à trouver le courage de s'en détacher à jamais. Après tout, certains habitants de ce hameau avaient fait office de parents durant quelques années, leurs enfants avaient été une vraie famille pour les deux sœurs, et le reste des villageois, leur parenté. Elles y étaient arrivées par un petit sentier de montagne, le cœur déchiré, douloureusement angoissées et tourmentées devant l'avenir. Leur mère venait de disparaître sans laisser de traces, et, de surcroît, elles ne savaient rien de leur père, sinon que la blanchisserie de Paris avait été fermée. On était alors à l'automne 1943.

À Aillon-le-Jeune, on leur avait ouvert tout grand les bras, sans poser de questions, et, petit à petit, les deux sœurs Reif, alias Dumontier, avaient retrouvé le goût de rire.

— Allons-nous revenir un jour ? avait demandé Anna, la plus volubile des deux sœurs, et la moins intimidée par ce père plutôt réservé, qu'elles n'avaient pas vu durant de longues années.

— Je ne crois pas, ma fille.

— Ah…

Jacob Reif n'avait jamais menti à ses filles ni à qui que ce soit d'autre, d'ailleurs. Toutefois, en cas de besoin, il avait l'art d'emballer la vérité pour se sentir à l'aise avec lui-même, et il usait de cette facilité à manier les mots avec adresse et discernement. Voilà pourquoi il n'était pas question, en ce moment d'importance, de faire preuve de ruse ou de fourberie pour rendre le départ du village plus doux qu'il n'avait à l'être.

— Malgré les liens que vous avez créés et l'attachement que vous ressentez, avait-il expliqué sans détour, malgré la reconnaissance que nous devons tous les trois aux gens de ce village, notre vie est ailleurs et vous le savez.

— Notre vie a été à tellement d'endroits, papa, avait alors soupiré la jeune Anna. Je ne sais plus vraiment où je dois m'installer pour continuer.

— Peut-être le vois-tu ainsi, Anna, et je comprends ton inquiétude. Elle est tout à fait légitime. Mais comme je suis de retour, laisse-moi porter les soucis, ils sont trop lourds pour tes fragiles épaules. Fais-moi confiance quand je te dis que c'est avec moi que tu dois continuer d'avancer dans la vie. Ne crains rien, je saurai faire les bons choix pour notre famille. Maintenant que la santé m'est revenue, nous allons tous les trois tenter de reprendre là où nous en étions, là où votre mère aurait certainement voulu reprendre notre vie commune. À commencer par vos noms et vos études. Désormais, vous êtes Klara et Anna Reif, et non plus Claire et Anne Dumontier.

À ces mots, Anna avait exhalé un second soupir plutôt bruyant, se retenant à grand-peine pour ne pas frapper le sol d'un coup de pied bien senti.

— Encore devoir nous habituer à autre chose, avait-elle maugréé, visiblement agacée.

— Je regrette, Anna, mais c'est ainsi.

Malgré la douceur habituelle qui enveloppait la voix de Jacob Reif, cette fois, le ton était péremptoire.

— Il est tout à fait normal de revenir aux prénoms que votre mère avait soigneusement choisis pour vous deux, avait-il alors déclaré, avec cette patience infinie qui était la sienne. Tu ne crois pas, Anna?

— Peut-être, avait admis la jeune interpellée, du bout des lèvres, affichant au même instant une moue d'incertitude.

— Allons donc! Pourquoi tant d'hésitation? Ce choix des prénoms était d'une grande importance pour votre mère, car, disait-elle, ils vous suivraient tout au long de votre vie, ta sœur et toi. La situation étant vue sous cet angle, tu admettras avec moi que l'utilisation de ce prénom est beaucoup plus qu'une simple habitude. C'est une question de respect envers ta mère et c'est pourquoi je te prie bien gentiment de revenir au nom choisi à ta naissance en nous faisant grâce de ta bouderie. Néanmoins, je ne te demande pas d'oublier que durant un certain temps, tu t'appelais Anne Dumontier, ça serait ingrat de le faire.

Et quand tu y repenseras, fais-le avec tendresse, surtout, car ce nom t'a probablement sauvé la vie. Mais pour moi, ces appellations françaises feront partie des souvenirs bons et mauvais que la vie nous a laissés de cette guerre interminable. Rien de plus.

À la suite de cette mise au point, Jacob avait eu un moment de recueillement. Les deux sœurs en avaient déduit qu'il pensait à leur mère Bertha, comme cela lui arrivait souvent de le faire, ou encore qu'il revoyait tout ce temps de l'absence dont il ne parlait jamais, car une profonde ride marquait alors son front. Intimidées, elles n'avaient donc pas insisté.

— Quoi qu'il en soit, pour toi, Anna, avait ensuite repris Jacob en secouant la tête, j'ai récupéré nos papiers à Paris, chez le propriétaire du logement où nous habitions. Ce sont eux qui ont cours légal, et ce sont eux que nous allons désormais utiliser.

— D'accord… N'empêche que ça ne sera pas facile.

— Y a-t-il quelque chose de réellement facile, dans la vie ?

À cette dernière question, il n'y avait eu aucune réponse. Ni même un soupir discret. Voilà pourquoi, quand leur père dirait que l'heure du départ était arrivée, elles n'auraient pas vraiment le choix de suivre sans riposter. Klara et Anna l'avaient aisément compris.

N'empêche que Jacob, tout réticent qu'il avait été dans un premier temps, avait, à sa façon, profité lui aussi de cet instant de réjouissance qui, avouons-le, offrait, cette année, une saveur particulièrement douce.

La guerre était finie !

Malgré toutes ces douleurs à l'âme qui ne s'effaceraient probablement jamais, le sourire de ses filles arrivait toutefois à poser un baume sur le cœur meurtri de Jacob Reif.

Puis, elles ressemblaient tellement à leur mère que c'en était émouvant…

Néanmoins, tel que prévu par Jacob, le trois janvier au matin, la fête avait été déclarée finie et la famille Reif était partie en direction de Grenoble.

— Je sais que Georges nous attend, avait-il précisé. Étienne me l'a écrit dans sa dernière lettre.

De fil en aiguille, d'un ami à une connaissance, Étienne et Georges lui avaient été présentés, et c'était grâce à eux si Jacob avait pu retrouver ses filles.

— Nous allons donc nous présenter chez Georges, avait expliqué Jacob. J'ai son adresse à Grenoble. Le temps de nous retourner, de nous reposer un peu, et par la suite, nous aviserons. Peut-être n'est-il pas trop tard pour vous inscrire à la session d'hiver à l'école de leur quartier. Qu'en pensez-vous ?

Klara et Anna n'en pensaient que du bien !

Voilà pourquoi, à cause de l'école, la famille Reif avait décidé, dès la semaine suivante, de rester à Grenoble un peu plus longtemps que prévu.

— J'aime bien l'école, papa ! C'est si agréable d'avoir un professeur pour répondre à nos questions. Quand nous étions seules, Klara et moi, obligées de lire de gros bouquins, tandis que maman travaillait à l'usine, c'était beaucoup moins facile.

— Ah ! Parce que vous faisiez vos classes à la maison ? Toutes seules ?

— Bien oui! C'est ce que maman avait décidé, même s'il y avait une école au lotissement. On révisait ensemble, le soir, quand elle était de retour après le travail.

— Ah bon... Et à Aillon-le-Jeune? Y avait-il une école?

— Pas en temps de guerre. Elle avait été fermée, mais nous étudiions quand même avec nos amies.

Ce fut ainsi, de confidences en réflexions et de remarques en constatations, que Jacob Reif avait appris la vie qui avait été celle de sa femme et de ses deux filles, alors que lui-même tentait de survivre à Auschwitz, puis à Mauthausen et à Ebensee.

Pour sa part, Jacob n'aurait jamais été capable de poser les questions qui lui brûlaient les lèvres, il avait trop peur qu'on lui en pose en retour, et sa décision était irrévocable: jamais, il ne parlerait de l'enfer qu'il avait vécu. Surtout pas à Klara et Anna. Il s'en était fait le serment. Alors, il attendait que les confidences viennent d'elles-mêmes.

Néanmoins, tout doucement, à vivre ensemble, la confiance se ranima entre eux. Les sourires furent de plus en plus nombreux, les rires aussi, et tout comme Bertha l'avait sûrement fait avant lui, Jacob puisait régulièrement à même leurs souvenirs familiaux pour redonner un sens commun à cette vie familiale différente qui serait désormais la leur. À lui de faire œuvre de mémoire pour garder intacte l'image de Bertha.

Et l'hiver passa.

Depuis quelques jours, mars étalait généreusement sa douceur de printemps sur la ville de Grenoble. Les arbres bourgeonnaient, les fleurs parsemaient les jardins, et Jacob se surprit à s'ennuyer de Paris. À cause de l'Occupation et des nombreux couvre-feux, à cause surtout de l'interminable liste des interdits visant les Juifs, c'est à peine s'il avait connu la ville. Bien sûr, il en avait arpenté certaines rues et ruelles. Les besoins quotidiens de sa famille avaient dicté ses déplacements. Mais l'avait-il vraiment regardée, cette ville? Avait-il eu le temps, le loisir et l'envie de l'admirer, d'en découvrir les secrets? Pas vraiment, n'est-ce pas?

Ce matin, peut-être à cause du chant des oiseaux, Jacob Reif en prenait conscience et il jugea aussitôt que c'était bien dommage.

Une brusque bouffée de regret, aussi envahissante qu'inattendue, lui fit débattre le cœur et monter quelques larmes aux yeux, lui qui en versait si peu. Sans avertissement aucun, sans la moindre équivoque surtout, l'ennui fut donc au rendez-vous.

Jacob regarda autour de lui, l'œil critique et l'esprit lucide. La médiocrité de l'appartement lui sauta aux yeux.

Les deux pièces occupées par les Reif étaient petites et sombres, car une seule fenêtre donnait sur la ruelle. La salle d'eau avait la dimension d'un tout petit placard. Même lui, aussi chétif puisse-t-il être, s'y sentait à l'étroit. Quant à la cuisine, elle se résumait à un comptoir coincé entre une table minuscule associé à trois chaises bancales et un divan défoncé. Deux ronds au gaz et un réfrigérateur de petite taille, relégué tout de même au palier, faute d'espace, complétaient le tout.

Était-ce là ce qu'il avait envie d'offrir à ses filles?

Était-ce là un logis qui aurait été digne de Bertha?

La réponse était d'une netteté implacable et Jacob Reif courba aussitôt les épaules.

Mais que faisait-il ici, dans cette ville inconnue, entouré d'inconnus, à attendre Dieu sait quoi ?

Certes, Georges et Étienne y étaient pour beaucoup dans le fait qu'il ait pu retrouver ses filles vivantes et en bonne santé. Ils étaient encore d'une générosité remarquable, assurant ainsi leur survie à tous les trois et pour cela, Jacob leur en serait éternellement reconnaissant. Mais s'ils agissaient ainsi, c'était encore à cause de la guerre et de ses conséquences. Chacun continuait d'agir en accord avec sa conscience.

La réflexion de Jacob alla jusqu'à se dire que d'avoir sauvé Klara et Anna ne faisait pas de Georges et Étienne des amis proches.

Il soupira.

Cela pouvait sembler ingrat comme attitude, mais c'était un fait, et Jacob n'y pouvait rien.

Aujourd'hui, la vie continuait, et il savait que la sienne ne se poursuivrait pas à Grenoble, malgré toute la gentillesse dont on l'entourait. Pourquoi s'y être arrêté aussi longtemps ? Jacob l'ignorait. Après tout, des écoles, si c'était là le prétexte, il y en avait partout.

Voilà pourquoi Jacob se tourmentait depuis leur arrivée à Grenoble : il n'y était pas heureux et il détestait cette sensation de devoir s'en remettre à d'autres pour assurer sa subsistance.

Du matin au soir, et parfois la nuit, quand le sommeil se faisait capricieux, il s'interrogeait sans relâche sur leur avenir à tous les trois, essayant de s'imaginer, ici, ailleurs, n'importe où, faisant mille et un métiers, pour subvenir à ses besoins et à ceux de ses filles.

Il n'y arrivait pas vraiment.

Jusqu'à ce matin, sans Bertha, l'avenir lui semblait impossible.

Et voilà que soudainement, Jacob Reif venait d'admettre que c'était à Paris qu'il voulait prendre ce nouveau départ. Pourquoi n'y avait-il pas songé plus tôt? Encore une fois, Jacob l'ignorait. Depuis son retour des camps, il avait la pénible sensation d'avoir bien de la difficulté à prendre la moindre décision, lui qui avait toujours eu auparavant le bon mot au bon moment, même lors de ses différents séjours en camp de concentration.

Cette mentalité de courber l'échine était-elle incrustée en lui à tout jamais? Comme s'il avait peur en permanence qu'on lui reproche quelque chose.

Comme s'il avait peur en permanence qu'on le condamne à mort.

Même l'odeur des fours avait continué de hanter le sommeil de ses nuits jusqu'à tout récemment.

Mais voilà que tout à coup, il y avait Paris.

La seule consonance du mot chantait aux oreilles de Jacob.

Envers et contre tout, malgré les privations, la peur d'être déporté et les alertes, malgré les humiliations quotidiennes et les amères déceptions, Jacob Reif n'avait plus aucun doute: à Paris, il avait été heureux, puisqu'il y vivait avec Bertha et les filles. À ses yeux, c'était amplement suffisant pour lui donner envie d'y retourner.

Puis, la blanchisserie lui appartenait toujours, du

moins en partie, puisqu'il en avait payé rigoureusement de nombreuses mensualités. Du moins croyait-il que le commerce lui appartenait toujours. Minutieux en tout, il en avait conservé les papiers d'achat, signés en bonne et due forme devant les autorités. Malgré l'instabilité que l'on connaissait déjà à l'époque, ces quelques feuilles officielles devaient avoir une certaine valeur, Jacob Reif en était persuadé. En attendant de pouvoir reprendre sa pratique en tant que dentiste, ce qu'il souhaitait ardemment, il pourrait tout de même avoir du travail en rouvrant la blanchisserie.

Il se disait que l'odeur puissante des savons arriverait peut-être à laver définitivement celle de la fumée des fours.

Toutefois, Paris n'était pas uniquement une belle ville à découvrir ou une perspective d'emploi.

Paris, c'était aussi mademoiselle Brigitte.

À plusieurs reprises, Jacob avait jeté sur le papier les premiers mots d'une lettre à son intention. Il ne l'avait jamais terminée. Lui si habile à tourner de belles phrases efficaces n'arrivait pas à exprimer l'intensité des émotions contradictoires qui s'emparaient de lui pour un oui ou pour un non.

Il se sentait écartelé par cette ambivalence entre une reconnaissance sans borne qui lui faisait débattre le cœur devant ses filles retrouvées saines et sauves, et le désespoir insondable qui alimentait sa colère envers le Ciel, quand il pensait à sa Bertha disparue à jamais.

Lui si volubile, au besoin, en était devenu sans mots.

Cette déchirure en lui, douloureuse comme une blessure. Cette faille insondable entre la foi et l'incroyance...

Devant la cruauté des hommes, Jacob Reif avait désappris la confiance envers l'autre.

Devant la folie des hommes, il s'était mis à douter de tout. Seul l'amour pour sa famille était resté intact.

Mais comment l'écrire? Jacob Reif n'y arrivait pas.

Il en était bouleversé, lui qui avait toujours avancé dans la vie sans rancune et sans crainte, puisque le Ciel veillait sur lui. Aujourd'hui, Jacob n'arrivait plus à retrouver cet abandon qui avait guidé ses pas jusqu'à maintenant.

Comment arriver à croire en la bonté divine quand la colère teintait la moindre de ses réflexions? Comment trouver au plus profond de son âme la miséricorde de pardonner et le courage d'affronter la réalité, puisque Bertha n'était plus là pour tout comprendre, pour tout partager?

Jacob ne savait plus.

Face à Brigitte, les yeux dans les yeux, ou timidement, les yeux au sol, le pauvre homme espérait que la confiance serait à nouveau possible, puisqu'ils se connaissaient bien et qu'ils avaient pris l'habitude d'échanger des confidences au-dessus des cuves de trempage.

Puis Brigitte avait connu Bertha. Avec elle, Jacob arriverait peut-être à laisser couler les quelques larmes supplémentaires, celles qu'il se désespérait de ne pouvoir verser. Elles lui apporteraient sans doute une forme d'apaisement. Il l'espérait tellement.

Il présenta le projet à ses filles dès leur retour de l'école, n'ayant aucune difficulté à mettre un certain enthousiasme dans sa voix. Le temps de terminer le semestre, expliqua-t-il, et tous les trois, ils reprendraient la route pour remonter sur Paris. L'appartement qu'ils avaient déjà habité était peut-être encore disponible, qui sait!

— Juste pour cette raison, cela vaut la peine de faire la route, n'est-ce pas? souligna-t-il avec une pointe de dérision dans la voix, tout en montrant leur misérable logis d'un petit geste de la main. On ne peut pas dire que ce minuscule logement soit un véritable foyer.

En outre, il leur restait certains biens d'utilité courante, des papiers d'importance, et un peu d'argent, le tout entreposé chez leur ancien propriétaire. Jacob voulait les récupérer.

Ajoutez à cela la blanchisserie, qui leur permettrait éventuellement de s'en sortir au quotidien en attendant qu'il puisse reprendre sa pratique médicale et Jacob était persuadé qu'ainsi présenté, le projet saurait plaire.

Il n'en fut rien.

— Encore, partir?

Anna regarda autour d'elle, boudeuse, les yeux pleins d'eau. L'appartement était petit, certes, encore plus que celui d'Échirolles, si la chose était possible, néanmoins, elle jugeait qu'il était confortable. Il y avait l'eau courante et l'électricité, ainsi qu'une minuscule chambre qu'elle partageait avec Klara, tandis que leur père couchait au salon. Cela suffisait, non? De plus, l'école était à deux pas et il y avait un carré de pelouse dans la cour. Que demander d'autre quand on a enfin touché à la liberté, celle qui leur avait si cruellement fait défaut durant tant d'années?

Tout cela, c'était sans compter qu'Anna commençait à se faire des amies. C'était nouveau pour elle, cette envie irrépressible de se faire des amies et elle y tenait comme à la prunelle de ses yeux. Jusqu'à ce jour, par la force des événements, Anna avait partagé la plupart de ses jeux et la totalité de ses confidences avec Klara. Même à Aillon-le-Jeune, elle avait entretenu cette dépendance face à sa sœur, parce que la vie devant elle restait trop incertaine pour faire confiance à qui que ce soit. Anna n'était donc pas arrivée à s'abandonner totalement, malgré la présence de quelques gamines de son âge. Ici, à Grenoble, c'était différent. Leur père était revenu, gage de sécurité, et ça changeait tout.

— Je ne veux pas partir, papa !

À n'en pas douter, ce cri venait du cœur et une indicible fatigue affaissa les traits de Jacob.

— Je croyais que ma proposition vous séduirait, avoua-t-il dans un souffle, visiblement accablé.

Le temps d'une pensée pour Bertha, de se demander ce qu'elle aurait répondu si elle avait été à sa place, puis, il se redressa, avant d'ajouter :

— Peu importe ce que j'espérais, je n'avais pas l'impression d'avoir à vous demander quelque permission que ce soit.

Subitement, il semblait à Jacob que cette façon de dire aurait été dans le ton des interventions de Bertha.

— Et vous aviez raison, papa, approuva aussitôt Klara en jetant un regard impatient à sa jeune sœur. Je ne sais trop à quoi pense Anna, mais moi, ça va me faire plaisir de revoir Paris, si c'est là votre souhait.

— Ah oui ?

Le fragile sourire de Jacob était empreint de soulagement.

— Alors, c'est à moi que tu fais plaisir, Klara, avoua-t-il, rassuré. Malgré tout ce qu'on a pu y vivre de difficile, j'ai bien aimé Paris.

— Moi aussi… Mon seul regret était de devoir rester cloîtrée à l'appartement. Si aujourd'hui vous nous offrez la possibilité de visiter librement la ville, j'en suis heureuse.

Et au bout d'un bref silence songeur, Klara murmura :

— À Paris, il me semble que maman ne sera pas très loin de nous.

— Justement, lança Anna, sur le ton d'un cri de pure souffrance. À Paris, j'ai peur de m'ennuyer de maman. Encore plus qu'ici.

Cette confession atteignit Jacob d'un direct au cœur.

Si lui avait perdu une épouse tendrement aimée, Klara et Anna avaient perdu leur mère, et il venait de comprendre qu'à sa façon, leur douleur était aussi intense que la sienne.

Comment avait-il pu ne pas s'en apercevoir avant, ne pas en tenir compte avant ?

Le geste fut spontané.

Jacob Reif ouvrit alors tout grand les bras, et les deux sœurs, redevenues toutes petites le temps d'une accolade, se précipitèrent vers leur père. Klara ferma les yeux sur cette sensation de bien-être qu'elle avait toujours ressentie en présence de ses parents, et Anna laissa libre cours à ses larmes.

Le temps d'un baiser sur sa tête, Jacob l'envia.

— Même si ça risque d'être difficile, Anna, murmura-t-il alors, d'une voix enrouée et le visage enfoui dans la chevelure bouclée de sa fille, la même que celle de

Bertha, à Paris, nous allons tous les trois penser à votre mère, chacun à notre façon. Nous allons revoir le petit logement où nous avons été heureux, je vous le promets. Nous allons en profiter pour nous rappeler tous nos bons souvenirs, et ensuite, nous visiterons la ville comme votre mère aurait tant voulu la visiter. Elle me l'a souvent dit, tu sais. Puis, parce que vous l'aimez bien, parce que nous l'aimons bien, nous allons rendre visite à Brigitte.

— Brigitte?

Anna s'était légèrement éloignée de l'épaule de son père, une lueur d'interrogation dans son regard mouillé.

— Est-ce bien la gentille fille qui venait nous voir parfois à l'appartement et qui nous a aidées à fuir la ville? demanda-t-elle en reniflant.

— Nulle autre qu'elle, bien sûr. Je parle en effet de cette demoiselle, notre Brigitte, qui est devenue une amie de notre famille.

— Alors, oui, je veux aller à Paris, murmura Anna, entre deux sanglots, le nom de Brigitte ayant fait apparaître une petite éclaircie, déchirant les nuages de sa tristesse.

Sa voix restait cependant hésitante.

— Pour revoir Brigitte, d'accord, je veux bien retourner à Paris, admit-elle finalement avec un tout petit peu plus d'assurance. Mais… Mais si nous ne sommes pas heureux à Paris, nous allons revenir ici, n'est-ce pas?

— Promis.

Même si, à première vue, cette promesse paraissait sans fondement, difficile à tenir, Jacob Reif savait qu'il n'aurait pas à y donner suite, puisqu'il ferait tout en son pouvoir pour que ses filles soient heureuses à Paris.

Et au bout du compte, ce seraient Klara et Anna elles-mêmes qui lui demanderaient de rester dans le nord.

Il se réjouissait déjà de revoir mademoiselle Brigitte.

À des kilomètres de là, avec le même nom en tête et au même instant, Raymond Constantin apprenait, dépité, que leur mission tirait à sa fin.

Déployée à Bad Zwischenahn, en Allemagne, depuis l'été précédent, la 3ᵉ division allait être dissoute.

Malgré le fait que, pour plusieurs d'entre eux, il s'agissait d'un service volontaire, que leur rôle en avait été un de soutien à la population allemande et de maintien de l'ordre, ce fut dans les cris de joie que les soldats canadiens apprirent qu'ils allaient retourner en Angleterre afin d'y être démobilisés, pour ensuite rentrer au pays.

Seul Raymond Constantin ne participait pas vraiment à cette explosion de joie cacophonique. Quelques sourires échangés, bien sûr, pour éviter les questions embarrassantes, mais sans plus.

Sa déception était trop grande pour qu'il puisse donner totalement le change en riant et en s'exclamant comme ses compagnons. Mais comme le soldat Constantin était reconnu pour être un homme plutôt réfléchi, malgré une bonne humeur constante et une petite tendance à faire des blagues, personne ne passa de remarque sur son manque flagrant d'exubérance. Il avait le droit d'être fatigué, comme ils l'étaient tous.

Pourtant, Raymond n'en était pas là.

En effet, contrairement à ce qu'il avait anticipé, le jeune homme n'avait pu se rendre en Normandie, au cours des derniers mois. Les jours de repos, bien que réguliers, n'avaient pas permis de longs déplacements, comme il l'avait tant espéré, et c'est grandement désappointé qu'il venait d'apprendre que son séjour en Europe tirait à sa fin.

Ces quelques mois de service supplémentaires auraient donc été inutiles et le soldat Raymond Constantin allait finalement retourner chez lui, au Canada, à Québec, sans savoir si l'attirance ressentie pour la belle Brigitte aurait pu être partagée. Lui qui, jusqu'à maintenant, n'avait accordé que peu d'attention aux femmes de son entourage, trouvait l'expérience un peu frustrante. Brusquement, Raymond en eut assez de l'armée avec ses contraintes et ses exigences, et il jeta un regard désabusé tout autour de lui. Ses compagnons étaient en liesse, pas lui.

Essayant de se faire discret, Raymond quitta la tente où ils s'étaient réunis pour le repas du soir.

Pour une fois que son cœur battait pour une jolie fille, il aurait tant voulu y donner suite. Oh! Il savait bien qu'il finirait par s'en remettre. Il n'était pas naïf au point de croire qu'une simple rencontre pouvait laisser des traces indélébiles, d'autant plus qu'il devait bien exister au Québec une gentille fille qui lui ferait oublier la jeune Normande. Raymond n'en doutait pas. N'empêche…

Dans l'heure, il commença à préparer son barda et le lendemain, il se mit en route avec ses compagnons.

Le retour fut mené rondement et quelques jours plus tard, Raymond contemplait les plages françaises pour une dernière fois. Il était toujours aussi ambivalent quant à la destinée qui aurait pu être la sienne s'il avait eu l'occasion de retourner en Normandie. En ultime recours, il avait pourtant demandé une journée pour faire le voyage. On le lui avait refusé. Il quittait donc le pays avec mille et une questions en tête et le cœur un peu triste.

C'est pourquoi, alors que la péniche de débarquement où il prenait place se dirigeait vers la Grande-Bretagne, et contrairement à ce qui aurait dû prévaloir, Raymond Constantin n'était pas heureux.

La majorité des troupes étant déjà rentrée au Canada, il n'y eut que quelques formalités à remplir, sans attente inutile ni tracasseries administratives. La semaine suivante, accoudé au bastingage d'un gros paquebot ayant pris la mer en direction d'Halifax, Raymond Constantin quittait l'Europe pour de bon.

Y reviendrait-il un jour? Rien n'était moins certain que cette possibilité.

Le jeune homme resta les yeux rivés sur la côte anglaise tant et aussi longtemps qu'il put l'apercevoir, tandis qu'il ressentait en lui le besoin impérieux de faire le point.

Raymond Constantin venait de passer de nombreuses années loin de chez lui, sans trop ressentir d'ennui, il en convenait sans la moindre honte. À sa défense, il se répétait qu'il avait été beaucoup trop occupé à se préparer à la guerre, puis à la faire, pour entretenir une mélancolie plus intense que celle provoquée par certains souvenirs qui s'amusaient à faire surface, un peu à brûle-pourpoint, tandis qu'il pensait parfois à son père et à ses frères.

Par ailleurs, en Angleterre, Raymond avait eu amplement le temps de se faire des amis, qui avaient comblé son besoin de présence. De ces compagnons de circonstances, il en avait perdu plusieurs au combat. Quant aux autres, survivants comme lui, il leur avait promis d'écrire régulièrement.

Quand vient le temps des adieux, on promet toujours d'écrire à ceux qui ont eu de l'importance dans notre vie, n'est-ce pas? On y croit dur comme fer. À la vie, à la mort!

Raymond était conscient, toutefois, que cette promesse sincère était rarement tenue.

Alors, tout en contemplant le rivage qui s'éloignait, il fit silencieusement ses adieux à ceux qui avaient frôlé la mort à ses côtés. Certains d'entre eux étaient à bord du même bateau que lui, d'ailleurs. Quelques autres ne quitteraient l'Angleterre que la semaine suivante. Quoi qu'il en soit, sachant qu'il ne les oublierait jamais, certains souvenirs demeurant impérissables, Raymond aurait été le plus surpris des hommes de les revoir un jour. Dans les faits, ils habitaient tous aux quatre coins de la province et même du pays. Ils avaient tous une vie qui les attendait et il était raisonnable de croire que Raymond n'en ferait jamais partie.

Une fois ce constat accepté, maintenant que l'Europe s'effaçait au loin, à quoi ressemblerait la vie de Raymond Constantin?

Il n'en avait pas la moindre idée, à cette exception près qu'il aimerait bien être mécanicien. Sur ce point, ses ambitions n'avaient guère changé.

Quant au reste…

Durant les derniers mois, c'était le nom de Brigitte qui était accolé au nom de Raymond, même si cet avenir était plutôt aléatoire. À moult occasions, le jeune homme s'était amusé à se projeter dans le temps avec Brigitte. Il se voyait habiter en France. À Paris ou en région, il n'avait pas de préférence.

À cette pensée, Raymond haussa les épaules avec défaitisme.

Qu'importe la ville, la région où il aurait pu s'installer, puisque de toute évidence, il n'en serait rien.

Raymond soupira sa déception, laissant son regard voguer sur les flots où, bien involontairement, il vit s'imprimer le visage de son frère André.

Il ne fallait surtout pas l'oublier, le jeune homme laissait aussi un frère derrière lui, englouti dans les eaux froides de la mer du Nord. En sa mémoire, l'émotion dominant le regret de partir, Raymond versa quelques larmes, vite essuyées. André avait été le copain de ses jeux d'enfants, et c'était avec lui, alors qu'ils n'étaient encore que des gamins, qu'il avait pleuré la mort de leur mère. Jamais il ne pourrait oublier les liens fraternels, certes, mais aussi ceux de l'amitié qui les avaient unis durant tant d'années. Ces liens privilégiés tissés tout au long de son enfance l'avaient grandement façonné, Raymond en était tout à fait conscient, et ils faisaient désormais partie de l'homme qu'il était devenu. Alors, en mémoire d'André, Raymond se promit d'en parler longuement avec son père. Il lui rappellerait leur enfance, discuterait avec lui de ce temps des études, lui confierait certains petits secrets d'adolescence, et lui raconterait toutes ces années passées en Angleterre.

Oui, voilà le but que Raymond se donna, tandis qu'il s'éloignait des côtes britanniques. Il avait besoin d'avoir une raison pour justifier son retour à la maison et son père, pour sa part, devait avoir besoin de réconfort.

Alors, Raymond parlerait de son frère aîné.

André avait été un homme courageux, un véritable héros, et Raymond Constantin venait de comprendre qu'il avait le devoir sacré d'en témoigner.

Devant une telle évidence, il lui sembla que le départ était subitement moins difficile à accepter.

Quand la côte sembla s'évaporer sur la ligne d'horizon, que Raymond Constantin prit conscience qu'il s'arrachait les yeux à tenter de l'apercevoir, il fit un rapide signe de croix, et, tournant le dos à l'Europe, il regagna le carré réservé aux soldats. Peut-être y trouverait-il quelqu'un pour jouer aux cartes avec lui.

CHAPITRE 5

« Il faudrait essayer d'être heureux, ne serait-ce
que pour donner l'exemple. »
JACQUES PRÉVERT

Québec, le jeudi 11 avril 1946

Dans le jardin d'Ernest Constantin, par un beau matin ensoleillé

Comme la chaleur du soleil était particulièrement agréable, aujourd'hui, Ernest avait emporté avec lui le courrier laissé par le facteur, un peu plus tôt en avant-midi. Renouant avec ses habitudes d'été, il voulait le dépouiller sur la terrasse, débarrassée depuis peu de la neige qui l'avait encombrée durant des mois. Deux chaises de cuisine faisaient office de mobilier de jardin, le temps que la belle saison s'installe pour de bon. Néanmoins, en attendant la vraie chaleur, celle qui faisait dire que l'été était arrivé en poussant un soupir de ravissement, les oiseaux, de leur côté, avaient commencé à s'en donner à cœur joie, pépiant et sautillant de branche en branche dans l'énorme chêne qui poussait depuis des décennies au fond du jardin.

Ernest regarda autour de lui en inspirant à fond.

La neige se retirait chaque jour un peu plus, dessinant des îlots sur la pelouse jaunie, et, si l'air gardait une pointe de fraîcheur, les rayons du soleil, eux, gagnaient en hardiesse. Avec un peu de chance, il pourrait cacher des œufs en chocolat dans le jardin au matin de Pâques.

— C'est Hubert qui serait content, murmura-t-il, tout heureux. Et Gérard aussi, pourquoi pas ? Il ne vieillit pas, ce garçon. Et c'est tant mieux ! Il fait toute une différence dans la vie d'Hubert.

Feuilletant distraitement la pile des enveloppes, Ernest se laissa tomber sur la première chaise venue.

Il remarqua tout de suite qu'il y avait un envoi aux couleurs de l'armée canadienne. Encore une fois, son fils Raymond devait lui donner quelques nouvelles plutôt succinctes sur sa vie en Allemagne. Des nouvelles qui n'en étaient pas vraiment et qui laissaient Ernest sur son appétit chaque fois qu'il recevait l'une de ces lettres. En effet, apprendre qu'en ces mois d'après-guerre, son fils se portait bien, Ernest s'en doutait quand même un peu. Si Raymond ajoutait qu'il mangeait à sa faim, voilà qui l'agaçait au plus haut point.

Son fils n'avait-il rien de mieux à lui dire ?

Il était fini ce temps où Ernest dévorait chacune des lettres venues d'outre-mer, soulagé d'apprendre que ses fils étaient toujours vivants. Chaque mot lu et chaque détail raconté se transformaient alors en élixir de réconfort, précurseur de quelques heures d'une bonne humeur indéfectible.

Puis, un matin, il y avait eu une lettre lisérée de noir qui lui avait arraché le cœur. On venait, respectueusement, lui annoncer le décès de son fils aîné, le caporal André Constantin.

C'était il y a deux ans ou presque.

Par la suite, Ernest n'avait jamais été vraiment heureux de recevoir les lettres de l'armée. Avec ou sans liséré, il restait sur la défensive et c'était toujours le cœur comprimé par l'inquiétude qu'il se décidait enfin à les ouvrir.

Heureusement, Gérard et Raymond s'en étaient sortis sains et saufs, sans la moindre égratignure.

La guerre était finie !

Le soupir de soulagement qu'Ernest avait poussé, quand il avait entendu la bonne nouvelle, aurait pu s'entendre à des kilomètres ! Spontanément, les larmes lui étaient montées aux yeux. Cependant, cette sensation de félicité n'avait pas perduré au-delà de quelques jours, car son aîné était toujours mort, n'est-ce pas ?

Néanmoins, sachant la guerre finie, Ernest avait enfin espéré entrevoir une petite éclaircie dans le maelström d'émotions douloureuses qui l'envahissaient chaque matin au réveil. Quand ce n'était pas durant de trop longues nuits entrecoupées d'insomnie ou de cauchemars.

Cependant, les jours et les semaines avaient eu beau filer, à la suite de cette belle éclaircie, et ce, malgré la présence indéfectible de son amie Gilberte, le père accablé continuait toujours de vivre son deuil.

Seule raison de se réjouir, Ernest se répétait qu'au moins, il pouvait dire adieu aux inquiétudes, aux incertitudes, aux angoisses concernant ses deux autres fils postés en Europe.

Puis, en accord avec le fragile espoir d'Ernest d'arriver

à surmonter sa peine, les lettres venues d'Europe s'étaient faites plus légères, écrites sur un ton serein et empreintes d'une joyeuse impatience. Alors, même si Ernest Constantin continuait d'être nostalgique et bouleversé par la mort d'André, il avait appris à se réjouir de savoir ses deux autres fils hors de danger et bientôt de retour à la maison. Il en avait même parlé avec madame Alexandrine, l'été dernier, et l'entrain démontré n'était pas simulé.

« Plus que quelques mois, papa, et je serai *là*. »

Voilà ce que Raymond et Gérard, tour à tour, lui avaient écrit, au printemps, et Dieu lui était témoin qu'Ernest avait espéré ces quelques mots !

On était alors à la fin du mois de juin 1945. Lisant et relisant les dernières lettres de Raymond et de Gérard, Ernest avait eu l'impression que la douleur du deuil d'André lui serait peut-être moins lourde à porter en leur présence. Un peu moins lourde.

Toutefois, si Gérard avait tenu sa promesse et s'était pointé à la maison, quelques jours avant Noël, Raymond, lui, n'en avait fait qu'à sa tête. En effet, alors qu'Ernest avait commencé à compter les semaines précédant l'arrivée de son second fils, qui vraisemblablement aurait dû avoir lieu au mois d'octobre précédent, une lettre non prévue et fort courte lui avait annoncé que le retour tant attendu serait repoussé.

« *Je ne peux me résoudre à quitter les Vieux Pays sans aller jusqu'au bout de mon engagement,* avait écrit Raymond. *J'aurais peur de m'en vouloir longtemps si je n'allais pas jusqu'à la limite de mes responsabilités. Tous les peuples, vainqueurs comme vaincus, ont tant besoin de nous, papa. J'en suis désolé, car je sais votre impatience à me voir revenir, mais j'ai pris la décision de rester pour quelques mois encore. Ce n'est que partie remise, n'est-ce pas? Et cette fois-ci, dites-vous bien que la mission est tout à fait sans danger. Vous n'avez donc pas à vous inquiéter pour moi. »*

Et Raymond avait souligné de trois traits de crayon noir les mots « sans danger ».

Ce fut la dernière longue missive de Raymond, écrite sur un ton d'excuse, ce qui n'avait rien changé à la déception d'Ernest, sinon que cette nostalgie irrépressible et que cette affliction intense, ressenties depuis la mort d'André, s'étaient, petit à petit, changées en colère et en impatience.

— Qu'il aille au diable! s'était surpris à murmurer Ernest, après la relecture de cette lettre qui le décevait au-delà des mots pour le dire.

On était alors au mois d'août et les propos que madame Alexandrine avait tenus à son égard, tout juste une dizaine de jours auparavant, avaient alors pris tout leur sens. Ce fut donc à cette époque qu'Ernest avait décidé de retourner une seconde fois à la Pointe, pour un bref séjour, dès que l'occasion se présenterait. Il y était bien, il aimait côtoyer les gens qui l'habitaient, et effectivement, à marcher le long du fleuve avec la seule compagnie des goélands, il éprouvait curieusement un grand réconfort.

Un réconfort précieux.

Alors, tant pis pour Hubert qui détestait les voyages, il n'aurait pas le choix de suivre. Et aucun bougonnement ne serait toléré!

Seul, marchant sur la grève, Ernest pourrait laisser éclater sa colère sans qu'on lui en fasse le reproche. Il en rêvait !

Mais qu'est-ce qu'ils avaient tant, ces Européens, pour que Raymond leur préfère des camps inconfortables à la chaleur d'un foyer ?

Ernest ne comprenait pas et il détestait cette sensation de marcher à tâtons, sans explications logiques.

D'autant plus que depuis qu'il avait repris du service en Allemagne, Raymond, peu porté sur la plume, il faut quand même l'avouer, n'avait jamais grand-chose à raconter. Au fil des mois, ses lettres s'étaient résumées à quelques lignes sans grand intérêt qu'Ernest lisait plus par devoir que par plaisir.

Voilà pourquoi, ce matin, Ernest mit aussitôt l'enveloppe vert pâle de l'armée sous la pile, se disant qu'il finirait de dépouiller son courrier avec l'envoi de Raymond, un court billet, sans doute, qu'il refilerait ensuite à Gérard, pour que son benjamin puisse la lire, dès son retour de l'université, en fin d'après-midi. Curieusement, ce dernier semblait prendre plaisir à lire ces quelques lignes un peu banales.

— Même si jamais je ne retournerais à la guerre, disait régulièrement Gérard, à la grande satisfaction d'Ernest, qui ne comprenait pas du tout l'engouement de ses garçons pour la chose militaire, même si je ne voudrais pas pour tout l'or du monde rester dans l'armée en temps de paix, j'aime bien savoir que mon frère y semble heureux.

Voilà pourquoi Ernest se faisait un devoir de faire lire les lettres de Raymond à son jeune frère.

Le courrier de ce matin ne comportait que quelques factures et la lecture en fut rapidement expédiée. Ne restait plus que la lettre de Raymond à ouvrir. Ernest s'en empara sans grand enthousiasme. À palper l'enveloppe, elle lui sembla fort mince, comme d'habitude. Tant mieux, il la lirait rapidement et il pourrait alors retourner à l'intérieur de la maison, car Ernest ne s'y ferait jamais: malgré une certaine indépendance chèrement acquise par Hubert, il n'aimait pas le savoir seul trop longtemps. Ernest se dépêcha donc de déchirer l'enveloppe.

Effectivement, il n'y avait qu'une seule feuille.

Quand donc son fils se déciderait-il à faire preuve d'un peu plus d'attachement à l'égard de sa famille? Que pensait-il devant tous ces pays à reconstruire? Que vivaient les gens que Raymond devait sans doute côtoyer? Ernest n'en savait rien, car Raymond ne disait rien!

Voilà pourquoi, devant la minceur de l'enveloppe, Ernest poussa un long soupir de déception, se préparant déjà à replier le papier ligné, dès qu'il l'aurait lu.

Un mot, un seul, écrit en majuscules, attira son attention.

« HALIFAX »

Ernest en cessa de respirer pour un instant et ses mains se mirent à trembler. Il ferma les yeux, prit une longue inspiration pour se calmer, puis il relut le mot, et, enfin, le billet en entier.

Il ne s'était pas trompé. C'était là, en toutes lettres.

« En date du 10 avril, papa, le bateau affrété par l'armée devrait accoster dans le port d'Halifax. (C'était le mot que Raymond avait écrit en majuscules!) Le temps de certaines formalités, on a parlé de quelques jours tout au

plus, et je devrais arriver par train à la gare du Palais. Je vous appelle dès que je suis à Québec. »

À la suite de quoi, Raymond avait apposé sa signature, sans plus. Voilà pourquoi la lettre était si courte. N'empêche que cela avait pris un bon moment avant que cette simple feuille, datée tout de même du mois de mars, parvienne à destination.

— Et si je ne me trompe pas, nous sommes déjà le 11 avril, nota Ernest en reportant les yeux sur la lettre.

Cela voulait dire qu'aujourd'hui, Raymond était vraisemblablement arrivé à Halifax ! Avec un peu de chance, il serait donc à Québec dans le courant de la fin de semaine.

Ernest reprit une longue inspiration pour permettre aux battements de son cœur de s'assagir, et, sans plus attendre, il retourna à la cuisine.

— Hubert ? Es-tu toujours au salon ?

Un vague grognement, en provenance du salon, fit office de réponse et sembla satisfaire Ernest.

Côté discussion, Hubert ne serait jamais à la hauteur de Germain, le neveu de son amie Gilberte, certes, mais avec le temps, Ernest avait appris à se satisfaire de ce curieux langage. Quelques mots bien utilisés, associés à une foule de petits bruits, grognements, onomatopées et larges sourires, suffisaient en général pour créer une forme de dialogue plutôt harmonieux entre eux.

Particulièrement ému, Ernest se disait régulièrement que c'était déjà beaucoup plus que tout ce qu'il avait jadis espéré.

En effet, né avec un retard intellectuel que les médecins

avaient qualifié d'irréversible, Hubert avait été placé en institution dès sa naissance. Après des années difficiles à vivre auprès d'une épouse malade, Ernest s'était retrouvé seul à la tête d'une famille de quatre garçons. Conciliant du mieux qu'il le pouvait travail et famille, ce ne fut que de nombreuses années plus tard qu'Ernest avait connu Gilberte qui, de son côté, avait refusé de voir son neveu Germain être placé à la naissance, à cause du même handicap que celui de son fils Hubert.

Voir Germain autonome et bien adapté à son milieu familial avait été une véritable révélation pour Ernest.

Et une gifle en plein visage !

Pourquoi avait-il écouté les médecins, alors que, de tout son cœur, lui aussi, il aurait eu envie de garder son fils à la maison ?

En moins d'un an, Hubert avait quitté l'asile où il vivait depuis toujours, et il était venu établir ses quartiers dans la maison familiale, sur la rue Bougainville. Il y vivait depuis.

Il y eut des bas, il y eut des hauts, il y eut surtout un profond amour paternel qui put enfin se manifester à satiété.

En quelques mois, une routine satisfaisante pour tous s'était installée.

Ernest fut donc totalement rassuré par ce ronchonnement venu du salon et il se donna le temps de relire, que dis-je, de déguster les quelques lignes envoyées par Raymond. Puis, il déposa la feuille bien en évidence au centre de la table. Il la lissa soigneusement et recula de quelques pas. Un franc sourire éclaira son visage.

Nul doute, Gérard ne pourrait la rater.

Dimanche, pour le souper, avec un peu de chance, ce serait la fête chez les Constantin.

— Et maintenant, lança Ernest pour lui-même, alors qu'il jetait machinalement un coup d'œil sur l'horloge de la cuisinière, il est temps d'appeler Gilberte. J'ai hâte de lui parler de la lettre de Raymond !

Depuis le mois de septembre dernier, à la suite de cette autre semaine de vacances à Pointe-à-la-Truite, de courtes vacances, soit, mais nettement plus agréables que celles du mois de juillet précédent, Gilberte et lui avaient pris l'habitude de se parler brièvement tous les matins, maintenant que la dame vieillissante ne travaillait plus qu'en après-midi au presbytère de la paroisse. Et encore, pas tous les jours. Mais Ernest n'avait pas encore quitté la cuisine pour se rendre au téléphone qu'il s'arrêta brusquement.

À la seule évocation du nom de Gilberte, son cœur s'était mis à battre très fort et il continuait de le faire. Ernest revit alors le sourire de sa tendre amie, le jour où, sans prévenir, elle avait frappé à sa porte pour venir le réconforter, à la suite du décès d'André. Malgré l'intensité de sa peine et le noir qu'il broyait, ce fut ce matin-là qu'Ernest avait compris qu'il aimait Gilberte, bien au-delà de l'amitié qui les unissait. Puis, comment madame Alexandrine avait-elle dit ça, encore ? Que Gilberte voulait être sa famille ? Ces quelques mots avaient un sens profond qu'Ernest décida de prendre en considération, car il s'accordait à merveille avec cette sensation de bonheur qui le portait en ce moment.

— Ça serait bien si Gilberte était ici en fin de semaine pour l'arrivée de Raymond, souligna Ernest à voix basse, quittant la cuisine pour se diriger vers le couloir, là où se trouvait le téléphone. Si je pars en début d'après-midi, j'aurais le temps d'aller jusqu'à la Pointe pour la chercher. Et le retour se ferait demain, avec Célestin et Germain, bien sûr... Pourquoi pas ?

Ernest faisait les propositions et apportait lui-même les réponses.

— Ensuite, tous ensemble, on pourrait préparer un véritable festin ! Depuis le temps que je parle de Gilberte à Raymond dans mes lettres, j'ai hâte qu'il la connaisse enfin...

Tout en passant devant la porte du salon, Ernest jeta naturellement un coup d'œil dans la pièce. Assis en tailleur à même le plancher, Hubert, aujourd'hui devenu un homme grisonnant et vieillissant, feuilletait le gros catalogue de chez Eaton comme un enfant. Cette habitude lui était venue de Germain qui, parfois, pouvait y passer des heures. L'esprit tranquille, Ernest poursuivit son chemin d'un pas pressé vers la petite table où trônait le téléphone.

— Et maintenant, Gilberte !

Fébrile, Ernest composa le numéro de l'opératrice, s'impatientant devant la lenteur du cadran.

Une voix affable lui répondit. On prit le numéro de Gilberte en note, on demanda de patienter. Il y eut une sonnerie, une seconde, puis ce fut Célestin qui répondit.

— ...Ben non, madame Gilberte Bouchard est pas là, constata le grand gaillard en articulant exagérément, pour être bien certain qu'on comprenne tous les mots à l'autre bout de la ligne.

Ça continuait de l'intriguer, et de grandement l'impressionner, cette capacité qu'avaient les mots de voyager à l'intérieur des fils électriques. Chaque fois qu'il avait à répondre, Célestin le faisait avec un infini respect.

— Mais je peux parler pareil à monsieur Ernest, précisa-t-il sur sa lancée. Je le connais bien, vous savez… Ouais, merci… Monsieur Ernest ? C'est moi, Célestin… Oui, c'est ça, bonjour. C'est plate à dire, mais Gilberte est pas là. C'est à cause du téléphone, aussi ! Quoi ?… Oui, oui, à cause du téléphone ! Pourquoi vous dites ça ? Ben oui, je suis certain de mon coup… Non, c'est pas tellement compliqué à comprendre, vous allez voir : quand monsieur le curé a besoin d'elle, maintenant qu'on a le téléphone, il a juste besoin d'appeler chez nous, pis v'là Gilberte qui est partie en coup de vent, comme elle dit. C'est pas juste pratique, un téléphone, non monsieur, c'est dérangeant, des fois. Pour ça, c'est Gilberte qui avait un peu raison… Quoi ? Oui, je le sais, elle a souvent raison, Gilberte.

Et sans laisser la chance à Ernest de placer le moindre mot, Célestin se lança dans un long monologue teinté de reproche. Vous pensez bien ! Avoir un interlocuteur de qualité au bout de la ligne permettrait sans doute d'atténuer sa déception et il en avait grand besoin.

— Prenez aujourd'hui, par exemple ! Parce qu'il fait pas mal beau, on était supposés d'aller dans une cabane à sucre… Oui, monsieur Ernest, une cabane à sucre, une vraie. C'est madame Marguerite qui voulait y aller avec nous autres, comme on fait chaque année, pis elle en avait parlé avec Gilberte sur le perron de l'église, dimanche dernier après la messe… Quoi? Ben non, Prudence vient pas avec nous autres. Est pas capable. Ça fait que madame Marguerite demande à madame Alexandrine de s'occuper de Prudence, qui a toujours sa maladie de la mémoire, pis après elle demande à mon frère Lionel, qui est devenu son mari, si elle peut prendre l'auto pour nous amener à la cabane à sucre du deuxième rang.

Célestin s'arrêta le temps d'une longue inspiration, puis il repartit de plus belle.

— Madame Marguerite, elle appelle ça son petit congé. Mais à cause du téléphone, on pourra pas y aller. Paraîtrait qu'il va y avoir des funérailles, demain matin, une madame que je connais pas, pis c'est pour ça que monsieur le curé a appelé Gilberte, qui est partie rien que sur une patte, en grognant. Je pense qu'à matin, ça lui tentait pas trop trop d'aller travailler. Mais fallait quand même préparer l'église pour les funérailles, pis le petit nouveau savait pas trop quoi faire… Le petit nouveau? Ben, c'est Émile Couture du troisième rang, voyons! Tout le monde sait ça que c'est lui qui va remplacer ma sœur pour aider monsieur le curé. Gilberte vous en avait pas parlé? Coudonc… Mais pour astheure, comme c'est nouveau pour lui, Émile Couture du troisième rang, il est mélangé par bouttes, pis il a besoin de Gilberte pour savoir quoi faire. Ça fait que je suis pas mal déçu de pas aller à la cabane à sucre, à cause du téléphone. C'est-tu assez clair ou il faut que je recommence? Ouais? Me semblait aussi… J'aime ça, moi, le sirop pis la tire, même si c'est ben collant. Germain avec, il est pas mal déçu…

Quoi ? À Québec aussi, il fait beau ? Ben tant mieux… Oui, oui, c'est moi qui s'occupe de Germain. Mais Gilberte va venir dîner avec nous autres, par exemple. Faut juste que j'oublie pas de préparer les patates. C'est ça qu'elle a dit Gilberte, avant de partir : préparer les patates quand la petite aiguille va être sur le 11 pis la grande sur le 12. Mais je peux faire un message quand même, vous saurez. Ça, je suis assez capable de le faire souvent sans me tromper. Pis, monsieur Ernest ? Avez-vous un message à faire à ma sœur Gilberte ?

Étourdi par un tel babillage, Ernest se contenta de quelques mots, car oui, il y avait un message à transmettre : il fallait dire à Gilberte de rappeler Ernest le plus rapidement possible, c'était très important.

— C'est ben correct de même. Gilberte va vous rappeler tantôt, quand elle va venir dîner… Oui, oui, promis. À plus tard, monsieur Ernest.

Sur ce, Célestin raccrocha à l'instant où, curieux de nature, Germain se pointait à la cuisine.

— C'est qui, dans le téléphone ?

— C'était monsieur Ernest.

— Encore ?

— Ben oui. Tu le sais, Germain, que monsieur Ernest parle tous les matins avec Gilberte. Je me demande ben ce qu'ils ont tant que ça à se raconter… En tout cas… M'as dire comme Gilberte me répond des fois : c'est pas de mes affaires… Bon, faut que je surveille les aiguilles de l'horloge, pis faut pas que j'oublie de dire à Gilberte de rappeler monsieur Ernest… Ça fait ben des choses à penser, tout ça. C'est important de rien oublier, oui monsieur !

Bref coup d'œil sur l'horloge, quelques instants de réflexion associés à un petit calcul sur le bout de ses doigts, et Célestin comprit qu'il avait encore une grosse heure devant lui.

— Ben si c'est de même, analysa-t-il, tant pour lui que pour son neveu, en attendant que la petite aiguille arrive sur le 11, on aurait le temps d'aller à la malle. Qu'est-ce que tu dirais de ça, Germain ? Ça nous ferait prendre l'air, pis Gilberte serait ben contente de nous deux.

— Maman contente ?

Dans les faits, Gilberte n'était pas la mère de Germain, mais plutôt sa tante. Cependant, comme elle s'occupait de son neveu, handicapé depuis la naissance, l'appellation s'était imposée d'elle-même et tout le monde y trouvait son compte.

Comme tout le monde ou presque tenait pour acquis que Germain était le fils de Gilberte.

— Oui, Gilberte serait contente, approuva Célestin. Je sais ça, moi. Gilberte aime pas mal ça quand on va prendre l'air. Elle dit que c'est important de s'aérer les poumons... Envoye, viens Germain, on va mettre nos bottes pis nos manteaux de printemps, pis on va marcher ensemble jusqu'au bureau de poste, ça va nous faire du bien.

Rien ne plaisait autant à Célestin que d'aider autour de lui : sur le quai, au retour des goélettes ; au presbytère, quand il y en avait beaucoup à faire ; ou comme ce matin, à la maison. Peu importe le travail demandé, Célestin y mettait tout son cœur.

N'empêche qu'en ce moment, le fait de se savoir

responsable d'un repas, du téléphone et de son neveu Germain, tout à la fois et sans rien oublier, lui procurait une grande fierté. Ce fut donc droit comme un «i» qu'il remontât la rue principale en direction du magasin général, saluant de la tête les quelques connaissances rencontrées.

Quand Gilberte revint pour le repas, sur le coup de midi, la table était mise, les patates étaient cuites et Célestin se tenait à côté du téléphone. C'était la façon la plus efficace qu'il avait dénichée, après un long moment d'indécision, pour être certain de ne pas oublier le message de monsieur Ernest. Il avait même décidé d'éteindre le poste de radio pour ne pas être distrait par quoi que ce soit. Le grand gaillard jetait de fréquents regards par la fenêtre tout en pianotant sur le mur.

— Bon enfin, lança-t-il à l'instant où sa sœur ouvrit la porte.

Apercevant Célestin, un coude appuyé contre le mur et une main sur le téléphone, Gilberte esquissa un sourire.

— Veux-tu ben me dire ce que tu fais là, toi? Tu surveilles le téléphone, astheure? T'aurais-tu peur qu'il s'en aille s'installer sur le mur de la cuisine du voisin?

— Ben ça, Gilberte, c'est une grosse niaiserie que tu viens de dire là. Ça marche pas, un téléphone... Non, c'est juste que je voulais être sûr de pas oublier.

— Oublier?

— Ben oui, oublier. Je voulais pas oublier de te dire qu'il faut que tu appelles monsieur Ernest. Il a téléphoné tantôt, pis il a dit que c'était important que tu le rappelles. Très important!

— Ah bon…

Sans avoir l'air plus intéressée qu'il ne le faut, Gilberte était en train de retirer son manteau.

Célestin n'en revenait pas.

— T'es ben drôle, toi!

Comment sa sœur pouvait-elle montrer autant d'indifférence devant un appel qui lui avait semblé de la toute première importance, à faire surtout dans les plus brefs délais?

À preuve, Célestin avait décroché l'acoustique pour Gilberte et il le lui tendait en le secouant avec impatience. Il fronça les sourcils, un peu décontenancé, quand Gilberte passa devant lui sans tendre la main en retour. Elle avait déjà accroché son manteau au clou et elle se dirigeait directement vers le comptoir, sans se préoccuper du téléphone.

— T'es pas plus curieuse que ça? demanda Célestin, tout surpris.

Il poussa un long soupir.

— Pourquoi tu prends pas le téléphone, Gilberte? ajouta-t-il en secouant l'acoustique de plus belle. C'est-tu parce que tu le sais déjà, toi, c'est quoi le message important?

— Non, mais ça peut pas être quelque chose de ben grave parce que monsieur Ernest aurait téléphoné au presbytère.

À ces mots, Célestin regarda l'acoustique qui pendouillait maintenant au bout de son bras, tout contre sa cuisse. Le grand gaillard était visiblement dubitatif.

— Ah oui? Ça se peut, ça, que monsieur Ernest t'appelle au presbytère? Je savais pas qu'il avait appris le numéro de monsieur le curé. Pis juste à cause de ça, tu penses vraiment que le message est pas important? demanda-t-il à nouveau, de plus en plus sceptique.

— C'est pas ce que j'ai dit, Célestin. Il y a beaucoup de choses qui sont importantes sans être trop graves. Ça doit être le cas présentement, j'en suis à peu près certaine. Inquiète-toi pas, mon homme, monsieur Ernest est pas en danger… Astheure, m'en vas faire cuire les saucisses de lard que j'ai ramenées de la boucherie, pis on va dîner. J'ai pas mal faim. Pas toi?

— Ben oui, j'ai faim. J'ai toujours faim, pis tu le sais.

À plus de six pieds et faisant osciller la balance dans les deux cents livres, Célestin accordait beaucoup d'importance aux plaisirs de la table.

— Mais je suis curieux aussi, était-il en train d'ajouter. Oui monsieur! Pas mal curieux. Envoye, Gilberte, appelle donc monsieur Ernest tout de suite. On mangera après. Comme ça, il va voir que j'ai bien faite mon travail, pis que j'ai pas oublié son message.

— Après le repas, Célestin, trancha Gilberte tout en déballant le paquet de papier brun bien ficelé.

Machinalement, Gilberte enroula la corde autour de son index et déposa le petit rouleau dans le tiroir à côté de l'évier. Sous son toit, rien ne se perdait!

— Je vas téléphoner à Québec tout de suite après le dîner, précisa-t-elle, tout en vaquant à la préparation du repas. Je fais cuire la saucisse, on mange, pis je m'occupe de monsieur Ernest tout de suite après, promis.

— Ah, ah, ah…

Tout en grognant sa déception, Célestin raccrocha le

combiné du téléphone sans ménagement, et il se mit à se taper sur les cuisses avec impatience. Comme le ton avait monté, Germain venait d'apparaître dans l'embrasure de la porte donnant sur le salon.

— Pourquoi parler fort, maman?

— C'est Célestin qui s'énerve pour rien…

Les saucisses commençaient à grésiller et une bonne senteur d'épices émanait du poêlon.

— C'est ben de valeur pour lui, ajouta Gilberte sur un ton malicieux, tout en retournant les petits bouts de viande, parce que j'avais une bonne nouvelle à lui annoncer! Mais Célestin est tellement choqué après moi que je sais plus trop si…

— Une bonne nouvelle? Pour moi? interrompit Célestin, oubliant du coup l'appel à faire à monsieur Ernest et sa mauvaise humeur. Pourquoi tu l'as pas dit avant, Gilberte?

— Parce que tu m'as pas laissé le temps de placer deux mots!

— Ben là! Pis juste pour ça, tu me diras pas c'est quoi la bonne nouvelle que t'as pour moi? C'est-tu une surprise, ou quoi?

— Une sorte de surprise, oui. Mais pourquoi je m'userais les babines à tout te raconter? On dirait qu'il y a juste monsieur Ernest d'important, à midi.

— Ben là, répéta Célestin sur un ton désappointé.

Le grand gaillard semblait si malheureux que Gilberte éclata de rire.

— Voyons donc, mon Célestin! lança-t-elle finalement, devant la mine déconfite de son frère. Fais pas cette face-là, tu le sais ben que je m'en vas te la dire, ma surprise.

— Ah oui? Tu vas tout me raconter pareil, même si j'étais un petit peu de mauvaise humeur?

Sourcils froncés, Célestin regardait sa sœur avec attention. Cependant, devant le franc sourire que Gilberte affichait présentement, son visage se détendit d'un coup.

— Bon! J'ai compris, je pense... T'es en train de me faire une petite blague, hein, Gilberte?

— En plein ça! Sais-tu que tu m'épates pas mal, mon Célestin? C'est pas facile de t'en passer une.

À ces mots, le colosse au cœur d'enfant afficha un large sourire de fierté, et, tout en se dirigeant vers la table, il admit avec un brin de suffisance dans la voix:

— C'est pas mal vrai, ça, que je peux être fin finaud, quand je veux, moi. Oui monsieur!

— Tout à fait... Astheure, dépêchez-vous de vous asseoir, les garçons, je m'en vas vous servir. Pis pendant qu'on va manger, je vas vous expliquer ce qu'on va faire après le repas. Tu devrais être content, Célestin!

— Pis t'oublieras pas monsieur Constantin, hein?

— Pis j'oublierai pas monsieur Constantin, crains pas... Attention, Germain, c'est pas mal chaud, tu vas te brûler la langue!

La proposition de Gilberte, formulée entre une bouchée de patate et un bout de saucisse, fit pousser un véritable grognement de plaisir à Célestin, ce qui amena Germain à demander, en levant les yeux vers lui:

— Content, mon ami?

— Content? Je suis beaucoup content, tu veux dire!

On va à la cabane à sucre, Germain! C'est-tu assez drôle, ça? Même si Gilberte a travaillé à matin, pis qu'on pensait que la journée allait mal finir, on va aller se sucrer le bec pareil, comme on dit. Je suis pas mal content, ouais!

Le repas se termina dans la bonne humeur. On nota qu'il ne fallait pas oublier les bas de laine, car on aurait à marcher dans la neige, et qu'on aurait aussi besoin du grand thermos à café rempli d'eau fraîche. Il ne fallait surtout pas le laisser à la maison comme l'an dernier.

— Ça, c'est vrai, souligna Célestin, débordant d'enthousiasme. La tire, c'est pas mal sucré, pis la dernière fois, j'ai eu mal au cœur parce qu'on avait pas d'eau pour boire.

— Disons que t'en avais peut-être trop mangé?

Célestin esquissa une moue.

— Ouais, peut-être un petit peu trop, admit-il au bout d'un instant de réflexion, montrant un espace insignifiant entre son pouce et son index. Mais c'est pas grave, parce que j'ai pas été vraiment malade. Juste un tout petit peu mal au cœur. C'est trop bon, aussi, la tire d'érable. Je suis pas capable de m'arrêter... Pis Gilberte, quand est-ce qu'on part?

— Dans une petite demi-heure. Madame Marguerite a dit qu'elle serait ici vers une heure. En attendant, toi, tu débarrasses la table, pis tu commences à préparer tout ce qu'il faut apporter. Pendant ce temps-là, moi, je vas appeler monsieur Ernest.

En entendant ce nom, Célestin s'arrêta net et se donna une petite tape sur le front, au risque d'échapper la pile d'assiettes qu'il transportait.

— C'est ben que trop vrai! Avec tout ça, j'allais oublier monsieur Ernest. Une chance que t'es là, Gilberte, parce qu'il aurait pensé que je suis pas capable de faire des messages.

L'oreille tendue, parce que la soif de savoir ce qu'il pouvait bien y avoir de si important lui était revenue soudainement, Célestin continua de débarrasser la table.

Comme d'habitude, dès qu'elle obtint la communication, la voix de Gilberte se fit toute mielleuse.

— Mon cher Ernest! Comment allez-vous?

Jusque-là, que la routine habituelle, et Célestin poussa un soupir de soulagement. Encore une fois, Gilberte avait eu raison, et rien de particulier n'était arrivé à monsieur Ernest ou à sa famille. Justement, Gilberte était en train de parler de la cabane à sucre, preuve indéniable que tout allait bien à Québec.

Malheureusement, l'instant d'après, le ton changea, au point où Célestin en oublia les bas de laine à sortir et le thermos à remplir. Inquiet, il resta figé entre la table et l'évier, une dernière assiette à la main, et il commença à se dandiner lourdement sur place, signe d'une intense concentration, essayant de deviner ce qui se disait au téléphone.

— Ce soir? demanda Gilberte, qui venait de tourner le dos à Célestin, comme si elle ne voulait pas qu'il entende.

Celui-ci se fit donc encore plus attentif.

— Ici, à la Pointe? disait alors Gilberte. Ben coudonc… Pis le retour à Québec serait pour demain matin? C'est pas mal vite, ça… Quoi? Ben oui, Ernest, je comprends tout ça, pis je le vois ben que c'est pas de votre faute…

Ben non, soyez pas inquiet, je l'accepte votre invitation, pis avec plaisir, même si ça va faire des malheureux ici… Quoi ?… Non, j'ai pas le choix d'annuler le programme de l'après-midi. Si je veux être prête à partir de bonne heure demain matin, j'ai besoin de tout mon temps. Vous le savez que c'est un vrai déménagement, aller dormir ailleurs avec Germain pis Célestin, surtout pour une couple de jours… Non, non, c'est pas ce que j'ai dit, Ernest! Ça dérange pas une miette, pis ça va me faire plaisir d'être avec vous autres, en fin de semaine. Surtout pour une bonne raison comme celle-là.

Quelques instants plus tard, Gilberte raccrochait le téléphone. Sachant que sa sœur détestait le voir se dandiner, Célestin fit l'effort de se calmer avant de demander, pendant que sa sœur se tournait vers lui :

— Pis Gilberte ? Qu'est-ce qu'il voulait te dire, monsieur Ernest ? C'est drôle, mais t'as pas l'air contente. Au bout du compte, c'est-tu un accident ?

— Ben non, mon homme. Pas d'accident, pas de mortalité ni même de maladie. Tout va bien à Québec. Au contraire, je dirais plutôt que c'était une bonne nouvelle, le message important.

— Ah oui ? Eh ben… On dirait pas. T'as ton air de mauvaise humeur, avec ta grosse ligne sur le front.

— C'est juste qu'avec sa nouvelle, ajouta Gilberte tout hésitante, monsieur Ernest avait aussi une demande… Une demande qui vient un peu bouleverser nos projets.

— C'est quoi ça veut dire, ça ?

Célestin, avec ses sourcils froncés en une ligne touffue au-dessus de son regard brillant d'appréhension, avait une mine plutôt sinistre. Il avait recommencé à se balancer d'un pied à l'autre, incapable de se retenir, et, cette fois-ci, il n'avait nullement l'intention de cesser. Ce mouvement de balancier l'aidait à se calmer et à réfléchir.

— Nos projets, c'est-tu la cabane à sucre, Gilberte? demanda-t-il enfin, avec cette perspicacité subtile dont il savait faire preuve au besoin et qui laissait Gilberte perplexe.

— T'es-tu en train de me dire qu'on ira pas à la cabane à sucre? Parce que si c'est ça, je serai pas content, Gilberte. Pas content pantoute.

— J'ai bien peur, mon pauvre Célestin, que t'as tout deviné.

— On va pas à la cabane à sucre?

Un enfant de quatre ans à qui on aurait enlevé son plus beau jouet n'aurait pas semblé plus malheureux.

— Pourquoi, Gilberte, on y va pas, à la cabane à sucre, si tu dis que c'est une bonne nouvelle que monsieur Ernest avait à t'annoncer?

— Parce qu'en même temps, pis je viens tout juste de te le dire, Ernest avait une demande à me faire. Et sa demande, c'est qu'on aille tous les trois à Québec, pour l'arrivée de son dernier garçon. Tu sais, son fils Raymond qui était toujours pas revenu de la guerre? Je t'en ai déjà parlé.

— Ouais, pis?

— Il arrive enfin chez lui! Raymond va être à Québec en fin de semaine. Tu dois bien t'imaginer que c'est une belle grosse joie pour monsieur Ernest, n'est-ce pas? C'est pour ça qu'il m'a téléphoné: il aimerait bien qu'on soye toutes là pour accueillir son garçon. Ça fait qu'Ernest pis Hubert se préparent justement pour s'en venir à la Pointe. Ils vont dormir à l'auberge, pis demain matin, on va toutes partir pour Québec. C'est-tu une bonne nouvelle, ça ?

La réflexion de Célestin fut de courte durée.

— Ben moi, elle me tente pas, ta nouvelle, Gilberte, déclara-t-il, bouddeur. Je le connais même pas, le garçon de monsieur Ernest. Pourquoi j'irais à Québec ?

— Parce que monsieur Ernest est mon ami. Et le tien aussi.

— Monsieur Ernest est mon ami à moi ?

— Ben oui ! Pourquoi, tu penses, qu'il t'invite aussi souvent à manger à l'auberge ?

Gilberte venait de marquer un point. Célestin fit mine de chercher durant une brève seconde avant d'admettre :

— Ouais… Peut-être… C'est vrai qu'il m'invite souvent. Mais je suis pas sûr, par exemple, que c'est parce que monsieur Ernest pense que je suis son ami, pis c'est quand même pas une raison pour gâcher mon plaisir. Tu viens de le dire dans le téléphone : c'est juste demain qu'on va partir. J'ai des bonnes oreilles, moi, oui monsieur, pis j'ai compris ça.

— C'est vrai, t'as bien compris. Mais tu sais aussi que j'ai besoin de plusieurs heures pour préparer nos bagages.

— Pis ça ? Ah, ah, ah ! C'est pas juste, Gilberte. T'as pas le droit de dire non quand tu viens de dire oui, pour la cabane à sucre. Tu me fais de la peine, tu sauras.

— Voyons donc, Célestin ! C'est vraiment pas ce que je veux faire. On se reprendra, promis.

— C'est pas vrai, ça, qu'on va se reprendre une autre fois. Il va être trop tard pour faire du sirop. C'est toi qui l'as dit, hier soir : on est chanceux que le temps de la tire soye pas fini.

— C'est vrai, j'ai dit ça. Ça n'empêche pas qu'on pourra se reprendre l'an prochain, par exemple. Fais donc un petit effort, Célestin ! Me semble qu'un voyage dans une grande ville comme Québec, ça peut être aussi agréable que de manger de la tire, non ?

— Non, pas pour moi, tu sauras. J'ai vu la ville une couple de fois, pis ça me suffit. C'est la cabane à sucre que je veux, tout de suite. L'an prochain, c'est ben que trop loin. Ça fait depuis Noël que j'attends le jour de la tire d'érable, pis toi, t'as toute gâché avec ton idée de dire oui pour un voyage à Québec. Je veux pas y aller, moi, à Québec. Non, monsieur !

— Même pour faire plaisir à monsieur Ernest ?

— Même si rien pantoute ! Monsieur Ernest, c'est pas mon ami, comme tu dis, c'est ton ami à toi, Gilberte.

Décontenancée par une réaction aussi démesurée, se retenant pour ne pas faire preuve d'autorité pour régler la situation, Gilberte resta silencieuse, cherchant ce qu'elle pourrait bien dire ou faire pour calmer Célestin. C'est alors qu'une voix étrangère se fit entendre.

— Mais qu'est-ce qui se passe ici ? Et qu'est-ce que c'est que ces cris de colère, mon Célestin ?

Le grand gaillard sursauta et se retourna. Tout à sa déception, il n'avait pas entendu arriver madame Marguerite. Comme Germain avait un don pour reconnaître les visages, il avait vite replacé celle qui frappait à leur porte et que Gilberte appelait « matante Marguerite ». Il lui avait donc ouvert sans hésitation et, présentement, celle qui ressemblait étrangement à sa mère Alexandrine, avec sa belle chevelure blanche, se tenait dans l'embrasure de la porte de la cuisine.

— Voulez-vous bien me dire ce qui se passe, ici ?

Le regard de Marguerite se promenait de Célestin à Gilberte.

— On dirait bien que c'est un gros drame, avoua Gilberte en soupirant. Mais entre, Marguerite, je vais tenter de tout t'expliquer.

En quelques mots, Gilberte résuma rapidement la situation.

— On en est là. Célestin est déçu de pas aller à la cabane et si je rappelle monsieur Ernest pour y dire qu'on ira pas à Québec, c'est lui qui va être déçu.

— Pour être clair, c'est clair. Mais pourquoi faire toute une histoire avec quelque chose qui pourrait être si simple ? Laisse-moi faire, Gilberte. M'en vas toute arranger ça. Tu me fais confiance, n'est-ce pas ?

— C'est sûr, ça. Je te laisse aller, Marguerite.

Devant la permission accordée, Marguerite décocha un clin d'œil à l'intention de Gilberte, puis elle se tourna vers Célestin, toujours debout au milieu de la cuisine, plus boudeur que jamais. Les deux femmes avaient parlé entre elles beaucoup trop vite pour qu'il puisse suivre la discussion et, de toute évidence, ça le frustrait et l'inquiétait.

Cependant, le sourire affiché par madame Marguerite était plutôt de bon augure. Il fit donc l'effort surhumain de se tenir tranquille et de ne rien répliquer.

— Célestin, commença Marguerite, si j'ai bien compris ce que ta sœur m'a expliqué, t'es déçu parce qu'elle a décidé d'aller à Québec plutôt qu'à la cabane à sucre. C'est bien ça ?

— On dirait, oui.

— Et si tu faisais les deux, est-ce que ça réglerait ton problème ?

— Les deux ? Je suis pas sûr que je comprends bien, moi là… Je pourrais aller à la cabane à sucre, plus aller à Québec ? Ça se pourrait, ça ?

— J'aurais envie de dire oui.

— Pourquoi d'abord, Gilberte a dit que…

— Laisse faire ce que Gilberte a dit, coupa Marguerite. Ça n'a plus tellement d'importance, vu que je suis là. Faut pas en vouloir à Gilberte, elle a fait du mieux qu'elle pouvait. Je pense qu'elle avait peur de me déranger. Mais ça me dérange pas une miette. Ça fait que, oublie Gilberte pis fais juste répondre à ma question : si tu pouvais faire les deux, Célestin, est-ce que ça te tenterait ?

— Ben là…

Incrédule, parce que c'était vraiment toute une aubaine qu'on lui proposait, Célestin fixa Gilberte intensément, les sourcils toujours aussi froncés sur un embryon de réflexion. Il revint finalement à madame Marguerite et il s'y arrêta. Ce qu'il avait finalement compris de toute cette longue conversation un peu obscure, c'était qu'il y avait peut-être une solution à son problème et qu'elle viendrait de madame Marguerite.

— C'est sûr que ça serait pas pire, admit-il, tandis que

son visage se décrispait, petit à petit. Faire deux choses que j'aime en même temps, c'est pas mal correct, oui monsieur !

Par réflexe, il jeta néanmoins un dernier coup d'œil à Gilberte. Il remarqua aussitôt qu'elle avait perdu sa ride de mauvaise humeur. C'était bon signe. Le grand gaillard commençait à se sentir rassuré.

Finalement, la cabane à sucre resterait peut-être au programme !

N'empêche qu'il voulait être bien certain de ne pas se tromper, sinon la déception serait trop grande et il risquait de se mettre en colère, ce qui n'était jamais très beau à voir. Alors, il ajouta à l'intention de madame Marguerite :

— Mais je sais pas si Gilberte va vouloir, par exemple, qu'on fasse les deux choses.

Autre regard en coin vers sa sœur, qui n'avait toujours pas perdu son air serein. Tant mieux ! Les choses semblaient se placer. Malgré cela, Célestin n'en poursuivit pas moins son raisonnement en précisant :

— Ça prend toujours pas mal beaucoup de temps à Gilberte pour faire nos valises, pis je veux pas qu'elle soye choquée après moi si...

— T'inquiète pas, Gilberte va pouvoir prendre tout l'après-midi, si elle veut. Même que ça va aller plus vite si elle est seule à tout préparer.

De toute évidence, madame Marguerite venait de trancher !

— Et pendant ce temps-là, expliqua-t-elle, toi, Germain, pis moi, on va aller à la cabane à sucre. Mais va falloir arrêter de jaser comme des pies, si on veut avoir le temps de manger de la tire avant la pluie! Regarde dehors, Célestin, les nuages sont arrivés.

Le grand gaillard tendit le cou. Effectivement, le bleu du matin avait disparu et à constater ce ciel devenu tout gris, il décida qu'on avait déjà assez perdu de temps à discuter au sujet de quelque chose qui, à première vue, semblait réglé.

— C'est ben que trop vrai… Le soleil est parti, observa-t-il. Vite, d'abord. On s'habille, on prend le thermos avec de l'eau pis on s'en va.

Puis, haussant le ton et l'enrobant d'une joyeuse fébrilité, il ajouta, tout en quittant la cuisine à grandes enjambées:

— T'es où là, Germain? Envoye, on se grouille. On s'en va à la cabane à sucre! La pluie s'en vient, mais c'est pas ben grave. Madame Marguerite a dit qu'on y va pareil.

Marguerite et Gilberte échangèrent un sourire en entendant le pas lourd de Célestin qui montait à l'étage. La bonne humeur du grand gaillard faisait plaisir à entendre.

— Dépêche, Germain! Madame Marguerite attend juste après nous autres pour partir. Où c'est que t'as mis les bas de laine que je t'avais demandé de serrer l'autre jour? Je les trouve pas!

Ce soir-là, quand Célestin se coucha, il eut un peu de difficulté à s'endormir. Non seulement avait-il encore une fois abusé de la tire chaude et sucrée à souhait, étendue sur la neige comme il la préférait – à vrai dire, il s'en était gavé! – mais en complément, certains propos que

Gilberte avait tenus, sur l'heure du midi, lui revenaient en boucle, l'empêchant de trouver le sommeil.

Gilberte avait parlé de son ami, son ami Ernest, et ce simple mot bouleversait Célestin.

Lui aussi, il avait un ami, un vrai, et ce n'était pas monsieur Ernest, oh non monsieur ! Pour une fois, Gilberte s'était un petit peu trompée. Monsieur Ernest, c'était son ami à elle, pas celui de Célestin. Il n'en avait pas besoin de cet ami-là, car il avait le meilleur qui soit depuis toujours, et c'était Antonin, son frère jumeau.

À cette pensée, l'ennui ressenti par Célestin fut si brutal, si intense, qu'il lui fit monter les larmes aux yeux. Il venait de prendre conscience que cela faisait longtemps, très longtemps, qu'il n'avait pas vu son frère Antonin.

Le grand gaillard se retourna dans son lit. Les lattes du sommier gémirent en même temps que Célestin reniflait sa nostalgie. Alors, du revers de la main, il se dépêcha d'essuyer son visage et il s'efforça de retenir ses pleurs. Il ne fallait surtout pas réveiller Germain, qui dormait dans l'autre lit, tout à côté de lui, sinon Gilberte ne serait pas contente.

Demain, tel que convenu, ils partiraient tous les trois avec monsieur Ernest, en auto, jusqu'à Québec. Si Germain avait mal dormi, il serait grognon, et Gilberte détestait quand quelqu'un était grognon.

Célestin revint donc à Antonin, et au pouvoir d'apaisement qu'avait toujours eu ce nom sur lui.

Antonin…

Antonin et Célestin…

Le costaud au cœur tendre aimait bien penser à son

frère Antonin, le soir, avant de s'endormir. C'était sa routine, comme de discuter à voix basse avec lui l'avait été à l'époque où ils étaient enfants. Imaginer le sourire d'Antonin était d'autant plus agréable depuis quelque temps que Célestin savait qu'il allait le revoir bientôt. Maintenant que le printemps était arrivé, l'attente tirait à sa fin. En effet, dès qu'un capitaine mettrait sa goélette à l'eau, Célestin se pointerait sur le quai et il demanderait de partir avec lui.

Il le faisait chaque année.

Même s'il avait les pieds ronds, comme il le disait généralement pour expliquer sa maladresse sur un bateau, et qu'il n'aimait pas particulièrement naviguer entre les deux rives, Célestin était toujours le premier à vouloir traverser le fleuve pour se rendre à l'Anse-aux-Morilles.

C'était là qu'il habitait, son frère Antonin, de l'autre côté du fleuve, avec toute sa famille.

L'Anse-aux-Morilles…

Célestin trouvait que c'était un beau nom pour un village. Lui aussi, il avait habité longtemps à l'Anse-aux-Morilles. Tout le temps qu'il avait été petit.

Célestin se souvenait très bien de la grande maison blanche de ses parents et du travail de la ferme. S'il avait toujours eu un peu peur des animaux – c'était gros, une vache, plus gros que lui! – il aimait cependant travailler aux champs.

Le grand gaillard se souvenait aussi de sa mère Emma, mais le souvenir était un peu moins précis. En fait, quand Célestin pensait à sa mère, c'était surtout une odeur qui lui revenait, celle du savon parfumé aux fleurs.

Un cadeau que sa mère avait reçu, alors qu'elle était bien fatiguée et qu'elle devait rester au lit. C'était un des rares souvenirs que Célestin avait gardé de sa tendre enfance : sa mère allongée sur son lit ou sur une chaise longue, celle que Lionel avait fabriquée expressément pour elle. Quand Célestin se blottissait tout contre sa mère, c'était le parfum de tout un jardin de fleurs qui dominait. Malheureusement, Emma était morte quand il n'avait que cinq ans et les souvenirs avec elle s'étaient arrêtés là.

Le lendemain, c'était Gilberte qui avait pris la relève, à la maison. Toutefois, comme sa sœur avait pris son rôle très au sérieux, que rien ne manquait jamais, et surtout qu'elle était très gentille avec lui, Célestin ne s'était pas trop ennuyé de sa mère. Puis, il aimait bien vivre à la ferme. Alors, il avait grandi heureux, aux côtés d'Antonin et de toute sa famille.

C'était uniquement à cause de leur vie d'homme si Célestin n'habitait plus avec Antonin, sinon, ils seraient restés ensemble tous les deux, pour toujours, dans la maison de leur père, Matthieu Bouchard. Même Antonin l'avait dit. Mais un jour, son frère lui avait appris qu'il avait une amoureuse et qu'il devait partir vivre ailleurs. Cela avait fait beaucoup de peine à Célestin, ça, il ne l'oublierait jamais, mais il avait fini par accepter que son frère Antonin ait le droit de vivre sa vie d'homme, comme le disait Prudence, la seconde épouse de son père.

— Mais crains pas, Célestin, ajoutait-elle invariablement quand ils en parlaient tous les deux, ton frère va toujours rester ton frère et ton meilleur ami.

— C'est vrai, ça ?

— Je te le jure !

Comme Prudence ne lui avait jamais menti, Célestin lui avait fait confiance.

Son ami à lui, dans la vie, ce serait toujours Antonin, et ce n'était pas le fait de dormir dans une autre maison qui allait y changer quoi que ce soit, non monsieur !

Puis les années avaient passé parce que quoi qu'il arrive, elles finissent toujours par passer.

Célestin rendait souvent visite à son frère qui habitait au village, jusqu'au jour où, à son tour, il avait décidé de faire sa vie d'homme.

Un beau matin, le grand gaillard avait pris une goélette pour venir rejoindre Gilberte, et, depuis, il vivait au village de Pointe-à-la-Truite, avec elle et Germain.

— C'est un petit peu à cause de Germain, si je suis parti de l'Anse, murmura Célestin, tout en fixant la lune qui s'amusait à glisser d'un nuage à l'autre. Germain, c'est un petit peu ma famille à moi, comme Antonin avec ses garçons. Oui monsieur. Je l'aime beaucoup Germain, pis je pense que lui aussi, il m'aime beaucoup. C'est pour ça qu'on voulait vivre ensemble dans la même maison, avec Gilberte.

Célestin tendit l'oreille pour écouter le souffle régulier de Germain. Pas d'erreur, il ressentait une grande affection pour son jeune neveu, et jamais il ne regretterait d'être venu vivre à la Pointe avec lui.

Et avec Gilberte, aussi, bien entendu !

N'empêche que Célestin, par moments, continuait de s'ennuyer de son frère Antonin parce qu'il était son ami, et que les amis, on aime bien les avoir près de soi.

C'était probablement pour cette raison que Gilberte et monsieur Ernest se parlaient tous les matins, dans le téléphone.

— Mais le téléphone, c'est pas pareil, murmura encore Célestin, tout en s'agitant entre les draps, à la recherche d'une position confortable. C'est pas pareil pantoute. Moi, j'aime pas mal mieux voir Antonin juste devant moi, plutôt que parler dans le téléphone avec lui, oui monsieur! Dans le téléphone, sauf si j'ai une histoire à raconter, je sais jamais quoi dire.

Pendant un court instant, Célestin se demanda si les goélettes étaient à la veille de sortir de leur repos d'hiver. Encore aujourd'hui, elles étaient toutes installées en rang d'oignons, très haut sur la grève, à l'abri des grandes marées. Célestin en était bien certain, puisqu'il avait marché jusqu'à la plage, au retour de la cabane à sucre, espérant ainsi calmer son mal de cœur. Il se dit alors que, demain matin, avant même le déjeuner parce que les marins avaient l'habitude de se lever très tôt, il irait voir si l'activité semblait vouloir reprendre sur le quai.

Puis il claqua la langue contre son palais.

— Ben non, je peux pas! gronda-t-il à voix basse. Demain, j'vas à Québec... Mais c'est pas grave. M'en vas me reprendre la semaine prochaine. Finalement, c'est Gilberte qui avait raison: monsieur Ernest avait l'air pas mal content de savoir qu'on allait être là pour quand son garçon va revenir de la guerre...

Durant un long moment, Célestin resta silencieux. Puis, en étouffant un bâillement, il ajouta:

— On est chanceux, Gilberte pis moi, d'avoir des amis.

Oui monsieur. C'est important, des amis, parce que ça fait chaud dans le cœur quand on pense à eux autres… Pis c'est encore mieux quand on les voit… Je me demande ben pourquoi Gilberte pis monsieur Ernest essayent pas de se voir plus souvent… Ouais, pourquoi ? Astheure que ma sœur travaille presque plus avec monsieur le curé, ils ont toute leur temps pour se voir, non ? Pis en plus, ils ont l'air d'aimer ça, jaser ensemble. Peut-être qu'ils pourraient demeurer dans la même maison, comme Antonin pis moi, quand on était pas encore des hommes ? Pourquoi pas ? C'est pour ça, aussi, que j'ai décidé de venir vivre avec Germain : parce que je l'aimais beaucoup pis que je voulais le voir souvent. Oui, c'est une bonne idée, ça, vivre ensemble quand on s'aime beaucoup. Faut que j'en parle avec Gilberte… C'est Germain qui serait content. Hubert, c'est une sorte d'ami pour lui, je sais ça, moi ! Germain pis Hubert, c'est comme Antonin pis moi, quand on était petits, oui monsieur. Hubert, c'est l'ami de Germain, pis mon frère Antonin, c'est mon ami à moi… Juste à moi…

Célestin s'endormit d'un coup, le sourire de son frère l'emportant au pays des rêves.

CHAPITRE 6

« *Il n'y a pas de honte à préférer le bonheur.* »
ALBERT CAMUS

Normandie, le jeudi 27 juin 1946

Au cœur du village, la fontaine de Victor-Hugo

Assis sur un de ces bancs installés récemment par la municipalité, on se demandait bien pourquoi, d'ailleurs, parce que la place publique avait été dévastée, René fixait l'espace, « le vide » comme il le disait lui-même avec une pointe d'aigreur dans la voix.

Juste en face de la fontaine Victor-Hugo, restée intacte, là où se dressait la maison abritant son bar-tabac et son petit logement à l'étage, il ne restait plus que du vide.

Plus rien. Il n'y avait plus rien du toit, des murs, de l'enseigne, des lucarnes.

Devant lui, ce n'était que fatras de pierres et de poutres noircies par le feu. Le travail de trois générations de Canton avait disparu en fumée, en quelques heures à peine.

Chaque semaine, depuis plus d'un an, maintenant, René venait s'asseoir ici, sur ce banc, et il fixait le vide. C'était sa messe dominicale, disait-il, son pèlerinage.

Le reste du temps, il vivait à Falaise, chez un petit-cousin du côté maternel, le seul en fait qu'il ait fréquenté au cours de sa vie.

Le terrain lui appartenait toujours, puisque la maison, il en avait hérité de son père. Soit! Mais qu'est-ce qu'il changeait, ce foutu terrain, dans le fait d'avoir tout perdu? Un terrain, ce n'est rien quand la maison n'est plus là. Et dans le cas de René, la maison, c'était aussi son gagne-pain. C'étaient les copains attablés; c'était le vin, le calva et le café, servis du matin au soir; c'étaient les repas légers préparés dans la petite cuisine.

Cette maison rasée par les flammes, c'était toute sa vie.

Ne manquait que le courage, peut-être, pour tout reconstruire. Et l'argent, comme de juste.

À cette dernière pensée, René poussa un long soupir en serrant les poings, plutôt mal à l'aise avec cette idée. En effet, l'argent était devenu l'excuse magnifique, celle qui justifiait tout, à tort ou à raison, d'ailleurs. Néanmoins, René l'utilisait à outrance, sans le moindre scrupule, parce qu'il n'avait pas vraiment envie de s'apitoyer sur son grand malheur devant les copains. Le seul avec qui René aurait été capable de parler de toutes ces choses d'importance et de pleurer au besoin, c'était François Nicolas. Malheureusement pour René, en ce moment, ça sonnait aux abonnés absents, chez François, car la déprime n'était toujours pas réglée. Alors, quand on lui parlait du bar-tabac et qu'on lui demandait à quand la reconstruction, René répondait invariablement:

— L'argent. Donnez-moi l'argent pour le faire, et je m'y mets.

Comme rarement la discussion débordait de ce prétexte raisonnable pour se perdre en vaines palabres, René s'en servait sans retenue. En ces temps d'après-guerre, personne n'avait d'argent, n'est-ce pas, alors on comprenait, on compatissait, et les quelques mots de réconfort échappés çà et là étaient un baume pour celui qui n'avait ni femme ni enfants.

Cependant, la remise en question de René dépassait largement cette simple constatation monétaire. En fait, ce qu'il ne cessait de se demander, René, assis à contempler le vide, c'était pourquoi il se donnerait tout ce mal pour reconstruire.

Pour avoir l'occasion de servir à boire et à manger aux copains, comme il le faisait avant la guerre ?

À cette pensée, René faisait la moue.

Probablement qu'il ne détesterait pas revoir les copains chez lui, c'était tout ce qu'il connaissait dans la vie, tout ce qu'il aimait. Mais quand on y pensait bien sérieusement, et malgré ce qu'il avait déjà prétendu, était-ce là un but raisonnable dans la vie, dans ce qui lui restait de temps à vivre, que de donner à boire aux potes et aux voisins ? Après tout, René Canton allait avoir cinquante-cinq ans dans quelques semaines, il était peut-être temps de changer de route. Fallait tout de même l'avouer : il n'était plus une jeunesse, le bar-tabac demandait beaucoup de temps et d'énergie, et René n'avait personne à qui léguer son bien.

Alors, reconstruire pour qui, je vous le demande un peu ?

Avant la guerre, René Canton ne s'était jamais posé de questions face au bar-tabac. Il avait pris la relève de son père parce que la chose allait de soi. Chez les Canton, pour une troisième génération, on était tenancier de bar, de père en fils. Ils en avaient souvent parlé ensemble, son père et lui, et ils en rigolaient.

— Comme d'autres sont producteurs de calva, de père en fils, ajoutait René avec un clin d'œil à l'intention de son ami François Nicolas, quand il était présent.

Alors, on rigolait encore plus fort. Et on admettait, de part et d'autre, que si l'on travaillait dur, on en vivait tout de même confortablement.

— Je produis du calva, disait François. Et j'aime ça.

— Et moi, je sers ton calva ! complétait René en levant son verre, pour trinquer avec son copain François. Et j'aime ça, moi aussi.

Ils avaient tout juste vingt ans.

La Grande Guerre avait passé sans laisser trop de dommages. On avait abandonné le travail, le temps d'aller se battre, puis on était revenu. Bien sûr, il y avait Maurice qu'on ne voyait plus, à cause de sa gueule cassée. Il y avait aussi quelques camarades qui y avaient laissé la vie, mais pour le reste, en 1918, le quotidien avait repris là où il s'était arrêté en 1914. Pour eux, du moins.

Quelques années plus tard, le père de René était décédé d'une crise cardiaque, sans préavis, à tout juste cinquante ans. Il s'était écroulé derrière le bar, devant ses amis.

La mère de René ne s'en était pas remise. Elle était partie rejoindre son homme, à peine quelques semaines plus tard, sans signe avant-coureur, elle non plus.

Un dur coup pour René qui, en quelques mois, s'était retrouvé tout fin seul. Le petit appartement au-dessus du bar-tabac lui avait semblé tout à coup bien grand.

Mais il y avait les copains, n'est-ce pas? Ils continuaient d'avoir soif, d'avoir faim, et de vouloir parfois faire la fête. Alors, la vie avait continué, elle aussi, et René avait presque oublié qu'il y avait déjà eu la guerre et qu'il détestait les Allemands.

La Seconde Guerre avait tout ramené: la peur, l'envie de se battre et la haine pour les Allemands.

La Seconde Guerre avait réussi à tout détruire ce qu'il y avait d'important dans la vie de René Canton, y compris l'amitié entretenue avec François Nicolas, qui ne voulait plus voir personne.

René en était là.

Il n'avait ni frères ni sœurs, que quelques cousins éloignés, fort peu fréquentés, à l'exception de ce Marius qui l'avait recueilli chez lui. Ses oncles et ses tantes étaient décédés depuis longtemps. De la génération de ses parents, il ne restait personne. Il ne tenait donc qu'à lui, René Canton, de tout reconstruire.

Ou de ne rien faire du tout.

Que voulait-il vraiment?

C'était la question à laquelle René n'arrivait pas à répondre. Le temps passait, les jours s'accumulaient, et la décision se faisait toujours attendre. Comme s'il était trop fatigué pour trouver une solution, pour y penser sérieusement, sincèrement. Il aurait tant voulu en discuter avec François; c'était impossible, du moins pour le moment. Alors, les jours passaient, devenaient semaines et mois, et l'amas de pierres était toujours là.

Bientôt deux ans…

Pourtant, René avait toujours été tout feu tout flamme et plutôt expéditif dans les décisions à prendre. Enfant, il faisait se désespérer père et mère, et il exaspérait ses maîtres, tant il déplaçait de l'air autour de lui.

Débordant d'énergie, par nature; patriote jusqu'au fond de l'âme, parce que son père et son grand-père l'avaient été avant lui; jovial et volubile comme l'avait toujours été sa mère, voilà qui était René Canton.

C'était encore lui qui avait convaincu François Nicolas de reprendre du service au début de cette dernière guerre, même si cette fois-ci, la patrie ne leur avait rien imposé. Il était comme ça, René Canton, capable de soulever les montagnes si sa conviction lui dictait de le faire.

Et il avait le baratin facile, le beau René, ça faisait partie du métier!

Pour une fois, il aurait peut-être dû se taire.

S'il était resté chez lui, au lieu de partir comme Malbrough, peut-être que la maison serait encore debout.

Peut-être, allez donc savoir…

Mais comme ce serait perdre son temps que d'essayer de présumer, René préférait ne rien regretter. Un beau matin, parce qu'on leur avait demandé, à François et à lui, de rejoindre quelques Résistants à Lyon pour les aider à déchiffrer les messages allemands qu'ils arrivaient à capter, René avait mis l'écriteau expliquant qu'il partait pour quelques jours. Ce n'était pas la première fois qu'il utilisait ce panneau en bois brut avec des lettres peintes en blanc, ce ne serait pas la dernière, non plus.

Voilà ce qu'il s'était dit, ce matin-là, alors qu'il accrochait son écriteau, bien en évidence sur la porte du bar-tabac. Bien sûr, les copains ronchonneraient, ils le faisaient toujours. Puis, à son retour, ils lui feraient la fête.

René aimait bien quand on lui faisait la fête, alors, c'était peut-être pour ça qu'il partait de temps en temps.

«En vacances», avait-il écrit sur sa planche.

Comme si on prenait des vacances en pleine guerre!

— De retour dans quelques jours, avait-il expliqué plus sobrement aux assidus de son bar-tabac.

On n'avait pas posé de questions. En temps de guerre, on ne posait jamais de questions inutiles.

René Canton n'était revenu que de nombreux mois plus tard, quand la Normandie et Paris avaient été libérés, alors que sa maison n'était plus que cendres et ruines. On lui avait raconté que les Allemands s'en étaient servis durant plusieurs semaines, puis, quittant en catastrophe devant l'avancée des Alliés, ils y avaient mis le feu.

«Que du vide», songea alors René, tout en fixant l'amas de pierres. «Dans ma vie, il ne reste que du vide.»

Allait-il tout reconstruire pour remplir ce vide, pour donner un semblant de sens à ces années qu'il lui restait à vivre?

Le projet serait colossal, puisqu'il fallait d'abord tout déblayer pour repartir de zéro. Alors, oui, il était tout à fait honnête de prétendre que le courage manquait. Ce n'était que vérité.

Quant à l'argent...

Bien entendu, au fil des années, René avait amassé un petit pécule. Tout de même, en trente ans et sans famille à nourrir, il avait eu le temps, n'est-ce pas? Pour vivre, il en aurait donc assez pour un bon moment, René le savait.

Pour tout reconstruire, c'était autre chose.

Encore une fois, c'était honnête de le penser et de le dire.

Alors, pourquoi se mettre martel en tête? Pourquoi chercher une réponse là où il n'y en avait peut-être pas?

Brusquement, René eut l'impression d'être plus léger. Face à la situation, il ne cherchait pas de faux-fuyants et il était franc quand il disait que l'argent ne poussait pas aux arbres et que le courage, il l'avait laissé à la guerre. Qui aurait pu lui en faire le reproche?

Personne, n'est-ce pas?

Alors, que se passait-il vraiment dans le cœur et la tête de René Canton? Ça lui ressemblait si peu, toute cette tergiversation.

Et s'il y avait autre chose que le bar-tabac?

René quitta la place publique sur cette question, et, cette fois-ci, il n'y eut aucun regard par-dessus l'épaule, quand vint le moment de tourner à l'intersection. Les yeux au sol, il regagna sa chambre, dans une petite maison du centre de Falaise.

Dans le cas de René Canton, il fut vrai de prétendre que la nuit porte parfois conseil.

Le lendemain, la décision était arrêtée. René était surpris de ne pas avoir pensé plus tôt que la résolution à prendre allait bien au-delà d'une maison à reconstruire. Mais qu'importe. À force d'y réfléchir, il avait fini par comprendre ce qui l'avait retenu. Désormais, il savait ce dont il avait envie et il respecterait la décision qu'il avait prise.

Conduit par le garagiste de Falaise, celui qu'on surnommait le père Talon, René revint au village.

Le cœur affolé, tel un oiseau pris en cage se débattant contre ses barreaux au risque de se briser les ailes, pour une toute première fois, René Canton ne se contenta pas d'observer le désastre de loin, mais il s'approcha des ruines de sa maison, à pas lents, fébrile de la tête aux pieds, le cœur chargé de peine et de colère.

Une âcre odeur de fumée le prit à la gorge quand, du bout du pied, il fouilla les cendres. L'odeur fit monter quelques larmes de rage à ses yeux. Brusquement, il avait l'envie de raser le peu qui restait debout pour effacer le passage des Allemands qui avaient saccagé sa vie.

Puis René se calma.

La décision était prise et il ne changerait pas d'avis. Pas pour l'instant. S'il voulait arriver à reprendre son existence en mains, c'était dans la fuite qu'il trouverait son salut.

René se pencha, souleva une pierre, une seconde, puis il les lança un peu plus loin. Leur chute contre les autres pierres se répercuta en écho. Après, du bout du pied, René se remit à fouiller dans les cendres laissées par les poutres calcinées. Une planche apparut, puis une autre, et encore une autre. René donna un coup de talon. Le plancher semblait encore solide. «Ici, c'était la cuisine», se dit-il alors, tout en regardant autour de lui.

Il fit un effort soutenu pour ne pas fondre en larmes.

Le feu était impitoyable pour faire voler une vie en éclats.

Inspirant profondément cette senteur de désolation, René se détourna et il fit un signe au conducteur de l'auto, oubliant volontairement que, là-bas, il y avait déjà eu des tables et des clients. On le voyait clairement aux pattes de fer tordues et aux plateaux de marbre cassés.

— Venez, Octave ! Je crois qu'on peut y arriver.

Octave Talon, c'était l'ancien patron de Rémi, le propriétaire du garage de Falaise, le cousin de Madeleine Nicolas. Il connaissait bien René, car il l'avait vu grandir. De même qu'il avait bien connu son père et son grand-père, puisqu'il s'était souvent arrêté au bar-tabac du village pour prendre un ballon de rouge et tailler une bavette avant de regagner Falaise.

Voilà pourquoi, quand René s'était présenté à son garage, très tôt ce matin, Octave Talon l'avait écouté attentivement, opinant du bonnet à l'occasion. Quand René avait eu fini d'exposer son projet, le père Talon n'avait pas commenté, ce qui, dans son cas, signifiait qu'il approuvait. Un petit signe de la tête, une grimace derrière le mégot fiché entre ses lèvres, puis le père Talon s'était dirigé vers le fond du garage pour en revenir aussitôt avec un carton brun. C'était son écriteau à lui, demandant aux clients de repasser. Il s'était contenté d'apposer son affichette contre la porte. En quelques mots, il avisait qu'il serait de retour dans une heure. Tous les commerces de la région avaient leurs petits cartons comme celui-là.

— Alors ? avait-il demandé à René en revenant à l'intérieur du garage. Il est où, ce matériel dont tu m'as parlé ?

— Dans la remise derrière la maison de mon cousin Marius.

— Alors, monte, on va y aller tout de suite, avant que le village au grand complet soit réveillé et vienne aux renseignements.

René apprécia cette délicatesse. Si la décision était prise, il n'avait cependant pas l'envie d'en discuter avec qui que ce soit. Déjà que d'en parler au père Talon lui avait demandé beaucoup de courage. À vivre seul durant toute une vie, ça rend les confidences difficiles.

Le temps de prendre quelques outils, de ranger dans le coffre de l'auto un nouvel écriteau, et ensemble, tous les deux, le père Talon et René, ils avaient roulé jusqu'au village.

Par respect, Octave Talon avait laissé René faire les premières constatations, seul. Appuyé contre la carlingue de son auto, il avait attendu qu'on lui fasse signe tout en fumant une cigarette. Quand René s'était tourné vers lui, le vieil homme avait écrasé son mégot sous sa chaussure et il s'était dirigé vers les ruines.

Escaladant précautionneusement les pierres instables, Octave Talon rejoignit René.

— C'est solide? demanda-t-il en tapant du pied sur les planches de l'ancien plancher, à l'instar de René.

— Ça m'en a tout l'air. Les pierres, en dégringolant, ont dû protéger le plancher des flammes, nota René, sur un ton qui se voulait détaché. La reconstruction serait peut-être moins ardue que ce que je m'étais imaginé.

— Ainsi, tu changes d'idée, le jeune?

René esquissa un sourire. Il esquissait toujours un sourire quand le père Talon l'appelait ainsi.

Le jeune...

Pourtant, en ce moment, René Canton ne se sentait plus jeune du tout. La guerre en avait fait un vieillard épuisé de tout, un brin grincheux, moins volubile, plus hargneux. Cependant, tout bien considéré, et malgré la cinquantaine bien entamée, René était tout de même d'une autre génération que celle du père Talon et ce dernier pouvait bien le traiter de jeune.

Une pierre roula à côté de lui et ramena René Canton à l'état lamentable de sa maison.

— Non, je ne change pas d'idée, affirma-t-il sans la moindre hésitation.

— Alors, ça va aller… Viens m'aider.

À deux, soulevant et clouant, consolidant avec des pierres, ils arrivèrent à installer solidement le nouvel écriteau, préparé par René.

«Terrain privé» avait-il écrit sur une planche.

Et dessous, il y avait: «Défense de passer».

Ça disait tout. Ce terrain n'était pas à l'abandon. Juste en attente du propriétaire.

Une fois le dernier coup de marteau donné, le père Talon sortit des gravats en époussetant nerveusement ses manches, comme si le geste avait eu le pouvoir de faire disparaître l'odeur rance qui lui collait aux vêtements. Puis, il recula de quelques pas et, clignant d'un œil, il apprécia le résultat.

— Ouais, répéta-t-il, ça va aller. L'écriteau est bien visible et le message est clair. On ne peut s'y tromper.

Le père Talon leva alors les yeux vers René et, le fixant avec intensité, il ajouta:

— Si t'es ben sûr de ton coup, mon homme, fais-toi pas de souci. Je viendrai voir à l'occasion et dis-toi bien, le jeune, qu'une maison détruite, ça n'est rien à côté de villes entières disparues en un instant. Au Japon, ce sont des milliers de vies qui ont été balayées comme ça !

Tout en parlant, le père Talon claqua des doigts. René se mit à rougir.

— C'est vrai que vu sous cet angle… Promis, je vais y penser quand l'amertume sera trop grande.

— Occupe-toi d'aller mieux, c'est ça l'important. Moi, je vais m'occuper de ton terrain.

Ce qu'il voulait dire par là, Octave Talon, c'était que René n'avait plus qu'à essayer de faire la paix avec cette haine qui le consumait depuis son retour de guerre et l'empêchait d'agir. Réfléchissant ainsi, le vieil homme ne faisait pas référence uniquement à cette seconde guerre, celle qui venait tout juste de se terminer. Loin de là ! Il pensait aussi à la Grande Guerre qui, malgré les apparences, avait laissé des traces beaucoup plus profondes qu'il n'y paraissait.

C'était depuis des années que René Canton était blessé jusqu'au fond de l'âme. Il était temps qu'il essaie de guérir et, à cet égard, le père Talon jugeait que l'idée de René était excellente. En mettant le plus de kilomètres possible entre ces maudits Boches et lui-même, découvrant autre chose lorsqu'il voyagerait à travers le vaste monde, sans doute René arriverait-il à faire la paix avec lui-même. Lentement, à son rythme, sans se sentir bousculé.

Après, sait-on jamais, René Canton trouverait peut-être le courage et l'envie de tout rebâtir.

Alors, il reviendrait au village.

CHAPITRE 7

« Nul ne peut atteindre l'aube sans passer
par le chemin de la nuit. »
KHALIL GIBRAN

Paris, le mardi 9 juillet 1946

À la blanchisserie de Jacob Reif

Monsieur Jacob avait eu raison de l'escompter : la clé
récupérée chez son ancien propriétaire avait déverrouillé
la porte de la blanchisserie, recouverte de saletés par le
passage du temps !

Comme si le commerce attendait patiemment ce
moment-là depuis le départ de Jacob Reif pour reprendre
vie.

Ce tour de clé sans la moindre résistance avait amplement suffi à monsieur Jacob pour que celui-ci se sente
conforté dans ses décisions et, sans prendre le temps
d'étirer le cou pour regarder à l'intérieur, Jacob avait
refermé la porte et donné un tour de clé en sens inverse.
Pour l'instant, il avait plus important à faire et il avait
aussitôt tourné les talons.

Une bonne heure de marche plus tard, les autorités
concernées avaient entériné ses papiers.

— Nul doute, monsieur, cette blanchisserie vous appartient en bonne et due forme.

Il s'y attendait, certes, mais Jacob avait tout de même retenu son souffle, tandis que, sourcils froncés, on jetait un second regard sur les papiers. Puis, on avait levé les yeux, esquissé un sourire, et ajouté, sur un ton catégorique, permettant ainsi à Jacob Reif de respirer librement :

— Pour le peu de mensualités qu'il vous reste à verser, monsieur, et selon les calculs inscrits au verso de cette feuille, vous n'avez qu'à contacter le propriétaire précédent... Ou ses héritiers. Aujourd'hui, on ne sait jamais qui est là et qui n'y est plus... Toutefois, pour l'essentiel, ce commerce est à vous. C'est clairement indiqué, ici.

Un long doigt osseux montrait une ligne, puis une autre.

— Peut-être des arrérages sur le loyer, avait-on souligné. Peut-être... Mais c'était la guerre, n'est-ce pas, et la blanchisserie a été fermée contre votre gré, m'avez-vous expliqué. Alors... Non, non, ne vous en faites pas, tout est en règle. À vous de trouver un terrain d'entente avec l'ancien propriétaire pour respecter les dernières exigences... Et surtout, bon retour chez nous, monsieur.

On lui parlait avec respect, et Jacob en avait été profondément touché.

Minutieux à l'extrême et honnête en tout, il avait donc assuré qu'il ferait les démarches nécessaires afin de retrouver le vieux monsieur Joubert, l'ancien propriétaire du commerce, ou, à défaut, ses ayants droit, et ceci, dès que l'occasion se présenterait.

— Vous pouvez compter sur moi, avait affirmé Jacob,

tout en rangeant ses précieux documents dans une large enveloppe de papier kraft qui se refermait à l'aide d'une petite corde enroulée sur un bouton de carton. Et je vous remercie bien sincèrement du temps que vous m'avez consacré.

En attendant, avait-il déclaré par la suite, la grande enveloppe pressée maintenant sur sa poitrine, il allait dépoussiérer le commerce et le remettre en état.

Sur ce, il avait salué et quitté la préfecture.

À première vue, pour les besoins du quotidien, Jacob Reif n'avait plus à s'inquiéter de rien. Sans aucun doute, il y aurait donc bientôt un toit sur leurs têtes, aux filles et à lui, et de la soupe dans leurs bols tous les jours.

Devant cette assurance, Jacob Reif eut aussitôt l'impression qu'une petite pierre venait de dégringoler de ses épaules, allégeant sa charge.

C'est pourquoi, dès qu'il sortit des bureaux de l'administration municipale où son achat avait été enregistré de nombreuses années plus tôt, et tandis qu'il reprenait le chemin en direction de son ancien quartier, une fleur d'espérance, délicate et émouvante, se permit alors de germer dans le cœur de Jacob. Puis d'éclore avant de fleurir.

Tel qu'il l'avait souhaité en venant à Paris, il semblait bien que Jacob Reif pourrait offrir une vie décente à ses filles.

Le temps des projets pour sa famille était enfin arrivé !

Cette pensée réjouissante lui arracha un sourire sincère et lui fit accélérer le pas.

Après avoir trouvé un logement, il faudrait penser aux écoles, songea-t-il, tout en marchant à grandes enjambées.

Ils auraient aussi besoin de quelques meubles essentiels, de certains objets de première nécessité.

Jacob marchait toujours d'un bon pas, dressant la courte liste des projets qu'il avait les moyens de réaliser. Il lui tardait de retrouver Klara et Anna pour leur annoncer l'excellente nouvelle.

Le temps de rejoindre les filles chez son ancien propriétaire qui les hébergeait généreusement depuis quelques jours, et ensuite, avec Klara et Anna, il allait regagner la blanchisserie afin de faire les premiers constats. Il importait d'effectuer rapidement le décompte des impondérables à régler afin de tout remettre en état de fonctionnement.

Si sa mémoire était fidèle, Jacob avait laissé l'endroit en parfait ordre.

Bien qu'il ne puisse rien pour effacer le passé, et il s'en désolait tous les matins au réveil, Jacob était confiant. S'il recouvrait la force de travailler au rythme d'avant, alors, tout irait pour le mieux et le quotidien reprendrait un certain sens.

— Vous allez voir, les filles! lança-t-il, en début d'après-midi, ravi de remettre les pieds dans ce qu'il avait jadis appelé son antre. Je crois bien que j'avais laissé la place à l'ordre...

Un violent éternuement interrompit son petit monologue. Dans un rayon de soleil, tout comme une poudre diaphane, les grains de poussière s'en donnaient à cœur joie.

— Il est vrai, toutefois, que la poussière a eu le temps de s'inviter, avoua-t-il enfin, tout en s'essuyant les yeux. Mais avec un peu de travail, la saleté accumulée au fil des mois devrait disparaître assez facilement, et nous pourrons rouvrir la blanchisserie dans un délai acceptable. Il le faut bien, car les quelques réserves que j'avais accumulées jadis fondent rapidement.

Jadis…

C'était le terme employé par Jacob quand il voulait faire référence au passé sans s'appesantir sur certains souvenirs douloureux.

Tout en parlant, Jacob Reif s'était approché d'une cuve et, du bout de l'index, il s'amusait à tracer un sillon bien net dans la poussière tenace accumulée sur le rebord.

— On a tout de même du pain sur la planche, constata-t-il à mi-voix en exhalant un soupir discret.

Ensuite, il jeta un regard à la ronde : les tablettes, la porte arrière, le petit comptoir de réception, la table à plier, les repasseuses, la devanture.

Jacob Reif promenait les yeux de droite à gauche, sautant d'un objet à l'autre, quand il arrêta son manège brusquement.

Il fronça les sourcils, jeta un rapide coup d'œil vers ses filles qui, tout comme lui, jetaient un regard consterné autour d'elles, sans vraiment s'occuper de lui. Jacob en profita. Aussitôt, il se dirigea rapidement vers la fenêtre donnant en façade et il arracha le papier que les Allemands avaient jadis collé.

Un avis, comme des milliers d'autres, ordonnant d'éviter ce commerce, puisque tenu par un Juif.

Jacob retint son souffle et jeta un regard par-dessus son épaule. Il ne voulait surtout pas que ses filles lisent cet avis discriminatoire et blessant.

Jacob voulait à tout prix laisser les souffrances de la guerre derrière eux et ce papier en faisait partie. Heureusement, l'attention de Klara et Anna se portait ailleurs. Tout en faisant une cocotte de ce papier maudit pour le glisser dans l'une de ses poches, Jacob Reif retourna nonchalamment vers la cuve de trempage.

— Il faudra tout nettoyer, lança-t-il sur un ton qui se voulait léger, mais, si on y met du cœur, ce sera peu de choses. Hormis la poussière, bien sûr !

Effectivement, malgré l'intensité des émotions vécues le matin où la milice était venue le chercher, il avait laissé un commerce bien ordonné. Les bouteilles de détachant et celles de savon doux étaient à leur place sur la tablette, l'agent de blanchiment aussi, et les paniers d'osier, bien rangés le long du mur arrière, n'attendaient qu'à être remplis de linge à laver. Puis, qu'importe un peu de ménage, n'est-ce pas ? Il aurait enfin de quoi occuper ses journées, meubler ses pensées, et cela l'aiderait sans doute à tourner la page.

Ce fut ainsi, au bout de ce bref silence d'inspection et d'introspection, que Jacob Reif constata, tant pour lui que pour ses filles :

— Je vous le promets : la vie va enfin se faire belle pour nous.

Du bout de l'index, au fond de sa poche, il frôlait le papier laissé par les Allemands. Ce soir, il y mettrait le feu, tout comme…

— Sans maman ?

La question de sa plus jeune fille mit un terme à la réflexion de Jacob et suspendit son geste, alors qu'il avait recommencé à tracer machinalement des fioritures dans la poussière.

Il y avait un écho de dureté dans la voix d'Anna, une amertume qui lui fit mal. Machinalement, les épaules de Jacob se courbèrent et sa main tomba le long de sa cuisse, tandis qu'Anna poursuivait.

— Comment pouvez-vous oser croire que le bonheur puisse encore être possible, sans notre mère ?

Inquiet et meurtri par ces quelques mots, et tout ce qu'ils laissaient supposer de reproche, Jacob Reif retint un soupir d'accablement. Qu'il lui était difficile de voir à cette jeune personne qui tentait tant bien que mal de passer de l'enfance à l'âge adulte ! Sans l'aide de Bertha, le père en lui se sentait bien maladroit et totalement démuni.

Toutes les gamines en âge de devenir femmes avaient besoin d'une mère, n'est-ce pas ?

Malheureusement, chez les Reif, la mère n'était plus là et il ne revenait surtout pas à Klara de tenir ce rôle.

Jacob fit alors de son mieux, implorant Bertha de lui venir en aide, de ne pas l'abandonner.

— Pourtant, je le répète, Anna, déclara-t-il d'une voix très douce, le bonheur est une chose tout à fait possible, si on l'espère de toutes ses forces et si on y croit vraiment.

Tandis qu'il tentait de l'amadouer, de lui faire entendre raison, Jacob s'était approché de sa benjamine et, avec une certaine autorité empreinte de tendresse, il avait glissé un doigt sous son menton pour l'obliger à lever les yeux vers lui.

— Tu peux être heureuse ici, à Paris, ajouta-t-il d'une

voix calme, plongeant son regard dans celui de sa fille. Je te l'assure. Tu peux y être heureuse comme tu l'as sans doute été par moments quand tu vivais à Aillon-le-Jeune. Puis à Grenoble. Je t'ai même entendue rire, à Grenoble. Souvent. Il faut croire qu'à défaut d'être heureuse, tu étais joyeuse… Sans votre mère, notre vie sera différente, certes, je ne te contredirai jamais sur ce point. Elle me manque tout autant qu'à toi, Anna. Tu ne devras jamais en douter, jamais, tu m'entends. Cependant, il n'en tient qu'à nous pour que notre vie soit tout de même agréable. Tu ne crois pas ?

Mots d'espoir sincère.

Mots combien inutiles.

Les paroles de Jacob semblèrent glisser sur la carapace d'indifférence d'Anna, qui garda les lèvres pincées. Alors, devant l'air boudeur de sa fille, Jacob s'entêta. Il lui était tellement éprouvant de voir la détresse de sa fille, de celle qu'il appelait toujours « son bébé, » dans le secret de son cœur. De se sentir aussi impuissant à l'aider lui faisait terriblement mal. Alors, avec un enthousiasme qu'il rendit sincère au point d'atténuer les quelques trémolos qui se glissaient maintenant dans sa voix, il lança :

— Pourquoi ne pas essayer ? Je t'en prie, Anna ! Un peu de bonne volonté, c'est tout ce dont tu as besoin.

Mais de la bonne volonté, Anna n'en avait guère depuis leur départ de Grenoble. Elle avait laissé derrière elle quelques nouvelles amies et, pour cette raison, elle en voulait terriblement à son père.

À l'adolescence, des riens prennent parfois des dimensions inouïes.

Anna se dégagea donc d'un petit geste sec de la tête et, toujours aussi renfrognée, elle se réfugia rapidement au fond de la pièce sombre, tout à côté des paniers d'osier.

Un silence fait d'inconfort et de malaise survola la pièce, touchant Klara au passage.

La seconde fille de Jacob Reif était à peine plus âgée qu'Anna, mais combien différente !

Il faut admettre, cependant, qu'au fil des mois de guerre, Klara avait acquis une maturité un peu inusitée pour son âge. Souvent sollicitée pour soutenir sa mère et devant s'occuper de sa sœur durant de longues heures chaque jour, Klara était passée de l'enfance à l'âge adulte sans même s'en rendre compte, y trouvant, par ricochet, un certain agrément.

Elle avait aussi appris à bien réfléchir avant de parler. On ne disait pas n'importe quoi aux soldats allemands, quand ils vous interpellaient. Aussi, rarement ses paroles étaient-elles enveloppées de colère, d'amertume ou de frivolité.

Tout comme son père, Klara préférait laisser retomber la poussière avant d'exprimer son opinion.

C'était donc par réflexe naturel qu'elle avait assisté, silencieuse, à ce moment de tension entre son père et Anna.

Il y avait surtout que Klara ne comprenait pas du tout ce qui pouvait pousser sa sœur à être aussi désagréable, mais les mots pour l'exprimer sans la blesser lui faisaient défaut.

Incapable de se retenir, Klara poussa finalement un bruyant soupir d'impatience.

Allons donc !

Maintenant que leur père était de retour, que demander d'autre que la possibilité de reprendre une vie normale ? Comment Anna faisait-elle pour voir les choses autrement et se buter à cause de quelques filles qu'elle appelait ses amies et qui l'avaient probablement déjà oubliée ?

Klara secoua la tête en fermant les yeux une fraction de seconde.

Après tout ce qu'elles avaient vécu, l'important, c'était le calme et la sécurité, non ? C'étaient de bonnes études pour les deux sœurs Reif, avec quelques nouvelles amies en prime, pourquoi pas ? C'était enfin un logement décent, avec au moins deux chambres, et l'assurance de manger à leur faim, jour après jour. Mais pour réaliser tout cela, il fallait un travail stable pour leur père et ce travail, bien, c'était à Paris qu'il pouvait le trouver.

Pour Klara, rien n'était plus simple que cette équation.

Que des choses normales, dans un monde redevenu normal.

Au regard des dernières années, la jeune fille n'en demandait pas plus, singulièrement consciente qu'elle était privilégiée de pouvoir encore espérer. Bien sûr, tout comme Anna, Klara continuait de pleurer la disparition de leur mère et il en irait ainsi pour le reste de ses jours. Cependant, et de plus en plus souvent d'ailleurs, Klara arrivait à envisager l'avenir avec sérénité. Le retour de son père, alors qu'elle le croyait mort, avait fait renaître chez elle cette confiance en la vie.

Plus Klara ressassait toutes ces choses dans son cœur, tant le passé que le présent et l'avenir, et moins elle comprenait que sa jeune sœur puisse refuser de voir les choses comme elle.

Après avoir jeté un regard de reproche en direction d'Anna, Klara s'approcha enfin de son père.

— Je suis d'accord avec vous, papa, fit-elle en déposant son bras sur les épaules de Jacob.

Klara était maintenant aussi grande que ce dernier.

— Vous avez raison de dire qu'il n'en tient qu'à nous pour rebâtir une nouvelle vie. Qu'il n'en tient qu'à nous pour être heureux… Sans maman, cela ne sera pas facile, j'en conviens. Mais on va y arriver, n'est-ce pas ? Il le faut. C'est ce que maman aurait voulu pour nous trois, j'en suis persuadée, et c'est aussi pour elle que j'ai envie d'être heureuse… Alors, papa, que puis-je faire pour vous aider ?

Par sa voix posée et ses propos souvent empreints de sagesse, Klara avait ce petit quelque chose de magique qui soutenait Jacob, qui l'aidait à se détendre, tout comme l'avait fait régulièrement Bertha, par le passé.

Particulièrement ému, Jacob se contenta d'un petit signe de la tête et d'un sourire un peu las, pour faire savoir à son aînée qu'il approuvait ses propos. Car c'était là ce qu'elle voulait, sa belle Klara, juste un peu d'approbation, Jacob le sentait bien.

Ils échangèrent un regard teinté de complicité.

Ensuite, après une longue inspiration de détente, Jacob répondit :

— J'acquiesce à tout ce que tu viens de dire, Klara ! Et je te jure que nous allons y arriver. Après ce que notre famille a vécu, le bonheur n'est plus un privilège, mais un droit, et j'entends bien m'en prévaloir… Maintenant, prends ce plumeau, et fais les poussières! Plus vite nous en aurons fini ici, et plus vite nous pourrons retourner chez notre ancien propriétaire. J'ai bien hâte de voir où il en est dans ses recherches. Rappelez-vous! Tout à l'heure, il nous a promis de faire quelques démarches pour nous trouver un logement. Si, d'une part, il ne fallait pas abuser de son hospitalité, j'avoue, d'autre part, que je suis impatient, très impatient, d'être enfin chez nous!

Ils étaient à peine arrivés à Paris que déjà l'organisation de leur vie familiale allait bon train.

C'était là le but premier que Jacob Reif s'était fixé quand il avait pris la décision de revenir à Paris, malgré la réticence d'Anna, aussi visible que le nez au beau milieu du visage. La jeune demoiselle avait déclaré une seconde fois, dès le pied posé sur le quai de la gare de l'Est, que si elle consentait à un petit voyage à Paris, elle ne voulait surtout pas s'y installer à demeure.

— Un voyage, ça va. Mais pour le reste… Pourquoi vivrait-on à Paris plus qu'à Grenoble? Moi, je ne vois pas. Il n'y a pas que les blanchisseries, dans la vie. Je ne veux pas vivre à Paris parce qu'on n'a jamais été heureux à Paris.

Malgré cette prise de position pour le moins catégorique, Jacob était resté de marbre, espérant qu'Anna finirait par succomber au charme de la ville. Bien sûr, elle n'avait pas tort en disant que le premier séjour à Paris n'avait pas été de tout repos. Avec les alertes, les confinements et les rafles, ils en gardaient tous un souvenir amer. Toutefois, aujourd'hui, c'était différent. Jacob espérait qu'Anna s'en rendrait compte rapidement.

Quant à lui, tout ce qu'il voulait, c'était offrir un certain confort à ses filles. Il serait sans prétention, certes, à la hauteur de ses modestes moyens de blanchisseur, mais il espérait que ça serait satisfaisant en attendant qu'il puisse reprendre sa profession de dentiste. Au moins, auraient-ils de quoi vivre. De plus, Jacob trouvait essentiel d'inscrire ses filles dans de bonnes écoles. À l'âge qu'elles avaient, il n'y avait plus de temps à perdre, et c'était là que le commerce prenait toute son importance pour assurer la normalité du quotidien.

Toutefois, par-dessus tout, Jacob souhaitait leur présenter une table bien garnie tous les jours. Il ne tolérerait pas la moindre exception. Lui-même avait tellement souffert de la faim durant la guerre que la nourriture revêtait une importance capitale.

Pourtant, avant sa captivité, Jacob Reif avait toujours été plutôt frugal en tout. Les choses avaient bien changé.

Comme l'aurait certainement voulu Bertha, Jacob Reif n'espérait que le meilleur pour ses filles et il emploierait chaque heure de chacune de ses journées pour y parvenir.

À la vue de tout ce qui se précipitait dans leur vie en ce moment, il semblait bien qu'il allait y arriver, et avec une certaine facilité. Jacob s'en réjouissait.

Quant au second but qu'il s'était fixé, il n'en avait parlé à personne.

C'était un projet qu'il chérissait au fond de son cœur avec beaucoup d'espoir, même s'il reconnaissait que la déception risquait d'être très grande. C'était une impulsion qui était née en lui dès qu'il avait appris la disparition de sa chère Bertha. Comme une obligation à remplir, un devoir à accomplir envers elle.

Un devoir de mémoire, peut-être…

Néanmoins, malgré l'importance qu'il accordait à cette démarche, Jacob Reif n'en était pas encore là. Il lui fallait d'abord installer confortablement sa famille, penser aux écoles, et faire savoir que la blanchisserie du quartier était de nouveau en activité. Après, quand tout serait en place, quand le quotidien s'occuperait de lui-même jour après jour avec fluidité, il parlerait de son projet avec mademoiselle Brigitte, puisqu'il aurait certainement besoin de ses services pour le réaliser.

Mademoiselle Brigitte…

Les retrouvailles avec son ancienne employée avaient été le moment le plus éprouvant et le plus émouvant, depuis son retour définitif à Paris.

Pourtant, ce premier rendez-vous avait commencé dans la joie partagée.

D'abord, il y avait eu beaucoup d'exclamations et de sourires devant Klara et Anna, qui avaient bien changé.

— Ce que vous avez grandi, toutes les deux! Je n'en crois pas mes yeux! Mais entrez, ne restez pas sur le trottoir!

Puis, se détournant, Brigitte avait lancé, toute fébrile:

— Madame Simone! Venez voir qui nous est tombé du ciel!

Le repas qui avait suivi, préparé en un tournemain par madame Foucault, avait été on ne peut plus joyeux!

Mais plus tard, alors que les filles s'amusaient à l'intérieur avec Johannes et Eva, et profitant de l'intimité d'une conversation à deux, ce que Simone Foucault semblait vouloir respecter, il y avait eu beaucoup de larmes versées de part et d'autre.

Monsieur Jacob et mademoiselle Brigitte s'étaient alors installés dans le minuscule jardin de Simone Foucault.

— Mais comment peut-on disparaître ainsi, sans laisser de traces ? avait demandé une Brigitte visiblement ébranlée, faisant ainsi référence à Bertha, l'épouse de monsieur Jacob, dont on n'avait jamais retrouvé le corps.

Bien sûr, la jeune femme avait remarqué son absence dès l'arrivée de la petite famille, mais elle n'avait osé aborder le sujet.

L'annonce de cette disparition avait bouleversé Brigitte, la ramenant directement à l'essentiel des émotions vécues durant la guerre.

Pourquoi fallait-il que plusieurs d'entre ceux qu'elle avait voulu aider à fuir Paris aient connu de ces disparitions étranges, laissant derrière eux désespoirs douloureux et cœur en émoi ? C'était justement pour éviter tout cela que Brigitte avait accepté d'être « passeur ».

D'abord, il y avait eu la famille d'Eva, dont seul le jeune Johannes était revenu, sain et sauf, et voilà que maintenant, Brigitte venait d'apprendre que Bertha aussi avait disparu.

— Pourquoi, monsieur Jacob ? Je ne comprends pas. On m'avait dit qu'à Grenoble, elles seraient en sécurité… J'y ai cru… Tout au long de cette guerre interminable, j'y ai cru. Manifestement, il n'en fut rien, n'est-ce pas ? Comment, monsieur Jacob, comment quelqu'un peut-il disparaître ainsi, sans laisser le moindre indice ?

Jacob Reif n'avait pas répondu à la question de Brigitte, même s'il comprenait fort bien les interrogations de la jeune femme.

En effet, comment peut-on s'évanouir de la sorte, sans crier gare, et apparemment sans raison? C'était un peu comme si Bertha n'avait jamais existé.

Pour tous ceux qui n'avaient pas vécu l'horreur des camps de la mort, la question semblait donc justifiée.

Elle ne l'était pas pour Jacob Reif.

Au fil des semaines et des mois, lors de son passage dans les camps nazis, le pauvre homme avait appris, à travers les larmes et le désespoir, à travers la rage aussi, que l'on pouvait facilement disparaître sans laisser la moindre trace de son passage sur Terre.

Revoyant en pensée les hautes cheminées d'Auschwitz, l'odeur de chair brûlée était aussitôt remontée aux narines de Jacob, aussi claire et infecte que lorsqu'il vivait au camp... Il en avait même revu le reflet gris bleuté dans l'éclat mordoré du soleil couchant, car c'était souvent à cette heure-là de la journée que les SS allumaient les fours.

Cette odeur de mort hantait encore parfois le sommeil capricieux de ses nuits peuplées de cauchemars et d'insomnie.

Témoin bien malgré lui de ce geste de barbarie, Jacob Reif avait vite compris que cette odeur était le dernier adieu d'une multitude de gens et qu'elle l'accompagnerait tout au long de sa captivité.

Des hommes, des femmes, des enfants, des bébés, tous gazés, tous disparus en fumée...

Que des cendres éparpillées sur les champs ou jetées à la va-vite dans une fosse commune, par-dessus les corps dont on n'avait pas eu le temps de disposer...

Oui, Jacob Reif savait que l'on pouvait s'envoler sans laisser de traces et n'être plus qu'une simple couche de suie posée sur le Monde. Poussière anonyme, les restes de l'un emmêlés aux restes de l'autre.

À cette pensée, l'envie de tout raconter avait été grande, ce soir-là, dans le petit jardin de madame Foucault. L'envie de partager sa douleur lui déchirait le cœur. L'envie de crier son horreur lui brûlait la langue.

Néanmoins, Jacob Reif avait tenu ses lèvres pincées l'une contre l'autre pour retenir les mots.

Mademoiselle Brigitte n'avait pas besoin de savoir que l'Homme pouvait être une bête pour son frère.

Tant qu'il subsiste un doute, il peut y avoir un peu d'espoir, n'est-ce pas? Même si lui, Jacob Reif, remettait tout en question, depuis l'existence de Dieu jusqu'à sa propre mort en passant par celle de Bertha, Brigitte avait droit à l'espérance.

À son âge, on a encore le droit de croire aux miracles et, si l'horreur finissait, un jour, par se rendre jusqu'à elle, et elle finissait bien par le faire, car on commençait à en parler avec une certaine incrédulité, ce ne serait pas par Jacob que la vérité lui parviendrait.

— Tout ce que je sais, mademoiselle Brigitte, avait-il fini par répéter, le cœur angoissé et la gorge serrée, c'est ce qu'on m'en a dit. Rappelez-vous, je n'étais pas là… Ce soir-là, Bertha avait quitté le travail selon l'horaire habituel. On l'a même aperçue, marchant le long du sentier qui menait au lotissement où elle habitait avec les filles. Puis, plus rien. C'était la fin du jour, je vous l'ai déjà dit. Il faisait sombre, alors personne n'a rien vu…

Puis, au bout d'un lourd silence, il avait ajouté, d'une voix étranglée :

— Si vous saviez comme cette absence est difficile à accepter !

Ces derniers mots lui avaient échappé, ce désespoir en lui qu'il tentait de camoufler du mieux qu'il le pouvait n'avait su résister au besoin de se sentir compris, aimé, malgré ce qu'il avait consenti à faire pour espérer retrouver les siens.

Pour Jacob Reif, la disparition de Bertha était le prix ultime à payer pour être encore vivant et il se sentait coupable. Il en voulait surtout terriblement au Ciel de lui avoir réservé cette souffrance suprême. En confiant son âme déchirée à mademoiselle Brigitte, par ces quelques mots bien involontaires, Jacob avait enfin ouvert la voie à une véritable ondée de larmes, celle qu'il avait tant espérée.

Prostré sur une petite chaise de jardin, il garda longtemps les yeux au sol, tout en laissant couler silencieusement les larmes si longtemps retenues, les épaules secouées par des vagues de détresse.

Ce silence avait été plus éloquent que les plus grands cris de douleur.

Pourtant, Brigitte n'avait rien dit pour consoler monsieur Jacob. Habituée de vivre auprès de parents peu démonstratifs, elle savait que les mots sont souvent superflus.

Il y eut simplement une main légère comme un souffle de vent s'égarant sur un bras encore décharné, et des larmes brûlantes, pour accompagner celles de Jacob Reif.

Oui, il y eut beaucoup de larmes dans les yeux de Brigitte, car, se mêlant à celles versées pour Bertha Reif, il y avait aussi celles pour André Constantin.

Ensuite, tout doucement, la tristesse s'était éloignée d'elle-même, alors que les larmes se tarissaient peu à peu, et, plus tard, beaucoup plus tard, ce soir-là, on avait enfin parlé d'avenir.

Reprenant enfin sur lui, Jacob s'était longuement essuyé le visage avec son mouchoir. Par la suite, timidement, il avait parlé de la blanchisserie. Il savait pourtant que mademoiselle Brigitte avait un nouvel emploi, elle l'avait souligné au souper.

— Dans une boutique de variétés, avait-elle précisé... Ce n'est pas trop désagréable.

Néanmoins, Jacob Reif gardait confiance qu'en apprenant que la blanchisserie allait reprendre du service incessamment, Brigitte se montrerait intéressée.

Sait-on jamais, l'envie de l'y rejoindre pour travailler serait peut-être au rendez-vous? Après tout, ils s'entendaient bien tous les deux. Et si jamais mademoiselle Brigitte ne manifestait spontanément aucune envie de reprendre le travail à ses côtés, car Jacob n'était pas stupide et il admettait facilement que la besogne était fastidieuse et nettement plus éreintante que celle de vendeuse, il tenterait tout de même de la convaincre.

Mais à peine avait-il prononcé le mot «blanchisserie» que la jeune femme étirait un sourire radieux.

— J'en suis!

C'était un véritable cri du cœur que Brigitte avait lancé, et il avait profondément touché Jacob. Regardant autour d'elle, Brigitte s'était étirée, longuement, comme au sortir d'un profond sommeil.

— Oh oui, monsieur Jacob, j'en suis !

Le pauvre homme n'en croyait pas ses oreilles. Il avait tant espéré ces quelques mots. C'était pour lui la plus belle des façons de regarder vers l'avenir.

Enfin !

Le geste s'était imposé et Jacob avait levé les yeux vers le ciel. D'où elle était, Bertha devait sûrement se réjouir.

— J'avoue que je souhaitais une réponse en ce sens, avait-il alors déclaré bien simplement, en reportant les yeux sur Brigitte.

— Je l'espère bien, que vous le souhaitiez !

Brigitte était tout feu tout flamme, les joues rosies par le plaisir anticipé.

— Si vous rouvrez la blanchisserie, je serai là. À mi-temps, bien sûr, à partir d'octobre, puisque je me suis enfin inscrite au cours de secrétariat dont je vous ai tant parlé, mais vous pouvez compter sur moi.

— On ajustera, mademoiselle Brigitte, on ajustera les horaires au besoin, n'ayez crainte. Je suis conscient que ces études sont très importantes pour vous, car, effectivement, vous m'en avez souvent parlé.

Bien que fragile, le sourire de monsieur Jacob faisait plaisir à voir.

— Vous savoir à mes côtés, pour ce travail éreintant, même pour quelques heures par semaine, me suffit amplement et ajoute au plaisir que j'ai de me retrouver à Paris.

La soirée s'était terminée dans la bonne humeur, les enfants se joignant à eux pour un léger goûter.

Ce soir-là, Jacob avait remarqué que même Anna avait un air épanoui et durant la nuit qui avait suivi, il avait fort bien dormi.

La semaine suivante, la blanchisserie rouvrait enfin ses portes, tandis que Brigitte laissait un emploi de vendeuse pour retrouver ses cuves de trempage. Johannes offrit ses services pour faire la livraison à bicyclette, et, de son côté, Klara s'installa à la réception. Quant à Anna, s'étant découvert une petite sœur en la personne d'Eva, elle passait de longues heures chez madame Foucault, ce qui rassurait Jacob. Rien n'était perdu avec sa chère Anna.

La clientèle du quartier revint petit à petit.

— Nous ne pensions jamais vous revoir, disait-on en guise de salutation, un brin de curiosité se glissant à travers les mots.

Jacob baissait alors les yeux pour que personne ne puisse se douter de ce qu'il avait vécu.

— Je ne pensais jamais revenir, non plus…

Ce serait là la seule confidence qu'il consentirait au fil des conversations.

— Alors? Que puis-je pour vous, aujourd'hui? ajoutait-il tout en relevant la tête, avec un gentil sourire pour la clientèle.

Et l'été passa.

À la blanchisserie, au-dessus des cuves, il y eut encore des larmes, à l'occasion, mais aussi quelques fous rires. Il y eut de la sueur, parce que l'été était chaud et humide. Il y eut l'odeur de Javel qui, pour Jacob, arriva, certains jours, à laver celle de la chair brûlée. Il y eut des barres de lessive, à la senteur de lavande, ce qui le faisait parfois rêver d'évasion. Il y eut aussi une corde tendue dans l'arrière-cour et des chemises qui battaient au vent.

— Et aujourd'hui, grâce à Dieu, elles ne sont ni brunes ni noires, avait noté Brigitte, tout en fixant intensément monsieur Jacob.

Puis vinrent septembre et le début des classes pour la plupart des gens dans l'entourage immédiat de madame Foucault.

— La maison va me sembler bien vide, puisque vous voilà tous partis à compter de demain.

La vieille dame semblait attristée.

— Mais qu'est-ce que c'est que cette mine chagrine? C'est pour la bonne cause, madame Simone. Vous ne voudriez tout de même pas que notre petite Eva soit une ignorante ou son frère un fainéant!

Ces quelques mots avaient aussitôt fait réagir madame Foucault.

— Sottises! Mais vous avez raison. Je suis même particulièrement heureuse de voir que Johannes a opté pour les études.

— Il me semblait, aussi! Quant à moi, je serai là tôt en après-midi, tous les jours jusqu'à octobre, pour voir au repas du soir avec vous. Le temps que l'on s'y fasse! C'est qu'on est nombreux à table, maintenant. Et Johannes mange comme quatre.

— À qui le dites-vous!

Il y avait pourtant plein de sourires dans cette réplique qui, autrefois, aurait été plutôt acerbe. Jamais, de toute sa longue vie, Simone Foucault n'aurait pu se figurer qu'elle serait à nouveau heureuse sans compromis. Le Ciel, impitoyable, lui avait jadis enlevé mari et enfant, la laissant seule au monde. Simone Foucault avait tout de même continué de prier, puisque c'était là le seul réconfort qui lui restait. Le Ciel, probablement las de ses jérémiades, avait fini par l'entendre, et, contre toute attente, il lui avait récemment redonné toute une famille à aimer. Voilà ce qu'elle disait, madame Foucault, quand elle en parlait parfois avec Brigitte.

— Il faut garder confiance, jeune fille! Il n'y a que ça. Nos prières finissent toujours par être exaucées, d'une façon ou d'une autre. Regardez-moi! N'en suis-je pas la preuve vivante? La femme seule et triste que vous avez rencontrée au début de la guerre a aujourd'hui deux enfants et demi.

Brigitte leva un regard goguenard.

— Deux et demi? Ça se peut, ça?

— Bien sûr! Il y a Johannes et Eva, comme de raison, et j'espère un jour pouvoir les adopter légalement. Et il y a vous, jeune fille, que je partage avec vos parents!

Quand ces quelques mots revenaient dans la conversation, Brigitte ne disait rien, se contentant d'offrir ce petit sourire moqueur avant de détourner la tête pour que madame Simone ne voie pas les larmes qu'elle tentait de retenir. C'est qu'elle aussi, elle en avait rêvé, de cette famille bien à elle.

Avec la mort d'André, son rêve s'était évaporé.

Toutefois, quand venait l'heure du sommeil, Brigitte repensait aux quelques mots de madame Simone, et elle tentait, bien maladroitement, de s'en remettre au Ciel pour voir à son avenir. Si la méthode avait fonctionné avec sa logeuse, pourquoi en irait-il autrement pour elle ?

Et tant pis pour ses parents, qui affirmaient que le Ciel n'existait pas !

Cependant, Brigitte n'était pas complètement malheureuse, loin de là. Il y avait un peu d'ennui, d'accord, et quelques regrets qui tiraient parfois des larmes. Il y avait surtout une curieuse sensation d'attente, comme l'espérance de quelque chose qui lui avait échappé, et dont elle se désespérait de ne jamais retrouver.

André Constantin lui manquait encore beaucoup, même si elle l'avait, somme toute, bien peu connu.

Et il y avait autre chose !

En effet, depuis qu'elle avait retrouvé sa place à la blanchisserie, plus le temps passait, et moins Brigitte était certaine qu'une vie de secrétaire allait combler tous ses désirs.

Mais comment l'avouer sans passer pour une écervelée ?

Brigitte ne le savait pas et comme sans doute madame Simone le lui aurait conseillé, elle s'en remettait au Ciel pour trouver une solution. Après tout, le cours n'était pas encore commencé. Valait sûrement mieux attendre avant de sauter aux conclusions.

De son côté, Jacob n'avait pas oublié son second projet. Plus la vie se faisait calme autour de lui et plus il y pensait, d'ailleurs.

Ainsi, ce fut par un beau matin de septembre, alors qu'il avait les deux mains dans l'eau d'une cuve de trempage, que Jacob se dit qu'il était grand temps d'y voir et qu'il osa demander :

— Si je vous abandonnais pour quelques jours, mademoiselle Brigitte, seriez-vous capable de vous en sortir toute seule?

— M'abandonner? Ici, à la blanchisserie? Bien sûr, quelle question!

D'entendre son patron douter de ses compétences avait piqué Brigitte au vif.

— Bien sûr que je saurais me débrouiller, rétorqua-t-elle avec humeur. Depuis le temps que je travaille ici, qu'est-ce que vous croyez?

Assurance n'aurait pu être plus grande que celle entendue dans la voix de la jeune femme. Comment pouvait-on entretenir le moindre doute à l'égard de son expertise en matière de lavage?

Le sourire contrit de monsieur Jacob fit tomber cette irritation.

Brigitte, toute rougissante, baissa les yeux.

Mais qu'est-ce qui lui prenait? Bien évidemment que son patron avait confiance en elle. Il lui avait même confié ce qu'il avait de plus précieux: sa femme et ses deux filles. Que demander de plus comme preuve de loyauté? Cette demande, ce matin, ce n'était que question d'usage, que politesse à son égard.

Quoi qu'il en soit, Brigitte aurait tout donné pour être agréable à cet homme d'exception. Maintenant qu'elle l'avait retrouvé et qu'elle ne risquait plus de le perdre, la jeune femme ne voulait que du bon pour lui et ses deux filles. Si Jacob Reif avait besoin d'elle, il pourrait compter sur elle!

Néanmoins, quelques instants plus tard et devant

le silence persistant de monsieur Jacob, Brigitte osa questionner :

— Vous songez à partir, monsieur Jacob ?

Perdu dans ses pensées, celui-ci sursauta.

— Oh ! Quelques jours seulement, fit-il évasivement. Une petite semaine tout au plus…

— Ah bon… Et les filles ?

Aussitôt, monsieur Jacob haussa les épaules, montrant par là qu'il ne s'en faisait guère à leur sujet.

— À la maison, je suis certain que Klara saura s'en sortir sans moi. Elle a connu pire ces dernières années, n'est-ce pas ? Et le jour, les filles seront à l'école. Donc, pas de souci de ce côté. Non, c'est plutôt la blanchisserie qui posait problème… Je ne voyais que vous pour me remplacer et je ne savais trop si vous seriez d'accord, d'où ma question…

À ces mots, Jacob Reif esquissa un petit sourire.

— On dirait bien que vous êtes d'accord, poursuivit-il, et je vous en remercie. Mais je tiens quand même à vous assurer que mon absence ne durera que quelques jours. N'ayez crainte pour vos cours qui doivent commencer bientôt… Alors, qu'en pensez-vous, mademoiselle Brigitte ? Puis-je vraiment compter sur votre présence ici ?

— Je vous l'ai dit : bien sûr. Toutefois, je vais voir avec madame Simone pour les repas, mais *a priori* je ne vois pas d'obstacles majeurs… Au besoin, on ajustera tout simplement les horaires, en les affichant sur la devanture… On verra… Avec Johannes pour m'aider après les heures de classe, ça devrait aller.

— À la bonne heure !

— N'empêche…

Les deux mains pendantes au-dessus de la cuve, Brigitte profita de ce bref répit dans le travail pour s'accroupir sur les talons. Elle fit rouler sa tête sur ses épaules et jeta un regard en coin à monsieur Jacob avant de revenir face à la cuve.

Brusquement, Brigitte semblait perplexe devant les quelques réponses de son patron. De toute évidence, celles-ci ne la satisfaisaient pas.

Brigitte tourna une seconde fois un regard songeur vers Jacob Reif. Sourcils froncés, elle semblait vouloir sonder ses intentions, sans oser le dire ouvertement.

Entre cet homme-là et elle-même, la guerre avait fait naître une intimité toute fraternelle, une complicité qui autorisait une certaine liberté. Brigitte le savait depuis longtemps. Alors…

— Pourquoi voulez-vous partir, monsieur Jacob ? demanda-t-elle enfin, d'une voix malgré tout hésitante. Je… Je ne veux pas être indiscrète, croyez-moi, mais j'avoue que je suis curieuse et inquiète… Vous n'êtes pas malade, toujours ?

— Mais non. Qu'allez-vous penser là ?

Durant un moment, Jacob Reif soutint le regard de Brigitte, qui s'était relevée en grimaçant, une main posée sur les reins.

— Mais non, mademoiselle Brigitte, répéta-t-il pour se faire rassurant. Je ne suis pas malade. Au contraire, depuis que la blanchisserie est rouverte, je me sens de mieux en mieux.

— Alors ? Qu'est-ce que c'est que cette absence dont vous venez tout juste de me parler ? Un voyage ?

À son tour, Jacob Reif sembla embarrassé, hésitant. Il détourna les yeux.

— On pourrait le dire ainsi, oui, un voyage, approuva-t-il finalement, en recommençant à frotter une tache sombre avec une énergie intense, nettement plus grande que nécessaire. Un retour aux sources, si on veut l'exprimer autrement...

Jacob Reif aurait préféré en rester là. Après tout, ce voyage ne regardait que lui. Lui, sa femme et leurs souvenirs. Toutefois, sachant qu'il n'y échapperait pas, car il connaissait l'entêtement de mademoiselle Brigitte quand elle voulait aller au fond des choses, Jacob se décida enfin à entrebâiller la porte des confidences.

— J'ai besoin de revoir mon pays, mademoiselle Brigitte, avoua-t-il en ouvrant les deux bras devant lui comme devant une évidence. Je ne sais trop pourquoi, mais c'est là, en moi, ajouta-t-il sur la même envolée, en posant cette fois-ci une main savonneuse à la hauteur de sa poitrine... À mon retour, peut-être que je saurai vous expliquer pourquoi, un jour, j'ai ressenti ce besoin de revoir Berlin. Pour l'instant, je ne le sais pas.

— Ah... Berlin... C'est donc à Berlin que vous voulez vous rendre.

Par le ton employé, il était évident que Brigitte ne comprenait pas tout à fait pourquoi monsieur Jacob ressentait ce pressant besoin de revoir un pays qui l'avait renié.

— Et les filles ? demanda-t-elle encore une fois. Elles sont au courant, pour ce voyage ? Sans le dire, elles aimeraient peut-être vous y accompagner.

— Je ne crois pas, mademoiselle Brigitte, je ne crois pas. Berlin ne veut rien dire pour Klara et Anna, rétorqua monsieur Jacob sans la moindre hésitation. Elles étaient trop jeunes quand nous l'avons quittée pour en garder autre chose qu'un vague souvenir. Et pour répondre à votre première question, non, elles ne sont pas au courant de ce projet de voyage, et c'est beaucoup mieux ainsi. J'aimerais, s'il vous plaît, que l'on respecte ma décision.

— D'accord, si vous le dites…

— Je le dis, oui…

Habituellement si aimable, le ton brusque et sans réplique était surprenant, dans la bouche de monsieur Jacob.

On planifia donc le départ pour la semaine suivante afin qu'il puisse revenir à temps, car il y avait les études de Brigitte qui commenceraient bientôt.

Ce fut donc sur une vague explication concernant des papiers officiels à récupérer en Normandie, là où Klara et Anna avaient transité avant de rejoindre Grenoble avec leur mère, que Jacob Reif quitta son logement et la blanchisserie, par une belle matinée d'automne.

Pour le simple plaisir d'avoir le droit de le faire, et pour permettre à son cœur de s'adapter à la démesure de ce projet insensé qui était sur le point de se réaliser, Jacob décida de marcher jusqu'à la gare. Il allait prendre tout son temps, celui de savourer chacun des pas qu'il faisait dans ce Paris libéré. Ensuite, il prendrait la route pour Berlin.

Ne sachant trop ce qui l'attendait, Jacob Reif se disait

que toutes ces images joyeuses, empreintes d'insouciance et de légèreté, celles qu'il croisait depuis tout à l'heure, l'accompagneraient jusqu'au bout de ce qu'il anticipait comme un retour à sa jeunesse.

À cette pensée, Jacob s'arrêta brusquement.

Un retour à quoi, en fait ?

À sa jeunesse ?

À ses origines ?

C'est ce qu'il avait prétendu devant mademoiselle Brigitte.

Jacob Reif haussa imperceptiblement les épaules. Mais qui donc tentait-il de convaincre en disant cela ?

Puis, était-ce vraiment la vérité ?

Depuis qu'il pensait à un éventuel séjour à Berlin, la réflexion de Jacob Reif butait toujours sur ce mot.

Retour…

En vérité, Jacob Reif n'avait pas la moindre idée de ce qui l'attendait au bout des rails.

«Comme au matin où je suis parti pour Auschwitz», songea-t-il alors, le cœur s'affolant brusquement dans sa poitrine.

Jacob secoua vivement la tête, regarda autour de lui et s'obligea à traverser la rue pour se changer les idées. Surveiller les autos qui venaient de gauche et de droite, les passants qu'il croisait…

Malheureusement, Auschwitz l'attendait sur l'autre trottoir.

Pourtant, Auschwitz n'existait plus. Cet endroit maudit n'était plus que le cauchemar récurrent de ses nuits. Rien d'autre. Il ne devait surtout pas l'oublier.

Jacob Reif prit une profonde inspiration.

Auschwitz avait été vidé de ses pauvres hères par l'Armée Rouge, tout comme Mauthausen et Ebensee avaient été libérés par les Alliés. Il l'avait vu de ses yeux, puisqu'il y était. Ce n'était pas une fabulation de journaliste, il ne devait surtout pas l'oublier. Jamais. La guerre était finie, les camps avaient été libérés, et ce matin, c'était Berlin qu'il voulait retrouver, rien d'autre.

En un sens, ce voyage n'avait rien à voir avec ce qu'il avait vécu ces dernières années.

Néanmoins, en pensant de la sorte, Jacob Reif secoua la tête de plus en plus vite, comme s'il n'arrivait pas à se convaincre lui-même.

Berlin n'avait rien à voir avec la guerre, vraiment ?

Certaines pensées insidieuses s'imposaient et se bousculaient jusque dans son âme.

Pourquoi alors vouloir retourner à Berlin ? La ville n'avait-elle pas été dévastée ? Tous les matins, Jacob en voyait des images désolantes dans les pages des quotidiens.

Pourquoi alors vouloir y aller ? Pour contempler des ruines, pour tenter de revoir son passé ?

Et qu'est-ce que ça lui donnerait, tout ça ?

Que des questions sans réponses qui commencèrent à angoisser Jacob Reif, l'empêchant de bien respirer.

Pourquoi allait-il à Berlin ?

Voulait-il souffrir encore plus, pour continuer d'expier ses fautes ?

Jacob Reif avait le souffle de plus en plus court.

Revoir Berlin était peut-être, et tout bêtement d'ailleurs, une autre façon de se rapprocher de Bertha.

Appuyé contre un réverbère, Jacob prit de longues inspirations pour tenter de calmer son cœur affolé.

Quoi qu'il en soit, ne serait-ce que pour répondre à quelque raison obscure que lui-même ne saisissait pas, Jacob irait jusqu'au bout. Sa tête allait devoir le comprendre et l'accepter. Son cœur allait devoir se calmer.

Un éclat de rire le rejoignit dans le maelström de ses émotions et le fit se retourner.

Il faisait beau, presque chaud, et il y avait des dizaines de passants autour de lui.

À Paris, la guerre semblait chose du passé. La ville avait déjà effacé les quelques meurtrissures laissées par les combats de rue, et, en ce moment, les terrasses des cafés débordaient de clients. Les voix qui s'interpellaient étaient pleines d'entrain, à l'enseigne de cette liberté retrouvée dont on ne se lassait pas.

Jacob décida alors qu'il s'accrocherait à ces rires. Il les garderait en lui, comme une réserve de normalité où puiser en cas de besoin. Après tout, Paris, c'était devenu chez lui par la force des événements.

C'était aussi une ville que Bertha avait beaucoup aimée, avant qu'elle ne devienne un enfer pour eux.

À cette dernière pensée, Jacob Reif reprit alors sa route en direction de la gare, à pas pressés, cette fois-ci, comme si Bertha l'attendait au bout du voyage.

En montant à bord du train, Jacob se demanda encore une fois à quoi ressemblerait Berlin. Il tentait de rester froid et calme. Après tout, c'était le travail des journalistes de tout monter en épingle, de grossir les événements pour les rendre spectaculaires, intéressants. C'est ce que l'on entendait un peu partout, non? Les photographies dans les journaux, montrant une ville dévastée, exagéraient sûrement.

Alors, qu'en était-il de son quartier, un peu à l'écart du centre-ville? Il avait peut-être été épargné. Et ses parents? Qu'étaient-ils devenus? Avaient-ils, eux aussi, malgré leur entêtement, songé à quitter la ville avant qu'il ne soit trop tard?

Encore une fois, essayant de se convaincre de l'improbable, Jacob se dit alors qu'on ne peut rayer un pays de la carte du monde, même s'il est coupable des pires ignominies. À Berlin aussi, les gens devaient sans doute être heureux, puisque la guerre était finie. Reconstruire une ville, un pays, ça demande des bras, ça procure de l'ouvrage. Si ses parents avaient eu l'instinct de fuir, eux aussi, peut-être avaient-ils songé à revenir, tout comme lui.

Peut-être…

Subitement, le souvenir de sa sœur Irène, de son frère Marc, de son père et de sa mère s'imprima dans l'esprit de Jacob, aussi clair que l'aurait été une photographie. Par souci de protection, et d'un commun accord, ils avaient coupé les ponts, au moment où Jacob et sa famille avaient fui l'Allemagne. Par la suite, pour ne pas trop souffrir de leur absence, Jacob s'était obligé à penser à eux le moins souvent possible. Il avait donc concentré ses efforts et toute sa volonté sur sa propre famille. Bertha, les filles… Mais maintenant que la guerre était finie, alors qu'il se dirigeait vers Berlin, Jacob comprenait que la présence des siens lui manquait de plus en plus.

Allait-il, un jour, les revoir, ou, tout comme des millions de gens, sa famille avait-elle été…?

Jacob ferma précipitamment les yeux.

Ne plus penser à Auschwitz, jamais.

Jacob respira alors profondément, passa une main tremblante sur son visage et tenta de toutes ses forces de se concentrer sur quelque chose de positif.

À Berlin aussi, l'espoir devait refleurir. Qu'importe que l'on soit vainqueur ou vaincu, pour tous ces gens, la guerre n'était plus qu'un pénible souvenir.

Ce fut ce que Jacob Reif se répéta, kilomètre après kilomètre, regardant les arbres défiler de l'autre côté de la vitre, tandis qu'en pensée, il revoyait les paysages de sa jeunesse.

Une fois sur place, il irait revoir son quartier et il tenterait de retrouver sa maison, celle de ses parents. Ne serait-ce que de voir les bâtisses lui ferait du bien. Ensuite, il chercherait les siens, bien sûr, et la famille de Bertha. Il devait bien y avoir des bureaux de renseignements, n'est-ce pas? Puis il irait se recueillir au cimetière pour tous ceux qui étaient disparus au fil des années.

Voilà ce que Jacob ferait de son voyage à Berlin, tant pour Bertha que pour lui-même.

Après, quand il aurait tout vu et tout fait ce qu'il avait à faire, il reviendrait à Paris, le cœur léger, l'âme sans doute apaisée, et la vie de tous les jours pourrait enfin reprendre normalement, avec Anna et Klara à ses côtés. Peut-être aussi avec son père ou sa mère, sait-on jamais. Ou Irène, ou Marc… Il était bien vivant, lui, pourquoi pas certains des autres membres de sa famille?

Le voyage onirique de Jacob Reif se heurta à la réalité douloureuse à l'instant où il descendit de son wagon sur le quai d'une gare qui n'existait plus qu'à moitié.

Il ne reconnaissait rien du paysage. Que des ruines à perte de vue.

Pourtant, Jacob n'était pas fou : on avait bien annoncé Berlin, tout à l'heure, dans le train. En français, en anglais et en allemand.

Désorienté, Jacob demanda sa route. On lui apprit qu'il était dans le quartier français d'une ville détruite qui, officiellement, s'appelait encore Berlin.

— Il y a aussi un quartier américain, là-bas, et un autre, plus loin, sous domination anglaise, lui expliqua une femme qui semblait pressée, montrant vaguement l'horizon avec le bras.

Sur ces mots, sans entrer dans les détails, sans même saluer, elle poursuivit sa route.

Jacob se demanda alors où cette femme pouvait bien aller d'un si bon pas, avec un sac de provisions à la main, puisqu'autour de lui, il n'y avait que des ruines. Elle ne pouvait toujours bien pas habiter ici !

À défaut de savoir où ses pas le mèneraient, il emprunta une rue qui n'avait plus de nom. Il tourna sur une autre, puis enfila dans une troisième…

Au bout d'une heure, Jacob s'arrêta de marcher. Le souffle lui manquait encore et il avait le cœur dans l'eau.

Brusquement, il eut l'impression qu'il passerait le reste de ses jours à être essoufflé.

Qu'avait-on fait à sa ville ?

Jacob voyait son univers découpé en quartiers que les

vainqueurs semblaient s'être distribués, comme dans une partie de cartes.

Une à toi, une à moi, et que le plus chanceux gagne !

Ne restaient plus, autour de Jacob, que murs chancelants et fenêtres sans carreaux, comme les yeux aveugles d'une ville qui n'existait plus. Berlin avait été soufflée par les bombes des Alliés, comme Auschwitz avait soufflé sur la vie de millions d'êtres humains.

La loi du Talion s'était appliquée sans réserve, ici.

Jacob était immobile, regardant tout autour de lui. Il était dévasté, car l'horreur de cette guerre maudite qu'il croyait enfin finie venait de le frapper de plein fouet. Ici, à Berlin, rien n'était terminé.

Et ces soldats, qui passaient et repassaient, faisant leur ronde. Et ces guérites, comme avant…

Jacob secoua la tête dans un grand geste de déni.

Accepterait-il, lui, d'être surveillé en permanence ? Était-ce là le prix que devait payer le peuple allemand pour avoir été vaincu ?

Et pourquoi tout un peuple devrait-il souffrir à cause de la démence arrogante d'une poignée d'hommes, finalement ?

Jacob, qui avait toujours voulu comprendre les choses, ne comprenait rien à ce qui se vivait ici.

Non, les photographies aperçues dans les journaux n'exagéraient pas la destruction de Berlin, elles n'en étaient qu'une pâle représentation.

L'odeur de mort qui régnait sur les camps s'était déplacée, et elle avait envahi les rues de Berlin.

Tout autour de lui, la démesure se poursuivait, et

Jacob en eut les larmes aux yeux. Quand donc la folie des Hommes cesserait-elle ?

Emmêlées à l'odeur de la mort et de la destruction, les ruines de Berlin dégageaient une odeur de vengeance. Jacob la trouva nauséabonde, pareille à la fumée qui montait des cheminées au camp d'Auschwitz. Bien sûr, les Alliés avaient eu raison de dire qu'il fallait mettre un terme aux massacres, qu'il fallait arrêter les SS et leurs machines à tuer. Mais pour ce faire, fallait-il détruire toute une ville, plusieurs villes, tout un pays ? Non, Jacob n'arrivait pas à comprendre.

Il marcha sans but durant de longues heures. Épuisé, il s'endormit dans le recoin d'une porte cochère qui semblait suffisamment solide pour protéger son sommeil et suffisamment large pour le protéger de la bruine qui tombait sans arrêt.

À Berlin, contrairement à Paris, l'automne était froid et pluvieux, alors, Jacob dormit très peu et très mal.

Au réveil, le soleil tentait de percer les nuages. Jacob se contenta de quelques gorgées d'eau, puisées à même un bac à moitié défoncé. Nul besoin de manger, la sobriété lui était revenue avec une aisance toute familière. Les quelques fruits qu'il avait emportés avec lui n'avaient pas été mangés.

À l'aube de ce second jour, Jacob s'arrêta dans le premier cimetière croisé. Quel besoin avait-il d'aller plus loin ? De son univers de jeunesse, il ne restait assurément plus rien. Valait mieux ne pas s'y rendre, la déception serait trop vive.

Aux yeux de Jacob, ici ou ailleurs n'avait que peu

d'importance pour pleurer les morts de sa famille, car pour lui, cela ne faisait plus aucun doute : la plupart d'entre ceux qui avaient choisi de rester à Berlin n'étaient plus que cendre et poussière, comme le disaient les Écritures.

Si, depuis sa libération du camp d'Ebensee, Jacob avait entretenu l'espoir ténu, mais bien réel, de retrouver son frère, sa sœur ou ses parents, en quelques heures à peine, il venait de perdre ses dernières illusions. Aucun Juif vivant jadis à Berlin n'avait pu échapper à l'implacable machine des nazis. Tenter de retrouver quelques survivants découlerait d'une folie maladive et Jacob n'était pas fou.

Si sa famille avait pu fuir et survivre, tout comme lui, Jacob finirait bien par la retrouver. Sinon, ce serait lui, le rescapé de la famille Reif. Il serait l'exception à la règle, l'unique survivant des camps de la mort.

À marcher le long des allées du cimetière, à lire machinalement les noms gravés dans la pierre, Jacob finit par arriver devant un monument funèbre, dressé au nom des Grosmann.

Il y avait beaucoup de Grosmann à Berlin avant la guerre, et c'était le nom que sa Bertha portait avant qu'elle ne devienne madame Reif.

À la lecture de ce nom, le cœur de Jacob se mit à battre si fort que le pauvre homme eut peur qu'il n'éclate en mille miettes. Les mains serrées sur sa poitrine pour calmer la douleur, il tomba sur les genoux. À travers le pantalon, de petits cailloux lui meurtrissaient la peau, mais il ne sentait pas la douleur.

Grosmann…

Fébrilement, sans s'apercevoir que les larmes s'étaient remises à couler sur ses joues, Jacob tenta de déchiffrer les mots inscrits sur le monument. Cependant, à lire les nombreux noms gravés les uns au-dessus des autres, suivis de dates, il comprit rapidement qu'il ne s'agissait pas de la famille de sa chère Bertha et que tous ces gens-là étaient décédés avant la guerre. Mais quelle importance? Ne venaient-ils pas tous d'un ancêtre commun?

Ici, juste sous ses genoux, pour Jacob, il y avait l'âme de tous les Grosmann de l'univers, toutes époques confondues, en remontant de sa Bertha jusqu'à ce Samuel, dont le nom, inscrit au sommet du monument, était en lettres plus imposantes que les autres.

Ici, dans ce cimetière, reposait l'âme de tous ceux que la guerre avait réduits en cendres.

Ici, sous cette terre aride, reposait l'âme de tous ceux que la guerre avait arrachés à la vie.

Subitement, pour Jacob, la race, la nationalité ou la religion n'avaient plus la moindre importance, que l'on soit juif, allemand, français, anglais... Tous des hommes, des femmes et des enfants, identiques sous le soleil.

C'était pour eux qu'il avait entrepris ce voyage, Jacob venait de le comprendre. Il était ici pour tous ceux qu'il avait vus mourir, pour tous ceux qu'il avait pleurés, et pour tous les autres, à travers le souvenir de sa chère Bertha disparue par une sombre nuit d'automne, alors qu'elle revenait chez elle, dans le lotissement d'Échirolles.

Le corps secoué par les sanglots, Jacob pleura jusqu'à n'avoir plus de larmes.

Dans sa tête, il cria sa détresse et son désespoir jusqu'à

n'avoir plus de voix et dans son âme, il confessa ses fautes jusqu'à quémander le pardon d'un Dieu qu'il avait de la difficulté à reconnaître.

Ensuite, dans son cœur, il fit ses adieux à Bertha jusqu'à sentir la paix l'envahir.

La clarté du petit matin fit place à celle du midi, plus vive et un peu plus chaude, malgré le ciel grisâtre. Toutefois, Jacob n'en prit pas conscience. Il était allongé sur la terre d'un cimetière quelconque, quelque part dans le Berlin de son enfance, une ville qui n'existait plus.

À le voir, recroquevillé dans son manteau noir, on aurait pu penser que cet homme-là dormait, ou même qu'il était mort.

Mais comme personne ne vint à passer…

Quand les nuages se firent plus menaçants, le jour tirait déjà à sa fin. Le vent s'était levé, ramenant la fraîcheur de l'air, et ce fut un vilain frisson qui reconduisit l'esprit de Jacob jusque dans son corps ankylosé.

Il se releva lentement, dépliant ses membres un à un, tout doucement, comme s'il avait peur de les casser. Peut-être avait-il dormi, finalement. Chose certaine, durant ces dernières heures, Jacob Reif avait beaucoup voyagé. De son enfance à sa jeunesse, de son mariage à la naissance de ses filles, de son cabinet de dentiste à la blanchisserie, de sa maison cossue au petit logement dans Paris…

Jacob Reif esquissa un pâle sourire quand il crut entendre quelques notes de musique. Une curieuse caracole de l'esprit, sans doute, puisque Bertha jouait si bien du piano et que Jacob venait de faire un si long voyage dans son passé.

À s'être autant promené dans sa vie, il pouvait bien se sentir fatigué.

Durant ces dernières heures, emmêlés aux souvenirs, il y avait eu aussi la peur, l'exode éperdu vers l'Amérique, les rebuffades humiliantes, le retour épuisant en Europe.

Il y avait eu Paris, la rafle et les camps de concentration.

Surtout les camps.

Auschwitz, Mauthausen, Ebensee...

Et la faim, et la peur, encore et encore. Toujours, la peur...

Et l'espoir, aussi, malgré l'impensable, l'improbable. Cet espoir trompeur qui garde en vie malgré la faim et la souffrance...

Oui, Jacob Reif avait fait une longue route en quelques heures. Il avait revisité toute sa vie. Il poussa un long soupir de lassitude. Il avait le droit de se sentir épuisé.

Pourtant, il était très calme, comme réconforté, en paix avec lui-même.

Les jambes flageolantes, Jacob s'approcha de la pierre tombale. Du bout du doigt, il suivit le tracé des lettres du nom de Grosmann et il confia sa Bertha à ce Samuel qu'il ne connaissait pas. Comme une prière qu'il lui adressa à défaut d'être encore capable de prier le Ciel lui-même. Ensuite, avec un infini respect, Jacob posa délicatement les lèvres sur la pierre, comme il l'avait si souvent fait sur la tête de ses filles nouveau-nées, de leurs filles à Bertha et lui, alors qu'il était ému aux larmes devant tant de perfection.

Klara et Anna, ses trésors, la consécration de l'amour intense et absolu qui l'avait uni à sa femme, qui l'unirait à Bertha Grossmann jusqu'à son dernier souffle.

Puis, Jacob recula de quelques pas.

— Tu peux compter sur moi, Bertha, murmura-t-il gravement, les yeux au sol. Nos filles ne manqueront jamais de rien. Surtout pas d'amour. Il y aura le mien, et il y aura le tien à travers moi, pour elles. Maintenant, tu peux reposer en paix. Tu l'as bien mérité, Bertha. J'aimerais simplement que tu me gardes une toute petite place auprès de toi, pour le jour où j'irai te rejoindre. Ne m'en veux pas, cependant, si cela prend quelque temps. J'ai une famille dont je dois m'occuper avant de songer à partir.

Jacob ressentait une légèreté apaisante. Il avait la sensation d'avoir pu enfin porter sa Bertha en terre, et cela lui était très bon.

Son devoir de mari aimant était accompli.

Jacob regarda attentivement la pierre tombale, sachant qu'il n'y reviendrait sans doute jamais. Il voulait en graver l'image dans son âme pour ne jamais l'oublier. Ensuite, il ajusta minutieusement son manteau sur ses épaules et en vérifia le boutonnage. Il épousseta soigneusement ses manches et se pencha pour reprendre le petit sac qu'il avait préparé avec tant de soin en prévision de ce voyage. Un dernier regard sur la pierre tombale, puis il se détourna.

Maintenant, Jacob Reif était prêt à regagner Paris, là où l'attendaient Klara et Anna.

Demain, à pareille heure, avec un peu de chance, il devrait être de retour chez lui.

TROISIÈME PARTIE

Décembre 1946 – Avril 1947

« *La reconstruction* »

CHAPITRE 8

« Les grandes personnes ne comprennent jamais rien
toutes seules, et c'est fatigant, pour les enfants, de
toujours et toujours leur donner des explications. »
ANTOINE DE SAINT-EXUPÉRY

Pointe-à-la-Truite, le lundi 30 décembre 1946

Dans la cuisine d'Ernest Constantin

— Bon sang de bonsoir! Je n'y arriverai jamais!

Découragé, Ernest Constantin survolait des yeux le fouillis indescriptible qui régnait dans sa cuisine. Farine et sucre saupoudrés malencontreusement sur la table; coquilles d'œufs, confettis de carottes et essence de vanille; une grosse volaille et ses abats; quelques bouteilles d'épices et un pain ranci; casseroles, rôtissoire et bols à mélanger; sans compter une multitude d'ustensiles en tous genres, se côtoyaient dans un improbable voisinage.

— Si au moins toute cette pagaille avait servi à quelque chose, maugréa Ernest, ça pourrait toujours aller. Mais non... Quel gâchis!

Franchement de mauvaise humeur, ce qui était plutôt rare chez lui, énervé par le temps qui passait à une vitesse folle, Ernest Constantin lança une cuillère en bois en direction de l'évier, tandis que son regard s'arrêtait sur ce qui aurait dû être un gâteau aux carottes.

Durant un long moment, tout en respirant bruyamment, il considéra avec consternation la pâtisserie avachie qui, à la cuisson, avait pris une invraisemblable couleur chocolat.

— Une galette, oui! On va la garder pour la fête des Rois et ça va être parfait. Comment est-ce que j'ai pu gâcher une recette qui semblait aussi facile? Un gâteau, c'est un gâteau, non? Qu'est-ce que j'ai fait de travers pour arriver à un tel résultat? Ce n'était pourtant pas le premier gâteau que je cuisinais!

Bref regard sur l'horloge de la cuisinière, et Ernest poussa aussitôt un soupir contrarié.

— J'ai vu trop grand, constata-t-il, navré, et, avouons-le, un tantinet vexé. Je ne vois pas autre chose. Et Gilberte qui arrive dans moins de deux heures! Je n'ai pas le temps de me reprendre pour confectionner un dessert qui aurait un peu de bon sens, et il est beaucoup trop tard pour mettre la dinde au four. Elle n'est même pas farcie, bateau d'un nom! Qu'est-ce qui m'a pris, aussi, de vouloir épater la galerie…? Je ne peux toujours pas servir des « carottes glacées, des petits pois à la parisienne et des patates en escalopes » comme plat de résistance, et je n'ai pas de dessert. C'est ridicule. Tout ce que j'ai fait ce matin, c'est peler des légumes en quantité industrielle, écosser des petits pois, et rater un gâteau… Le restaurant! Il ne me reste que le restaurant pour espérer avoir un repas décent, ce soir. Tant pis pour les petits plats faits maison que Gilberte préfère, on se reprendra demain. Avec elle à mes côtés, je devrais réussir à préparer quelque chose d'acceptable et même de très bon.

Tout en marmonnant, Ernest fourrageait dans les ustensiles, les contenants de tous formats et les denrées qui encombraient la table, essayant de les classer par catégorie pour commencer le rangement. Par contre, il aimait bien cette idée de cuisiner aux côtés de Gilberte. Alors, tout en s'activant, il esquissait un sourire, quand, brusquement, il laissa tout en plan et sortit de la pièce en coup de vent. En priorité, il lui fallait faire une réservation pour le restaurant. Où donc avait-il la tête, ce matin? En cette période des fêtes, la réservation s'imposait. Le ménage viendrait après.

Après tout, ce repas un brin sophistiqué, mais bien mal planifié, Ernest l'avait élaboré pour plaire à sa chère Gilberte. S'il avait raté son coup, il n'en restait pas moins qu'il espérait malgré tout faire plaisir à sa bonne amie, comme il s'entêtait à l'appeler.

— Non, grommela-t-il en se dirigeant vers le téléphone, ce n'est pas moi qui m'entête à ne voir qu'une amie en elle, c'est Gilberte elle-même qui semble ne pas vouloir déborder de ce cadre. Je me demande bien pourquoi, d'ailleurs, puisqu'on s'entend si bien, tous les deux... Bon le restaurant, maintenant!

Par habitude, il composa un numéro qu'il connaissait par cœur. Malheureusement, le sourire de convenance qu'il avait affiché par réflexe s'effaça au bout de quelques secondes. Son restaurant préféré, le Kerhulu, affichait complet.

— Je sais, monsieur Constantin, lui avait-on répondu

sur un ton poli, je sais que vous êtes un client très fidèle, et depuis longtemps. J'avais reconnu votre voix, n'ayez crainte. Et soyez assuré que je suis franchement désolé de ne pouvoir vous accommoder. Toutefois, laissez-moi vous dire que si jamais l'occasion se présentait, et qu'il y avait une annulation, et ça arrive, vous savez, je pourrais vous rappeler et...

— Mais non! coupa Ernest, ne perdez pas votre temps pour moi, ça serait inutile. Je n'ai pas besoin d'une probabilité de repas, j'ai besoin d'une table certaine... Pardon? Désolé pour l'impatience, monsieur, mais comme vous pouvez le constater, je suis quelque peu nerveux en ce moment... Néanmoins, vous n'avez pas tort en disant que je m'y prends à la dernière minute, j'en suis conscient. Mais ce n'était pas prévu, voyez-vous... Bien sûr, je comprends... Oh, une minute! Tant qu'à vous avoir au bout du fil, pouvez-vous vérifier si vous avez toujours ma réservation pour le soir du Nouvel An? S'il vous plaît...

À la suite de cet appel, et après quelques autres tentatives infructueuses, Ernest trouva enfin une oreille compatissante à ses malheurs. Au bout du compte, il semblait bien qu'il venait de dénicher un restaurant de la ville de Québec qui, lui, disposait, pour le soir même, d'une table suffisamment grande pour accommoder une famille nombreuse.

— Enfin!

De toute évidence, Ernest Constantin était grandement soulagé.

— Oui, vous avez bien compris, nous serons huit. Nous devions manger chez moi, mais une avarie dans ma cuisine ne me... Pardon? Oui, c'est bien ce que j'ai dit: huit personnes à la même table, si possible... À sept heures et demie? C'est un peu tard... Bien sûr, je comprends et je vous en remercie... D'accord... À sept heures et demie, donc, nous serons tous là... Oui, à ce soir, monsieur, et merci encore. Vous venez de m'enlever une grosse épine du pied!

Sur ce, Ernest raccrocha, libéré d'un grand poids.

— Une bonne chose de faite, murmura-t-il, tout en regagnant la cuisine. Le Old Homestead, c'est quand même pas si mal... et, finalement, ça va faire changement.

Puis, haussant la voix, il demanda:

— Raymond? Gérard? Auriez-vous quelques minutes à me consacrer? J'ai un urgent besoin d'aide à la cuisine.

Le temps de poser sa question et aussitôt, Ernest entendit une porte qui s'ouvrait et se refermait à l'étage, suivi d'une dégringolade bruyante dans l'escalier.

L'homme aux cheveux gris esquissa un sourire qui évoquait celui de ses jeunes années et une lueur de nostalgie traversa son regard. Ce bruit de pas rapides dévalant les marches menant des chambres au rez-de-chaussée le ramenait tout droit, et avec beaucoup d'émotion, à l'époque où ses fils étaient encore de jeunes garçons, toujours empressés de quitter la maison pour rejoindre les amis.

À peine le temps de s'attendrir à cette pensée, de se dire à quel point les années avaient filé, mine de rien, et Raymond paraissait dans l'embrasure de la porte. Devant le capharnaüm qui régnait dans la pièce, il ouvrit tout grand les yeux et ébaucha un sourire moqueur.

— Wow! Mais qu'est-ce qui s'est passé ici? Un ouragan ou quoi?

Amusé, le jeune homme promenait son regard de la table au comptoir et du comptoir à l'évier. Tout était encombré, tout semblait sale ou collant. Même le plancher y avait goûté!

Raymond ramena les yeux vers son père, visiblement en attente d'une explication.

Cependant, tout penaud, Ernest avait détourné la tête. Il n'avait nullement l'intention de répondre. Raymond devait bien se douter de qui était l'auteur de ce désordre, pas besoin d'en ajouter!

En effet, au déjeuner, Ernest avait eu le culot de parler de ce fameux souper avec une assurance qui frôlait la prétention. Il avait énuméré en détail les plats du menu qu'il avait choisi, et il avait même exigé, d'une voix catégorique, d'être tout fin seul dans la cuisine pour les trois prochaines heures.

— J'ai un repas d'apparat à préparer, avait-il annoncé, en grande pompe, et j'ai besoin d'être tranquille si je veux y arriver. Gilberte et les siens seront là en après-midi, à la gare du Palais, et j'aimerais bien que tout soit prêt d'ici à ce que je parte les chercher. J'espère m'être bien fait comprendre.

Tout en parlant, Ernest avait désigné un gros livre de recettes, posé sur le bout du comptoir.

— J'ai repéré dans ce livre les quelques plats dont je viens de vous dresser la liste. Tout cela me semble très bon. Ne reste plus qu'à les cuisiner et le tour est joué. Bien entendu, il y aura de la dinde, c'est un classique.

J'utiliserai la recette de votre mère. Mais pour le reste, j'ai trouvé là-dedans quelques petites nouveautés qui devraient vous mettre l'eau à la bouche! Alors, s'il vous plaît, le temps que je cuisine, j'aimerais que vous vous occupiez d'Hubert à ma place. En l'installant au salon avec le gros catalogue de Noël de chez Eaton, même si la fête est passée, ça devrait lui convenir, et un petit coup d'œil sur lui, de temps en temps, devrait suffire.

Tout en parlant, Ernest s'était levé de table pour aller chercher le livre de recettes dont il venait de parler.

— Allez, ouste! J'ai besoin de la place.

Les trois frères avaient quitté la cuisine sur-le-champ et Ernest avait alors ouvert son livre, sûr de lui et des résultats qui devraient embaumer sa maison d'ici quelques heures.

Ce gros volume avait été le cadeau offert par Gilberte à son dernier anniversaire, car, disait-elle, les talents d'Ernest devant les fourneaux l'avaient grandement impressionnée.

— C'est le livre des Dames de la Congrégation, avait-elle précisé, au moment où Ernest déchirait le papier d'un emballage fait avec soin.

Comme si cette précision pouvait avoir de l'importance pour quelqu'un s'appelant Ernest Constantin! Tout de même, l'intention était gentille.

— Il y a de tout, là-dedans, avait ajouté Gilberte. Je le sais, j'ai le même livre chez moi. C'est Lionel qui me l'a donné, pis je m'en sers pas mal souvent. Quand j'ai appelé à la librairie Garneau pour vous en réserver un exemplaire, on m'a assuré que c'était le meilleur livre de recettes sur le marché. Pis en plus, les recettes sont pas trop dures à faire, vous allez voir.

Ernest, qui n'avait jamais pris grand plaisir à cuisiner et ne le faisait que par nécessité ou pour plaire à son amie Gilberte, avait tout de même forgé un sourire qui pouvait passer pour sincère.

— Vous n'auriez pas dû, très chère Gilberte.

— Mais oui, Ernest, mais oui ! C'est trois fois rien. Une fête, même si on est plus des jeunesses, vous pis moi, c'est important de souligner ça. C'est une vraie mine d'or, ce livre-là ! Pour quelqu'un qui sait faire un aussi bon gâteau au chocolat que le vôtre, je me suis dit que ça vous prenait un livre de grand chef, rien de moins.

Toutefois, pour l'instant, le grand chef avait plutôt l'air piteux, ce qui accentua le sourire de Raymond.

— Comment diable avez-vous pu réussir à foutre un tel bordel ?

— Raymond !

Ernest avait toujours été allergique aux inconvenances et le langage grossier en faisait partie. Oubliant momentanément la cuisine et son pitoyable état, écartant l'idée désagréable qu'il n'avait pas réussi la préparation de son repas, alors qu'il s'en était vanté à l'avance, et négligeant le fait que son fils n'était plus un gamin, Ernest foudroya Raymond du regard.

— Mais qu'est-ce que c'est que cette façon de parler ?

— Désolé !

— Désolé, désolé… Ça devient un peu trop facile, tu ne crois pas, de se dire désolé pour tout et pour rien ? Au lieu de clamer à tout bout de champ que tu regrettes, tu devrais faire des efforts, Raymond! De grâce, surveille ton langage! Non seulement les mots que tu emploies sont grossiers, et je déteste les entendre, mais tu sais aussi bien que moi qu'Hubert répète un peu n'importe quoi, et surtout n'importe quand.

— C'est vrai, vous avez raison. Mais que voulez-vous, papa? L'armée n'est pas exactement le bon endroit pour entendre de belles phrases bien tournées et des mots recherchés, et je viens d'y passer quelques années... Je regrette et promis, je vais faire attention. Mais, en même temps, je vous ferais remarquer qu'en France et en Belgique, on les entend, ces mots-là, et personne ne passe de remarque... Oui, oui, je sais, s'empressa d'ajouter Raymond en levant une main pour contrer l'objection qui venait d'apparaître dans le regard de son père, ici, on n'est pas en France, vous me l'avez fait remarquer souvent... Il faut croire que je suis comme Hubert, tiens, et que je répète tout ce que j'entends comme un perroquet, sans trop y penser... Heureusement que, pour cette fois, Hubert n'était pas là.

— Ouais... disons.

— Promis, papa, répéta Raymond, je vais faire très attention.

La France, la Belgique, l'Europe...

Depuis son retour au Canada, Raymond n'avait que ces mots à la bouche. Il les employait à toutes les sauces, pour tout justifier, tout expliquer, tout raconter de ce qu'il avait vécu.

Et la France par-ci, et la Belgique par-là! Quand j'étais à Londres et quand j'ai traversé Paris...

À croire que Raymond avait attendu de voir l'Europe et ses nombreuses contrées pour se mettre à vivre !

En un mot, le jeune homme s'ennuyait profondément des Vieux Pays, comme on les appelait ici, et il ne s'en cachait pas.

Quant à Ernest, depuis l'arrivée de Raymond, c'était le nom d'André qui lui trottait régulièrement dans la tête. La chose n'était pas nouvelle, certes, car depuis ces dernières années, le nom de son aîné avait envahi bien des coins et des recoins de son esprit, quasiment en permanence, et il s'imposait au moindre prétexte. Néanmoins, au contact de Raymond, Ernest espérait sincèrement qu'il surmonterait son deuil et qu'il arriverait enfin à traverser ne serait-ce qu'une seule journée sans penser à André. Après tout, dans peu de temps, la maison serait à nouveau bien remplie avec Hubert, Gérard, et maintenant Raymond. Ernest devrait être suffisamment occupé pour ne pas se morfondre aussi souvent.

Ernest avait malheureusement oublié à quel point Raymond ressemblait à André, et le premier contact avec son second fils (au retour de ce dernier) avait été particulièrement éprouvant.

En effet, à l'instant où Ernest avait aperçu Raymond tout souriant qui sautait en bas du train, puis qui marchait à sa rencontre sur le quai de la gare, Ernest en avait eu le souffle coupé.

Pour lui, à ce moment-là, ce n'était pas Raymond qu'il suivait des yeux, c'était André, revenu d'outre-tombe.

Cette mèche blonde qui retombait sur son visage, ces longues enjambées, ce port de tête un peu altier…

Ernest était ébranlé à un point tel que Gilberte, qui se tenait à ses côtés, n'avait pu faire autrement que de glisser sa main sous son bras, comme pour le rassurer, pour le soutenir, ignorante des émotions qui suscitaient un tel bouleversement.

Dans les faits, Gilberte n'avait vu qu'une seule photo d'André, des années auparavant, et, par conséquent, elle ne pouvait voir la ressemblance frappante qu'il y avait entre les deux frères.

N'empêche que plus Raymond approchait et plus Gilberte sentait Ernest trembler contre son bras. Il devait sûrement y avoir une bonne raison pour que cet homme, si maître de lui en temps normal, semble bouleversé à ce point.

Se fiant à son instinct, Gilberte s'était faite lourde contre lui, espérant que ce débordement émotif n'était autre chose que la conséquence naturelle des retrouvailles. Après tout, cela faisait des années, maintenant, que le père n'avait pas revu son fils.

— C'est fou comme Raymond ressemble à André, murmura alors Ernest, d'une voix caverneuse, un peu absente, comme s'il ne parlait que pour lui-même. C'est fou comme toutes ces choses particulières à une famille, lorsqu'elles sont vécues au quotidien, deviennent acquises avec le temps et deviennent surtout presque banales… Je n'y pensais même plus, à cette ressemblance.

Sur ce, sans tourner la tête vers Gilberte, qui commençait à comprendre ce qui se passait, Ernest avait posé sa main sur la sienne et il l'avait serrée à lui broyer les doigts.

— Comment je vais faire, Gilberte ? demanda-t-il dans

un souffle. J'ai les jambes en coton et mon cœur bat tellement vite. J'ai l'impression que c'est André qui marche vers moi.

Comme souvent en pareil cas, Gilberte était restée sans mots. Agrippée au bras d'Ernest, elle avait prié le Ciel pour que sa seule présence suffise à réconforter cet homme qui avait pris tant de place dans sa vie et dans son cœur.

Toutefois, Raymond avait pensé, lui aussi, à ce que son père allait ressentir. Après tout, le fait que les deux frères aient à ce point la même allure en avait subjugué plus d'un, au fil des années. Nul besoin d'une mûre réflexion pour comprendre qu'après une si longue absence, et surtout après le décès d'André, il était fort probable que leur père soit chaviré en l'apercevant. Voilà pourquoi Raymond marchait d'un si bon pas, la tête haute, tout en affichant bien volontairement ce petit air frondeur qui lui était tout à fait personnel. Il ne fallait pas laisser traîner les choses. Il était Raymond, celui qui fonçait toujours droit devant, contrairement à André, qui était plus réservé, plus réfléchi, et Ernest devait le comprendre dès leur premier contact. Raymond s'était dit, alors qu'il approchait d'Ernest, que ce serait à son caractère que son père se ressouviendrait de leur différence.

Ce fut le cas.

Raymond était à peine à quelques pas de son père, qu'il se précipita vers lui, les bras grand ouverts, exubérant, parlant un peu trop fort, comme jamais André ne l'aurait fait.

— Papa! avait-il lancé, sincèrement ému, tout en étreignant étroitement Ernest contre lui.

Visiblement, Raymond était indifférent aux regards qui s'étaient tournés vers eux. Seule la douleur aperçue dans le regard de son père avait eu de l'importance à ce moment-là.

Et le fait que son père, Ernest Constantin, avait beaucoup vieilli depuis son départ de la maison.

— Vous m'avez manqué, papa, si vous saviez ! Et toi aussi, bonhomme, avait-il ajouté à l'intention d'Hubert, en lui allongeant une petite bourrade sur le bras. Je suis heureux d'être ici.

Jamais André n'aurait osé une telle démonstration d'affection en public et Ernest, après une longue inspiration, avait aussitôt repris sur lui. Il avait sincèrement apprécié l'attitude de son fils Raymond, qui avait replacé les faits et les émotions dans une juste perspective, sans le moindre délai. Brusquement, Ernest s'était rappelé à quel point Raymond avait toujours été celui de ses fils qui était facile à vivre, et prévenant, et direct, tandis qu'André avait toujours été plus solitaire et Gérard, plus cabotin.

— Allez, toi, à la maison ! avait-il rétorqué, ému, tout en se dégageant de l'étreinte de Raymond pour pouvoir le regarder droit dans les yeux. Tu n'as que trop tardé à revenir, sacripant...

Sur ce, inclinant galamment la tête en direction de Gilberte, Ernest avait ajouté :

— Nous ferons les présentations à la maison, si vous n'y voyez pas d'objection, chère amie. Nous y serons plus à l'aise.

En quelques jours à peine, Ernest s'était senti beaucoup mieux. Certes, Raymond ressemblait toujours autant à

André, la vie l'avait ainsi voulu, et au détour d'une porte ou d'un corridor, il lui arrivait encore de sentir son cœur battre à contrecoup. Cependant, Raymond avait une personnalité tellement plus expressive, plus enjouée, que le malaise ne durait pas. Rapidement, Ernest avait cessé de confondre l'un avec l'autre.

Peu à peu, au contact de Raymond, les souvenirs rattachés à André s'étaient faits de moins en moins douloureux.

Ce fut donc ce même Raymond, toujours prêt à aider, qui prit la situation en mains, en ce midi du 30 décembre, alors que son père semblait dépassé par la situation.

— À mon tour de vous dire: «Ouste, papa, sortez d'ici!» fit-il, autoritaire, tout en poussant gentiment Ernest hors de la pièce. Occupez-vous d'Hubert, à votre tour. Il regarde sa revue dans ma chambre. Pendant ce temps-là, moi, je vais ranger la cuisine. Je vous le dis: on m'a bien rodé dans l'armée, vous allez voir ça! La cuisine va reluire comme un sou neuf et personne ne pourra s'imaginer que c'était une zone sinistrée! Allez! Filez et faites-vous beau pour votre Gilberte, tiens, ou emmenez Hubert dîner. À l'heure qu'il est, il doit commencer à avoir faim. Ou faites donc ce que vous voulez, mais disparaissez de mon champ de vision!

— C'est ça, moque-toi de moi! Demande plutôt à Gérard de venir t'aider…

— Oubliez ça! Ça fait un bon moment déjà que mon petit frère a filé à l'anglaise pour rejoindre son amie Rita.

Sur cette précision, Raymond adressa un petit clin d'œil à son père et referma la porte sur lui.

À trois heures pile, le train entrait en gare, à l'instant où Ernest commençait à faire les cent pas, impatient de revoir sa Gilberte, tout en sachant qu'avec Raymond, la situation était maîtrisée à la maison. Par besoin et par habitude, Ernest donnait la main à Hubert qui, de son côté, attendait son ami Germain en surveillant les rails.

— Ami Hubert, avait-il affirmé en pointant la gare du doigt, au moment où ils étaient arrivés dans le stationnement.

— Oui, mon grand, ton ami va arriver bientôt. Germain... C'est Germain son nom.

Comme à l'accoutumée, Célestin fut le premier à sauter sur le quai, cherchant déjà monsieur Ernest du regard. C'était la première fois qu'il venait à Québec durant l'hiver, et il en avait long à raconter sur ce voyage interminable, alors qu'ils avaient traversé des forêts endormies, monotones de grisaille et de neige récemment tombée. Heureusement que Gilberte avait emporté un jeu de cartes pour passer le temps ! Toutefois, dès qu'il aperçut l'ami de sa sœur en compagnie d'Hubert, le grand gaillard oublia le trop long voyage, et il les salua d'un grand geste du bras, le visage fendu d'un large sourire.

— Monsieur Ernest, Hubert ! Allô ! C'est moi, Célestin. J'arrive. Le temps de ramasser les valises de tout le monde, pis je m'en viens !

Ce fut encore lui qui, quelques instants plus tard, mit un terme au brouhaha des accolades et des salutations en lançant un tonitruant :

— Coudonc !

Gilberte sursauta et se tourna vers lui. Assuré d'avoir

l'attention de sa sœur, Célestin poursuivit :

— Ça achève-tu les embrassages ?

— Célestin !

Gilberte semblait vraiment en colère contre lui.

— Ben quoi... Me semble que c'est pas encore le jour de l'An, expliqua Célestin pour justifier son impatience... En plus, c'est pas mal pesant, les valises que tu prépares, Gilberte. On dirait que tu déménages toutes nos affaires, tellement t'as peur qu'il manque quelque chose. Pis surtout, j'ai un petit peu faim !

— Célestin !

— Bon encore ! Que c'est que j'ai dit, Gilberte, pour que tu soyes choquée de même après moi ? J'ai rien faite, moi ! C'est toi qui me dis toujours de dire la vérité. Pis là, c'est pas mal vrai que c'est pesant, nos valises. Pis c'est encore plus vrai que j'ai faim.

— Alors, mon Célestin, tu vas m'aider, intervint Ernest avant que Gilberte ait pu réagir et que le petit conflit dégénère. Comme ça, on va pouvoir manger quelques friandises avant de se préparer pour le souper.

Intéressé par la proposition, Célestin se tourna vivement vers monsieur Ernest.

— Ah oui ? Je peux vous aider, moi ? Pour quoi faire, au juste ?

— D'abord, on va commencer par reconduire Gilberte à la maison pour qu'elle puisse s'installer tranquillement, et ensuite, tous les deux, on va aller faire quelques petites commissions.

— Ah, des commissions...

Célestin, qui se voyait déjà en train de choisir petites

saucisses, fromage et biscottes dans les belles assiettes en porcelaine de monsieur Ernest, sembla tout à coup grandement déçu.

— Quelle sorte de commissions? demanda-t-il enfin, avec circonspection, tout en fronçant ses énormes sourcils broussailleux.

Aussitôt qu'il avait entendu le mot « commission », Célestin s'était mis à se dandiner machinalement sur place, signe évident chez lui qu'il n'était pas tout à fait d'accord avec la proposition et qu'il ne savait comment l'exprimer.

— Vous êtes bien certain d'avoir besoin de moi pour faire les commissions, monsieur Ernest? demanda-t-il, toujours aussi prudemment, tout en jetant un regard en coin vers Gilberte. Parce que moi, des fois, il y a des commissions que je trouve un petit peu plates à faire. Oui monsieur. Aller chercher du linge pis des souliers, par exemple, c'est pas mal plate. Il y a jamais rien qui me fait, parce que je suis trop grand pis trop gros, pis c'est long.

— Et si je parlais de faire quelques commissions qui se mangent?

— Ben là…

Tout d'un coup, Célestin cessa de se dandiner. Il avait oublié son impatience, celle de Gilberte, le poids des valises, et même le trop long voyage entre la Pointe et Québec. On avait parlé de manger et il était tout souriant.

— Des choses qui se mangent, par exemple, c'est pas pareil, expliqua-t-il candidement. J'aime ça, acheter des choses qui se mangent. Oui monsieur… On va-tu aller dans un magasin, pour ça?

— Bien sûr! On va se rendre à l'épicerie.

— Ben là, je suis pas mal d'accord pour aller avec vous, monsieur Ernest. J'aime ça, moi, les épiceries. Surtout les épiceries de la ville de Québec. Ici, il y a plein de choses nouvelles qu'on a pas au magasin général du village… Ouais, je sais ça, moi.

Tout en approuvant le projet de monsieur Ernest à grands hochements de la tête, Célestin se retourna vers Germain, qui, selon son habitude, traînait un peu de la patte, agrippé à la main de Gilberte. Chargé comme un âne, Célestin dut se contenter d'un petit signe du menton pour lui signifier d'avancer un peu plus vite.

— Envoye, Germain, grouille-toi un peu, ordonna-t-il en accélérant lui-même l'allure. Il faut que j'aille faire des commissions avec monsieur Ernest, c'est important!

Une fois Gilberte et les garçons installés à la maison, Ernest Constantin et Célestin reprirent aussitôt la route. Impressionné d'être assis sur le siège avant de la belle auto de monsieur Ernest, habituellement réservé à l'usage de Gilberte, Célestin prit alors conscience qu'ils étaient seuls, tous les deux, monsieur Constantin et lui.

Indécis, Célestin se demanda si l'occasion n'était pas idéale. Après tout, c'était bien ce qu'il avait espéré, en venant à Québec: avoir un moment en tête à tête avec monsieur Ernest pour lui exposer son projet.

Oh! Il y avait beaucoup pensé, à ce projet, depuis le printemps dernier. Pas une seule soirée ne se terminait sans qu'il retourne la question de tous bords tous côtés, juste avant de s'endormir, et Célestin était à peu près certain que ce qu'il allait dire avait beaucoup de bon sens.

Mais avec Gilberte, le pauvre homme n'était jamais sûr de rien, et comme il détestait se faire crier par la tête ou se faire disputer, c'était encore un brin hésitant que Célestin tournât son regard vers la vitre. Sans vraiment observer les maisons qu'il croisait, il se permit ainsi une dernière réflexion.

Elle fut courte, car le trajet aussi serait court, cela Célestin le savait, pour avoir déjà accompagné monsieur Ernest à quelques reprises.

De toute façon, le grand gaillard constata rapidement qu'il avait tellement ressassé tous les mots à dire qu'en fin de compte, il n'y avait plus rien à réfléchir du tout parce qu'il les savait par cœur.

Il savait surtout qu'une occasion comme celle-là ne se représenterait peut-être plus d'ici la fin de son séjour. Alors, il devait en profiter.

Célestin se décida tout d'un coup. Il se tourna carrément sur sa gauche, et, le dos accoté contre la portière, il annonça :

— Monsieur Ernest, faut que je vous parle.

Le ton employé était on ne peut plus sérieux.

— C'est à propos de ma sœur Gilberte, poursuivit-il, pis je pense que c'est important. Oui monsieur, ben important.

Le ton de la conversation fut à l'avenant de toute la gravité que Célestin accordait à ses propos. Malgré les limites de vocabulaire du grand gaillard, Ernest saisit rapidement que ce dernier avait longuement réfléchi avant de lui parler et que tout ce qu'il disait venait du cœur.

— ...Tout ça, c'est à cause de mon frère Antonin. Ouais... C'est à cause de lui si j'ai pensé à ça, continua Célestin, encouragé par l'attitude d'Ernest Constantin, qui l'écoutait avec grande attention, sans chercher à l'interrompre. C'est parce que je m'ennuie beaucoup d'Antonin quand arrive l'hiver. Ouais... C'est à cause des glaces sur l'eau, vous savez. Durant l'hiver, je peux pas traverser le fleuve quand je veux, pour aller voir mon frère. Pis faire le grand détour par Québec, pour aller jusque chez lui, à l'Anse-aux-Morilles, c'est beaucoup trop long. Oui monsieur! Ça, c'est mon autre frère qui me l'a expliqué bien comme il faut. Lionel... C'est lui mon autre frère. C'est un docteur, vous savez. C'est pour ça qu'il est savant pis qu'il connaît ces choses-là... Ouais... L'hiver, l'Anse-aux-Morilles est trop loin pour aller voir mon frère Antonin, c'est ça que Lionel a dit. Ça fait que je m'ennuie pas mal beaucoup, par bouttes.

La candeur de Célestin allait droit au cœur d'Ernest. Avec ses mots tout simples, cet homme qui avait la naïveté d'un enfant était en train de philosopher sur la vie avec une infinie justesse.

— Faut pas s'ennuyer trop fort, parce que des fois, ça donne envie de pleurer, disait-il justement. Antonin, c'est mon frère, mon frère jumeau, même si on se ressemble pas pantoute, parce que lui, il est petit pis malin, pis que moi, je suis grand pis fort. Mais Antonin, c'est aussi mon ami. Oui monsieur. Un ami pour la vie, comme Prudence m'a dit du temps qu'elle avait pas sa maladie de la mémoire... Pis les amis, on aime ça les voir souvent. C'est ça que je pense moi. Pis si je pense ça avec Antonin, pis que des fois j'ai envie de pleurer tellement je m'ennuie, ben, je me suis dit que Gilberte devait ben penser la même chose pour vous, parce que vous êtes des amis… C'est ça qu'elle dit, ma sœur : « Monsieur Ernest est mon meilleur ami, Célestin. » Ouais, elle dit ça, des fois, Gilberte. Pis ça doit être vrai parce que vous parlez ensemble dans le téléphone presque tous les jours. Comme moi avec mon frère Antonin. Pas tous les jours avec Antonin, c'est ben certain, parce que Gilberte voudrait pas. Ça coûte cher, appeler à l'Anse, mais on se parle assez souvent, quand même. Pis si on avait pas eu notre vie d'homme à vivre, Antonin pis moi, ben on serait restés ensemble dans la même maison. Oui monsieur ! Je sais ça, moi. Ça fait que je me suis demandé pourquoi Gilberte pis vous, vous vivez pas dans la même maison ? Ça serait ben plus simple comme ça pour vous parler. Ça serait mieux que le téléphone, en tous les cas. Pis en plus, il y a Germain pis Hubert qui seraient contents… Eux autres avec, c'est des sortes d'amis, même s'ils se parlent pas beaucoup. On voit dans leurs yeux toutes brillants qu'ils aiment ça, être ensemble, par exemple. Oui… C'est ça que je pense, moi, pis il y a pas personne qui va venir changer mon idée. Non monsieur !

À bout de souffle, Célestin se tut brusquement. Trop ému pour songer à répondre, sa voix étranglée l'aurait sans doute trahi, Ernest Constantin tenait le volant à deux mains. Il semblait fort concentré sur la conduite de son véhicule. Peut-être était-ce à cause de la neige qui encombrait les rues ? C'est ce que pensa Célestin. Mais qu'à cela ne tienne, il reprit presque aussitôt, et il demanda, avec une pointe d'inquiétude dans la voix:

— Pourquoi vous dites rien, monsieur Ernest? C'est-tu parce que j'ai dit des grosses niaiseries? Parce que si c'est ça pis que Gilberte l'apprend, m'en vas me faire chicaner.

— Non, Célestin, déclara enfin monsieur Ernest, après avoir fait semblant d'avoir une grosse toux. Tu n'as pas dit de grosses niaiseries. Bien au contraire, tu n'as dit que la vérité.

— Comme ça, j'ai raison avec mon idée?

— Bien sûr.

— Ben là, je suis content, ben content…

Le soulagement de Célestin était palpable et il faisait plaisir à voir.

— Pis? demanda-t-il alors, rassuré. Est-ce que vous allez en parler avec Gilberte de mon idée?

— C'est ce que tu voudrais?

— C'est sûr, ça. Me semble que ça serait ben agréable pour tout le monde de vivre dans la même maison… Sauf que je sais pas trop comment on pourrait faire ça, par exemple. La maison chez nous est bien que trop petite, pour vous pis toutes vos garçons, en plus de nous autres. Pis venir vivre à Québec, ben, je suis sûr que Gilberte aimerait pas vraiment ça.

— Pourquoi tu dis ça, Célestin?

— Que je dis quoi? Que Gilberte voudrait pas venir à Québec?

— Oui.

— Ah ça… C'est pas ben ben compliqué à comprendre, vous allez voir! Chaque fois qu'on revient de voyage, quand on rentre dans la cuisine chez nous pis qu'on allume la lumière, Gilberte regarde tout partout, en poussant un grand soupir. Pis après, elle dit toujours les mêmes mots. Oui monsieur! Elle dit que sa maison est la plus belle de toutes les maisons, pis qu'elle voudrait pas la changer. «Pas pour tout l'or du monde», qu'elle dit, Gilberte. Ça veut dire que son idée est pas mal décidée, non?

— Effectivement, je suis d'accord avec toi, Célestin.

Sur quoi, Ernest Constantin ne put s'empêcher d'ajouter, avec une petite pointe de taquinerie empreinte d'affection:

— Je l'aurais dit autrement, sans aucun doute, mais tu n'as pas tort, Célestin. Moi aussi, je sais fort bien que Gilberte aime énormément votre petite maison au cœur du village.

— Me semblait aussi... Bon, astheure qu'on sait ça, on fait quoi d'abord pour régler le problème?

— On continue d'y penser, répondit alors Ernest avec une certaine prudence, sachant fort bien que Célestin était enclin à s'emballer pour un oui et pour un non. De toute façon, constata-t-il, il n'y a pas péril en la demeure.

— Il y a pas quoi?

Devant cette expression pour le moins obscure pour lui, Célestin retira spontanément sa tuque de laine et il se mit à se gratter vigoureusement la tête. Ce faisant, il tourna un regard perplexe vers Ernest Constantin, qui, de son côté, semblait avoir les mains soudées à son volant. Les rues devaient être vraiment mauvaises!

— Me semble que ça fait déjà longtemps que j'y pense, moi, à mon idée, déclara alors Célestin, ne sachant plus trop ce qu'il devait dire. Pourquoi faudrait y penser encore, monsieur Ernest? Je comprends pas... Pis les autres mots que vous avez dits, je les comprends pas, eux autres non plus. Non monsieur!

Cette précision naïve eut l'heur de dissiper l'espèce de malaise qui s'était emparé d'Ernest Constantin, à la pensée qu'il n'était pas seul à imaginer qu'une vie de famille avec Gilberte puisse être possible et surtout agréable. Néanmoins, malgré la beauté de la chose, Ernest Constantin secoua discrètement la tête. Il y avait encore loin de la coupe aux lèvres, et tout espoir démesuré était probablement prématuré.

Il revint alors à son passager, qui continuait de l'observer en coin.

— Cher Célestin! C'est vrai que l'expression que j'ai employée n'est pas évidente à première vue. Ça veut tout simplement dire qu'il n'y a pas de presse, qu'il n'y a pas d'urgence. On est en plein hiver et personne ne va avoir envie de déménager tout de suite. C'est pour ça que je dis qu'on a encore le temps d'y penser.

— Ah! C'est juste ça? Vos mots, c'est des drôles de mots pour dire qu'on est pas pressés! Mais c'est un petit peu vrai qu'il y a rien qui presse. Pas pantoute, à part de ça. C'est juste au printemps qu'on fait les déménagements, pis là, ben, c'est encore l'hiver.

Malgré ce délai qu'il n'avait pas prévu, après tout, il ne pouvait pas penser à tout, le grand gaillard était visiblement heureux de la tournure des événements. Son soulagement s'entendait jusque dans sa voix. Non seulement monsieur Ernest n'avait pas semblé incommodé par cette idée de vivre tous ensemble sous le même toit, mais en plus, on aurait dit qu'il l'approuvait. Tout ce que monsieur Ernest demandait, en somme, c'était d'attendre un peu. Cela, Célestin pouvait très bien le comprendre. N'empêche qu'un dernier point l'agaçait et c'est pourquoi, après une légère hésitation, il s'enhardit à demander:

— Mais vous allez parler à Gilberte pareil, hein? Même si c'est encore l'hiver. Vous attendrez pas au printemps pour faire ça, j'espère. Parce que moi, je suis pas mal tanné de pas m'endormir le soir, à cause de toutes les idées que j'ai dans ma tête. Ces idées-là, elles m'empêchent de dormir. Oui monsieur! C'est fatigant, pas mal fatigant de penser fort de même.

Cette réflexion rejoignait tellement bien ce que vivait Ernest Constantin, depuis quelques années, qu'il ne put faire autrement que d'approuver aussitôt les dires de Célestin.

— Oh oui, c'est fatigant, trop penser! Ce n'est pas moi qui vais te contredire, Célestin. Moi aussi, je trouve que c'est épuisant quand on pense trop fort, comme tu dis… Et tu as aussi raison de dire que c'est triste, s'ennuyer de quelqu'un qu'on aime. Bien triste… Là-dessus, tu as plus que raison. Il va donc falloir parler à Gilberte, j'en conviens… Alors, Célestin? Selon toi, comment est-ce que je pourrais l'aborder, ta sœur, pour lui parler d'un éventuel déménagement, ou à tout le moins, de la possibilité de vivre ensemble dans la même maison? C'est toi qui vis avec elle, pour l'instant et depuis longtemps, d'ailleurs, tu dois bien la connaître un peu, non?

— Oh oui, je la connais bien, ma sœur Gilberte. Pis pas mal bien, à part de ça.

Célestin s'était redressé, affichant son air important.

— Pour parler à Gilberte, c'est pas ben ben compliqué, monsieur Ernest, expliqua-t-il sans la moindre hésitation, faut juste attendre qu'elle soye de bonne humeur. Ça, par exemple, c'est ben important. Après, faut juste dire la vérité. C'est de même qu'il faut toujours faire les choses, avec Gilberte. Si on lui dit la vérité, elle va nous écouter, pis elle va trouver une solution. Ouais, c'est ça qu'elle dit toujours, Gilberte, pis je pense qu'elle a un petit peu raison parce qu'elle trouve toujours des solutions.

Ernest Constantin ébaucha un sourire.

— Elle a même beaucoup raison, tu sais… Moi aussi, vois-tu, c'est toujours ce que j'ai dit à mes garçons: il n'y a que la vérité qui compte, même quand on a fait des bêtises… Inquiète-toi plus avec tout ça, mon Célestin. À partir de maintenant, c'est moi qui vais y penser, à ton idée. Très sérieusement. Comme ça, toi, tu vas pouvoir dormir tranquille… Maintenant, remets ta tuque, mon homme, on est arrivés à l'épicerie Moisan. Regarde sur l'affiche, c'est écrit: J.A. Moisan… Viens, Célestin, tu vas m'aider à choisir tout ce qu'il faut pour improviser la petite collation qui va accompagner notre apéritif.

— Ben ça, ça me fait plaisir, s'exclama Célestin, tout en enfonçant sa tuque jusqu'aux yeux, déjà prêt à abandonner la réalisation de son projet, puisque monsieur Ernest allait s'en occuper. J'aime ça, des petites collations! Surtout que maintenant, j'ai beaucoup faim!

Ce soir-là, chez les Constantin, l'heure de l'apéritif fut en tous points parfaite. Les canapés, préparés par monsieur Ernest et Célestin, étaient abondants et le vin mousseux, bien frais. On était surtout heureux de se retrouver et l'ambiance était à la fête. Assis l'un à côté de l'autre sur le divan, Germain et Hubert étaient tout souriants, de ce sourire particulier qui leur mangeait tout le visage et qui donnait un bel éclat à leurs regards. Ils tenaient à deux mains leurs verres d'orangeade et, dès que l'un buvait, l'autre le copiait.

Seul le propriétaire des lieux resta silencieux.

Assis légèrement en retrait dans la bergère, Ernest contemplait tous les siens avec tendresse. Il y avait ses trois fils, bien sûr, qu'il aimait d'un amour inconditionnel. Cependant, bien au-delà des liens du sang, il y avait aussi une certaine Gilberte et ses deux hommes qui, aux yeux d'Ernest, faisaient désormais partie de sa famille.

Ne restait plus, peut-être, qu'à officialiser les choses.

Pourquoi pas? Même Célestin y pensait, alors...

Tout en sirotant son vin, Ernest ne quittait pas Gilberte des yeux. Celle-ci discutait joyeusement avec Gérard et sa petite amie, Rita.

N'était-ce pas cette même Gilberte qui avait dit un jour, à son frère Célestin: «Monsieur Ernest est mon meilleur ami»?

À cette pensée, Ernest Constantin se sentit rougir comme un gamin et si quelqu'un lui avait dit, en cet instant précis, qu'apparemment, il venait de rajeunir de trente ans, Ernest Constantin l'aurait cru, sans la moindre hésitation!

Quand ils prirent finalement la route pour se diriger vers le restaurant, Raymond, Gérard et son amie Rita assis dans un taxi qui suivait la voiture d'Ernest, ce dernier croyait bien avoir eu son comptant d'émotions pour la journée.

Il se trompait lourdement.

À peine Ernest avait-il retiré son pardessus et ses couvre-chaussures pour les confier au préposé du vestiaire et alors qu'il se retournait machinalement pour aider Hubert à enlever son paletot, il entendit une voix qui s'exclamait depuis la salle à manger, et suffisamment fort, d'ailleurs, pour attirer l'attention de tous les convives.

— Mais c'est impossible, bordel! Je rêve ou quoi?

Nul doute, cette voix n'était pas d'ici… et l'expression non plus! Mais plus que ce mot «bordel» qu'Ernest détestait entendre, il y eut surtout le nom qui suivit presque aussitôt et qui le fit se figer.

— André?

Ernest tressaillit et il tendit l'oreille, le cœur en émoi. Qui donc pouvait connaître son fils?

— André Constantin? Ça se peut pas, putain! Ça se peut foutrement pas!

— Canton! Qu'est-ce que c'est que ces manières devant les clients?

— Désolé, patron. Mais je voudrais bien vous y voir, vous! Je suis devant un revenant! Faut le faire!

Au bout du compte, les explications précédèrent le repas, tandis qu'on s'asseyait à la table.

— Oui, j'ai bien connu André quand il était en Normandie. La ressemblance avec vous, monsieur, est saisissante.

Les excuses suivirent dans l'instant, tandis que maintenant, on distribuait les menus.

— Toutes mes excuses pour le boucan, tout à l'heure, mais j'ai vraiment cru voir un fantôme.

Finalement, l'invitation arriva au moment de l'addition.

— Je serais très heureux de vous recevoir chez moi, monsieur Canton.

— René, je m'appelle René... Monsieur Canton, c'était mon père... Quant à votre invitation, ben, je l'accepte. C'est un honneur pour moi de rencontrer le père d'André... Un honneur et un privilège. C'était quelqu'un de bien, votre fils, vous savez. Il a beaucoup fait pour la France et je serais heureux de pouvoir vous en parler.

Pour parler, René parla, une petite demi-heure plus tard, quand il arriva chez Ernest avec Raymond, venu le chercher à son travail avec la voiture de son père.

Après tout, c'était toute la vie de René que de s'entretenir avec les clients, et il avait le verbe facile et imagé.

Il commença par raconter son retour de la guerre, alors qu'il n'avait rien retrouvé de ce qui était sa vie d'avant. Cette maison détruite était encore et toujours ce qui lui faisait le plus mal, et René avait eu besoin d'évacuer son amertume et sa désespérance avant de pouvoir parler du reste.

— Rien, monsieur Constantin, il ne reste plus rien de ce qui était ma vie. Que des ruines et de la poussière. Tout ça à cause des maudits Allemands... Voilà pourquoi j'ai décidé de partir. Ce n'était pas de la lâcheté que de tout laisser en plan comme je l'ai fait. C'était, je crois, un épuisement total.

René Canton avait fait la traversée à bord d'un transatlantique pour finalement débarquer à New York, une semaine plus tard.

— New York… Je ne comprends pas que l'on puisse aimer cette ville-là au point de s'y installer. C'est trop. Tout est trop à New York. Puis, je n'y comprenais que dalle! J'ai quand même essayé de m'adapter, je suis ainsi fait, moi, j'aime aller au fond des choses. Mais peine perdue! Leur anglais n'a rien à voir avec celui que je connais. C'est alors que j'ai pensé à André et à son Québec, dont il nous rebattait les oreilles. À son Québec où l'on parle français! Comme j'étais en Amérique, je me suis dit que ce n'était rien, partir de New York pour venir à Québec. Foutaises, oui! À croire que les kilomètres, chez vous, sont plus longs que ceux de par chez nous! J'ai jamais vu autant de forêts de toute ma vie.

Arrivé dans la ville de Québec au début du mois de décembre, René n'avait eu aucune difficulté à se trouver un emploi dans la restauration.

— C'est que l'escarcelle commençait à se vider, expliqua-t-il franchement à son auditoire.

Les garçons, comme on appelait Hubert et Germain, étaient montés se coucher et Célestin, en compagnie de Gérard, s'était réfugié au sous-sol pour jouer au billard. Ne restait plus pour l'écouter que Gilberte, Ernest et Raymond. Après deux portos, René était devenu intarissable.

— Sûr que je voulais voyager, quand j'ai quitté mon patelin, sûr que je voulais me changer les idées, c'était trop déprimant de voir mon bar-tabac réduit à rien. Mais je veux tout de même rentrer à la maison, un jour. Pour ça, il faut de l'argent, et pour avoir de l'argent, ça prend un boulot. Tout ce que je sais faire, moi, c'est servir la clientèle et en français, de préférence. Je me suis présenté au premier restaurant affichant une offre d'emploi, j'ai été embauché, j'ai trouvé une chambre où crécher, et je vis au Canada depuis un mois, maintenant. Voilà! Vous savez tout sur moi ou presque. Quant à votre fils André...

Ernest était suspendu aux lèvres de René, remerciant le Ciel pour cette merveilleuse coïncidence. S'ils avaient tous mangé au restaurant habituel, jamais il n'aurait rencontré René. En effet, ce dernier l'avait dit lui-même, en début de soirée:

— Je n'aurais probablement pas eu l'audace de vous relancer, monsieur. Même si je connaissais votre nom de famille et que les Constantin ne sont pas trop nombreux. Je le sais, j'ai vérifié. N'empêche... Une fois la guerre finie, on ne sait jamais à qui on a affaire, avait-il expliqué. Il y a ceux qui veulent en reparler, et il y a ceux qui préfèrent oublier... Avec André tombé au combat, je ne savais pas comment vous réagiriez en me voyant. Je ne voulais surtout pas blesser qui que ce soit. Le hasard a bien fait les choses, et comme vous voulez que j'en parle, pas de souci, je vais tout vous dire.

Sur ce, René se mit à raconter. Il parla de la nuit où André était tombé par accident dans le verger des Nicolas.

— François Nicolas, c'est le nom de mon ami. Un frère pour moi que ce François. On se connaît depuis l'enfance, lui et moi, et on a fait les deux guerres côte à côte. C'est un producteur de calvados, le calva, comme on dit chez nous. Mais André a bien dû vous en parler, non?

— Non, justement. À travers les mots, j'ai compris qu'il n'avait pas le droit de dire quoi que ce soit. Que des généralités dans les quelques lettres que j'ai reçues de lui. Il y a même eu certaines lettres dans lesquelles il y avait des petites fenêtres parce qu'on avait soigneusement enlevé certains mots. Alors, si vous pouvez m'en parler, maintenant que plus personne n'est tenu au secret, j'en serais sincèrement heureux.

Ce fut ainsi que, confortablement assis au salon auprès d'une bonne flambée qui faisait apprécier l'hiver, un verre à la main et une épaule appuyée tout contre celle de Gilberte, Ernest Constantin apprit enfin ce que son fils avait vécu avant de mourir.

— Si vous saviez les services qu'il nous a rendus ! Un homme de cœur, que votre garçon. Un homme de devoir surtout. Il n'a laissé que des amis pour le pleurer, conclut René, après avoir raconté leur vie de Résistants durant de longues minutes. Il faut être fier de lui, monsieur. Il a sacrifié sa vie pour la liberté de la France, pour la liberté du Monde. Ce n'est pas rien...

Quand les deux hommes se quittèrent en fin de soirée, ils avaient l'impression de se connaître depuis toujours.

— Vous revenez quand vous voulez, René.

— L'invitation n'est pas tombée dans l'oreille d'un sourd !

Se préparant à sortir, René empilait manteau par-dessus chandail.

— Je ne connais personne, ici, à part le patron du bistro où je bourlingue, et je suis plutôt habitué à avoir des tas de copains autour de moi, comme vous devez bien vous en douter, alors, je trouve ça difficile. Je ne vous dis que ça ! Allez ! Bonne continuation !

Janvier n'était pas terminé que René Canton quittait sa chambre en location sur la rue Saint-Louis pour s'installer sur la rue Bougainville.

— Il faut bien que la chambre d'André serve à quelque chose, lui avait dit Ernest tout simplement, la veille au soir, quand René était venu « casser la croûte » avec eux, profitant d'une soirée de congé. À la manière dont vous parlez de mon fils, je crois qu'André aurait été heureux de savoir que c'est vous qui allez occuper sa chambre.

Comme René n'avait qu'une seule valise et quelques meubles achetés à l'Armée du Salut, le déménagement se fit rondement. Même sous la neige qui tombait abondamment, cela ne prit qu'une petite heure.

Ce soir-là, en s'endormant, René pensa à sa maison détruite, et la rage habituelle ne fut pas au rendez-vous. Après tout, le père Talon n'avait pas tort quand il disait qu'il y avait pire que cela dans la vie. À Hiroshima et à Nagasaki, c'étaient des milliers de morts qu'on pleurait et deux villes entières qu'il fallait reconstruire.

Puis, René pensa à François, dont il n'avait eu aucune nouvelle depuis des mois et il dut s'avouer qu'il commençait à sérieusement s'ennuyer de lui. Comment allait-il, son copain de toujours ? En Normandie, l'hiver n'était pas la meilleure saison pour prendre du mieux.

Ensuite, René eut une seconde pensée pour le père Talon, qui lui avait promis de veiller sur son terrain et il esquissa un sourire ensommeillé. Comme si les pierres allaient s'enfuir !

Demain…

René échappa un long bâillement.

Demain, il allait écrire à Octave Talon pour lui donner de ses nouvelles, lui dire que l'ennui commençait à se faire sentir, et lui donner sa nouvelle adresse. Octave Talon devrait comprendre le message.

Il lui demanderait aussi de saluer François de sa part et de lui mentionner qu'il allait bien.

François aussi devrait comprendre que ça voulait dire que le retour commençait à se faire prévisible.

L'image de la maison ancestrale des Canton traversa furtivement sa pensée et, pour une toute première fois, René se dit qu'il pourrait reconstruire. Pourquoi pas ? Le terrain était là, les pierres aussi. Ce serait un travail de titan, mais avec bien des mains et des bonnes volontés, René parviendrait à tout remettre en état. Ainsi, les Allemands n'auraient pas la satisfaction d'avoir détruit le patrimoine des Canton en Normandie !

L'idée fut suffisamment réconfortante pour que René ferme les yeux en bâillant.

L'esprit ensommeillé, René s'attarda sur Ernest et sa famille. André avait eu raison de parler des siens avec chaleur. Tous, sans exception, ils étaient gentils et généreux. Même le jeune Hubert. À sa façon.

René sombra brusquement dans le sommeil à l'instant où il était en train de se dire que s'il avait eu la chance d'avoir un frère aîné, bien, il aurait aimé que ce soit quelqu'un comme Ernest Constantin.

CHAPITRE 9

« Le plus grand voyage commence toujours
par le premier pas. »
FRANÇOIS DE LA ROCHEFOUCAULD

Normandie, le mardi 8 avril 1947

Dans le verger des Nicolas,
à l'aube, comme toujours...

En apparence, François Nicolas semblait se porter de mieux en mieux, puisque tous les matins, à la pointe du jour, il montait la colline d'un bon pas et venait marcher dans ce qui restait de son verger.

Ceux qui le connaissaient bien se disaient, remplis d'espérance, que le producteur de calvados était enfin de retour.

Mais allez donc savoir le secret des âmes, se disait par contre Maurice Lacroix, qui avait repris son ancienne habitude et l'observait de loin.

Au tout début de cette nouvelle routine, François venait se promener seul dans son verger.

Le matin, à l'aube, comme il l'avait si souvent fait par le passé.

Cela avait pris de longues semaines pour que Maurice se décide enfin à se joindre à lui.

Bien sûr, il y avait eu cette première rencontre, à quelques jours de Noël. Un moment d'importance entre eux. Cependant, depuis ce matin-là, les deux hommes ne s'étaient finalement pas fréquentés. L'envie de lancer une invitation, de convier François pour un repas, avait été revue et corrigée à tête refroidie, et Maurice n'y avait pas donné suite.

Au cours des semaines suivantes, tout comme il l'avait fait à maintes reprises au fil des années, Maurice s'était contenté d'observer de loin. Puis, il y avait eu ce matin de mars, où il avait finalement admis qu'il en avait assez de toujours vivre en retrait, et il avait alors demandé à François s'il pouvait se joindre à lui pour arpenter le verger. Après tout pourquoi pas, puisque la glace avait été rompue quelques semaines auparavant?

Le printemps s'annonçait enfin, et c'était probablement à cause de cette petite douceur de l'air que Maurice s'était invité à partager la promenade de François.

— Tu permets?

Haussement d'épaules à peine perceptible, regard furtif, puis François avait détourné la tête.

— Comme tu veux, avait-il répondu en reprenant sa marche.

À ces mots, Maurice avait opiné du bonnet, fort aise que François ne l'ait pas dévisagé ni renvoyé à ses terres.

S'il n'en tenait qu'à lui, Maurice s'était dit, à ce moment-là, que leurs routines respectives risquaient fort de se voir modifiées.

Ce fut ainsi qu'il avait réitéré sa demande le lendemain, et le surlendemain, et après…

Entre les deux hommes, les liens d'une amitié, qui, malgré tout, avait transcendé le temps, en avaient profité pour se renouer, comme les deux bouts d'une ficelle qu'on aurait oubliée au fond d'un tiroir et qui, un bon matin, s'avérait essentielle.

Aujourd'hui, le nœud semblait de plus en plus solide.

Ils parlaient peu, se contentaient de la présence de l'autre.

— Bonne journée, François.

— À bientôt, Maurice.

Quand parfois, par matin de bon soleil, le petit Nathan sortait de la maison en coup de vent et réclamait son grand-père à grand renfort de cris et de rires, Maurice s'éclipsait, se glissait comme un courant d'air entre les arbres de la forêt toute proche.

— À la prochaine, François, lançait-il par-dessus son épaule.

— C'est ça, Maurice. À la prochaine.

C'étaient souvent là les seuls mots échangés entre eux durant de longues minutes.

Depuis le début du printemps, ils se rencontraient ainsi quelques fois par semaine.

Cette promenade matinale était devenue une sorte de rituel consacré à la mémoire. Ils se saluaient d'un hochement de la tête, parfois d'un grognement qui pouvait passer pour une salutation. À l'occasion, ils échangeaient quelques mots d'usage sur la température, puis, côte à côte, ils marchaient sans but réel, flânant entre les pommiers calcinés tout en repensant à leur jeunesse, à cette merveilleuse époque de tous les possibles.

La fumée de leurs pipes les suivait paresseusement, glissant à la rencontre du soleil qui se levait à l'horizon.

Sans avoir besoin de le préciser, François et Maurice s'engageaient exactement dans la même réflexion, ces matins-là. Ils revenaient de part et d'autre au même passé, parce que c'était à cette époque révolue que les souvenirs communs avaient pris racine.

Par la suite, après la Grande Guerre, il n'y avait plus eu entre eux aucun souvenir partagé, sinon que leur amitié avait peut-être poursuivi sa route à travers leurs filles, Françoise et Brigitte.

La Grande Guerre avait enténébré l'avenir de Maurice, le laissant défiguré, et il s'était alors retiré du monde.

La Seconde Guerre avait interrompu abruptement l'avenir de François, lui arrachant femme et verger, et il s'était, lui aussi, retiré du monde.

Deux façons d'être blessés, l'un dans sa chair, l'autre dans son âme, mais un amalgame d'émotions intenses, semblables et douloureuses, continuaient de les réunir.

Petit à petit, un jour à la fois, Maurice avait cependant réussi à s'adapter, à sa façon bien à lui, discrète, farouche et rêche.

François, pour l'instant, continuait d'avancer dans une sorte de *no man's land* dense et brumeux, âme errante sans intention et sans envie de trouver un véritable sens à tout cela.

Peut-être François Nicolas avait-il peur de comprendre qu'il n'y avait plus de sens à sa vie? Peut-être...

Alors, semblait-il, François se laissait porter par le fil des saisons, des jours et des heures. Même s'ils n'en parlaient jamais entre eux, Maurice savait le mal-être de son ami, cette langueur insaisissable capable de détruire bien des choses, jusqu'aux volontés les plus tenaces. Malgré les apparences, cette promenade du matin n'étant possiblement qu'un leurre, aux yeux de Maurice, François Nicolas continuait d'avancer sur un fil tendu à l'extrême, un fil qui risquait de se rompre à tout instant, comme il l'avait fait en ce matin de décembre où François avait hurlé et pleuré sa douleur de vivre. Maurice se disait que l'espérance de leur rencontre matinale aiderait peut-être François à s'accrocher, si jamais il trébuchait de nouveau.

Toutefois, le rire du petit Nathan engendrait, chez François Nicolas, un sourire occasionnel, sincère et franc. Naissait alors, dans son regard, le reflet d'une autre époque. Oui, nul doute, un éclat fragile et précaire illuminait furtivement les yeux du grand-père lorsqu'il apercevait le gamin, courant vers lui de toutes ses forces.

Il n'y avait qu'à ce moment-là où Maurice Lacroix entrapercevait l'ancien François.

Nathan était-il l'ancrage retenant réellement François Nicolas à la vie?

Éventuellement, oui.

Maurice le croyait. Comme lui avec ses enfants qui, l'un après l'autre, avaient donné un sens à sa vie, à leur vie, à sa femme et lui.

«Un enfant, avait-il toujours pensé, c'était le lien le plus puissant inventé par le destin pour rattacher quelqu'un à la vie.»

À partir de cette vie toute neuve, le labeur quotidien n'était plus inutile, et l'espoir restait permis malgré tout. C'était ce qu'il se disait, Maurice, chaque fois qu'il apercevait l'ombre d'un sourire adoucir les rides du visage de son ami. Il se disait aussi que tout espoir n'était pas perdu, puisque Nathan avait encore le pouvoir de faire sourire son grand-père.

Ce matin-ci n'avait pas fait exception à ce rituel établi entre eux.

Les deux hommes s'étaient rencontrés au lever du soleil, sur le haut de la colline, François venu par le petit sentier, et Maurice, par le chemin de pierrailles. Ils s'étaient salués, puis ils avaient longtemps marché sous un soleil qui gagnait en hauteur et en chaleur.

Comme cette tiédeur sur l'épaule, sous la veste, donnait envie de parler, de commenter, Maurice se permit alors de briser le silence.

— Nul doute, le printemps est enfin là, chuinta-t-il de sa voix si particulière.

— C'est vrai.

Sur ce, comme pour vérifier les dires de son ami, François huma l'air tout autour de lui avant de reporter les yeux au sol.

— C'est vrai, répéta-t-il avec une certaine conviction, comme s'il venait tout juste de remarquer que ce matin, l'air avait subtilement changé.

Puis, quelques instants plus tard, Maurice s'arrêta, avant de se pencher vers une souche noircie.

— Regarde, François.

Du bout de sa pipe, Maurice montrait le tronc de

l'arbre à sa base, là où l'écorce morte, devenue toute grise avec le temps, s'enfonçait dans la terre.

— Regarde. Il y a un arbre qui pousse. Ma foi, on dirait un rejeton. On dira ce que l'on voudra, mais c'est fort, la vie.

François ne répondit pas. Toutefois, par vieux réflexe ancré en lui par des années de travail et d'attachement à son verger, François se pencha lui aussi et, du bout de l'index, il caressa la pousse d'un minuscule pommier.

À ce geste empreint de respect et de douceur, Maurice Lacroix se redressa et, sur son visage couvert de cicatrices, il afficha le plus large des sourires, se détournant vivement, toutefois, car il se savait hideux quand l'envie de rire ou de sourire le prenait.

— Tu as raison, Maurice, entendit-il cependant dans son dos. C'est bien un jeune pommier...

Puis, l'instant d'après, avec une certaine urgence dans la voix :

— Tu vas m'excuser, mais je vais rentrer tout de suite. Françoise doit déjà être à la cuisine. Depuis quelques jours, elle se lève en même temps que moi. Pour nous, la saison vient de commencer.

Nul besoin d'expliquer la raison de ce départ précipité, Maurice avait tout deviné. Il avait surtout remarqué que François avait dit un « nous » imprévisible qui s'ajoutait à l'invraisemblable présence du minuscule pommier.

— Va, François, va rejoindre ta fille ! On se revoit un de ces jours.

— C'est ça, à un de ces jours.

François s'éloignait déjà.

Quand Maurice regagna le chemin de cailloux, il avait allongé le pas, lui aussi. Il lui tardait de parler à sa femme. Si elle en voyait la nécessité tout comme lui, ce soir, ensemble, ils prendraient le temps d'écrire à René.

Maurice jugeait qu'il était temps que René Canton revienne au village. Pour la buvette qui manquait sérieusement à tous les copains, bien sûr, même si lui ne la fréquentait pas, et pour tout le reste. René avait toujours été un rouage essentiel à la bonne marche de leur village et son absence se faisait sentir. Sans lui, la place de la fontaine Victor-Hugo n'était plus la même et si on voulait vraiment accéder au plaisir de ces mois de l'après-guerre, ils avaient besoin de René. Voilà ce qu'en disait la femme de Maurice quand elle revenait du village après les courses.

— Sans René et son odeur de café qui envahit la place, ce n'est plus tout à fait pareil. On dirait que pour renaître enfin et pour de bon, le village a besoin de lui.

Ceci étant dit, si jamais René n'avait pas envie de revenir, et peu importe la raison invoquée, Maurice se ferait insistant et lui demanderait tout de même de le faire pour François.

Toujours d'après sa femme, il semblait bien que le père Talon connaissait l'endroit où l'on pouvait joindre René. La ville, le pays, le continent où il s'était réfugié n'étaient pas un secret pour lui. Maurice s'adresserait donc à Octave Talon, par épouse interposée, et le mécanicien de Falaise pourrait ainsi faire suivre la lettre.

Ce qui fut fait.

Le lendemain, au moment où Maurice quittait la maison pour sa promenade quotidienne, sa femme lui confirma qu'elle se rendrait à Falaise, le jour même, pour remettre leur lettre au père Talon.

— Ne sois pas surpris si je ne suis pas là à ton retour.

Maurice approuva d'un bref mouvement de la tête, le tuyau de sa pipe déjà fiché entre ses lèvres.

Puis, il sortit de chez lui.

Ce matin, le soleil était encore au rendez-vous, avec quelques degrés supplémentaires en cadeau.

Maurice profita donc pleinement de cette promenade tout à fait agréable qui le mena tout naturellement jusqu'en haut de la colline.

Il y avait les oiseaux chanteurs, il y avait le soleil éclatant, il y avait cet immense ciel tout bleu.

Mais, alors qu'il allait s'engager machinalement dans le boisé séparant la route du verger, marchant résolument vers les deux chênes qui lui indiquaient le sentier, Maurice tendit l'oreille.

Ce matin, on aurait dit que François n'était pas seul.

Le promeneur s'arrêta.

À travers les branches dénudées de ce boisé plutôt étroit, une conversation arrivait à se glisser jusqu'à lui. Immobile, tirant sur sa pipe avec gourmandise, Maurice se fit attentif.

— Regarde, c'est ici, entendit-il clairement.

C'était la voix de François.

— Oh! Mais c'est tout petit, grand-père. T'avais parlé d'un pommier!

— Mais c'est un pommier. Qu'est-ce que tu crois? C'est un bébé pommier.

— Oh! Un bébé...

Il y eut un silence, puis, Nathan, puisque c'était lui qui accompagnait François, demanda de sa voix d'enfant, cristalline comme le petit matin qui se levait:

— Est-ce que ça donne des pommes, un bébé pommier, grand-père?

— Qu'est-ce que tu en penses?

À nouveau, un bref silence rempli de questionnement.

— Ben… Je pense que non, grand-père.

— Et pourquoi?

Cette fois, Maurice eut droit à un rire franc et joyeux qui ruissela comme une cascade à travers les arbres, sans la moindre hésitation.

— Parce que la branche est trop petite pour tenir une grosse pomme rouge, voyons, grand-père!

— Heureuse déduction, Nathan… Il y en a là-dedans.

Sans le voir, Maurice devina un grand-père tapotant affectueusement la tête d'un gamin, qui, lui, bombait le torse et redressait les épaules, fier du compliment.

Le temps de savourer la chose, et ensuite, la curiosité l'emporta.

— Pourquoi il y a des bébés pommiers, ici, grand-père, et pas dans l'autre verger, en bas de la colline, de l'autre côté de la maison? J'en ai jamais vu, tu sais.

— Et tu ne devrais pas en voir non plus.

— Pourquoi?

— Parce que l'autre verger a été bien entretenu par ta maman et les ouvriers qui viennent nous aider. Quand il y a des repousses, comme ici, on les enlève pour que le gros pommier garde toute sa force afin de faire pousser beaucoup de belles grosses pommes rouges.

— Ah bon… C'est vrai que c'est important, avoir beaucoup de pommes. C'est maman qui le dit…

Encore un silence rempli de chants d'oiseaux, puis :

— Ici, analysa le jeune Nathan, il y a eu le gros orage qui a tout détruit… Je m'en souviens, du gros orage, tu sais, grand-père, il m'a fait très peur…

Du bombardement lors du débarquement, Nathan n'avait gardé que le souvenir d'un violent orage, tel que Françoise l'avait présenté. Que sa grand-mère y ait laissé la vie ne voulait plus rien dire pour lui. Comme si son esprit avait décidé d'escamoter volontairement un chagrin trop grand, c'est à peine si le petit garçon se rappelait Madeleine Nicolas. Pourtant, Dieu sait qu'elle l'avait aimé et couvé, cet enfant-là ! Bien plus préoccupé par la présence de jeunes pommiers, Nathan reprit :

— C'est à cause de l'orage, hein, grand-père, que maman n'a plus entretenu le verger de la colline ? Parce que les arbres avaient brûlé ?

— C'est pour ça, Nathan…

— Et les bébés pommiers qui poussent ici, on va faire quoi avec ?

— Toi, qu'est-ce que tu en ferais ?

— Ben…

Dans ce tout petit mot, Maurice entendit toute la perplexité de l'enfant qui découvre le monde. Il en fut ému.

— Je pense que je les laisserais pousser, reprit Nathan sur un ton à la fois convaincu et hésitant, ce ton que prennent tous les enfants quand ils ne veulent, au final, qu'une simple approbation. Les bébés pommiers, ça devient des gros arbres, un jour, non ?

— Habituellement, oui, ça devient de gros arbres. Si on s'en occupe comme il se doit, bien entendu.

— Ben, on les laisse, alors ! Je vais m'en occuper, moi, pour avoir encore plus de pommes… Tu vas me montrer, grand-père… Ça serait chouette d'avoir beaucoup de pommes. Maman serait contente.

— Toi, t'aimes bien quand ta maman est contente, n'est-ce pas ?

— C'est sûr, ça… J'aime beaucoup quand elle chante. Pis j'aime bien quand mon papa sourit ou quand il a envie de jouer avec moi. Mais ça n'arrive pas souvent. Maman ne chante presque plus parce qu'elle travaille tout le temps, pis papa ne joue jamais avec moi parce qu'il dit qu'il est fatigué. Il reste à la maison, tout seul parfois, toujours assis devant la fenêtre.

— Oui, je sais…

La voix de François était soucieuse. Maurice crut même entendre un long soupir avant que la conversation ne reprenne.

— Si tu m'aidais, maintenant ? demanda alors François, sur un tout autre ton, un ton qui s'accordait mieux avec le printemps tout jeune et tout léger. On va regarder les troncs, tous les troncs, et on va essayer de voir s'il n'y aurait pas d'autres bébés pommiers qui poussent à côté. Est-ce que ça te dit ?

— Bien sûr, grand-père. J'aime ça, travailler avec toi.

— Oh ! Travailler…

Cette fois-ci, ce fut un sourire qui transpirait de la voix de François.

— C'est vrai que c'est un travail important, faire

l'inventaire des pommiers, approuva-t-il sérieusement. T'as bien raison, Nathan… D'accord, on fait comme ça. Après, on ira en parler avec ta maman. Peut-être que ça va la faire sourire quand elle va apprendre qu'il y a des bébés pommiers qui poussent ici. Peut-être bien qu'elle aussi, elle va vouloir les garder, ces tout petits arbres, et qu'elle va monter la colline en chantonnant pour venir les voir… Qu'est-ce que tu en penses?

— Bonne idée, grand-père. C'est sûr que ça va la rendre contente, ma maman, si elle sait qu'il va y avoir encore plus de pommes… Suis-moi! On commence par ici… Oh, regarde!

La voix du bambin était ravie.

— T'avais raison: il y a un autre bébé arbre, je crois! Vite, viens voir, grand-père.

Maurice s'éclipsa silencieusement et, à pas de loup, il regagna la route menant à sa maison.

Quelques mots de Nathan lui trottaient encore dans la tête et ils lui tinrent compagnie jusque chez lui, faisant naître d'autres projets de correspondance.

Ce soir, ce serait pour leur fille que Maurice et sa femme allaient ressortir le papier à lettres. Il était peut-être temps que Brigitte songe à venir les visiter. Voilà ce que Maurice avait l'intention de lui écrire. Cela faisait plusieurs semaines que sa femme et lui n'avaient pas vu leur fille, et, à travers les mots de sa dernière missive, un court billet en février, Maurice avait cru comprendre que l'enthousiasme que Brigitte avait déjà ressenti devant les études allait s'étiolant. En effet, Maurice, tout comme son épouse d'ailleurs, avait perçu un certain désintérêt enveloppant les mots employés par Brigitte. Ça ne pouvait tromper. Dans de telles conditions, elle accepterait peut-être de prendre quelques jours de repos pour venir les voir.

Quant aux études, s'il y avait là matière à discussion, ce ne serait pas le but premier de cette visite, celle qu'il réclamerait dans sa lettre.

C'était Françoise qui serait le sujet de la lettre, car, de toute évidence, elle avait besoin de Brigitte, l'amie de toujours, la presque sœur. Voilà ce que Maurice avait l'intention d'écrire en priorité à sa fille.

« Françoise a besoin de toi. »

Pour tout le reste, il serait bien temps d'y voir plus tard !

L'envoi mit quelques jours à se rendre à destination. Arrivée le matin, la lettre devrait attendre le retour de Brigitte, prévu en fin de journée, pour être lue. Simone Foucault avait bien essayé de deviner de qui venait la lettre et même de lire au travers du papier de l'enveloppe, mais peine perdue. Elle n'avait rien pu déchiffrer et on n'avait pas inscrit l'adresse de l'expéditeur. Quant à l'oblitération, elle était à peine visible. Dépitée, la vieille dame avait donc posé l'enveloppe bien en évidence, par-dessus la pile de quelques autres papiers sans grande importance, et elle avait rongé son frein jusqu'au retour de Brigitte.

Tel qu'escompté, à peine un pied dans le vestibule, la jeune femme jeta un coup d'œil un peu distrait vers le guéridon. Il était bien rare, maintenant, qu'il y ait quelque chose pour elle. Aussi, quelle ne fut pas sa surprise quand elle comprit que la lettre posée sur le dessus de la pile lui était destinée !

Contrairement à l'habitude qu'elle avait prise avec le courrier qu'elle recevait en temps de guerre, Brigitte n'attendit pas d'être dans sa chambre pour décacheter l'enveloppe. Elle en déchira immédiatement un coin, car elle avait reconnu le tracé des lettres de son nom. Tout en se dirigeant vers la cuisine où elle savait qu'elle devrait trouver madame Foucault en train de voir au repas du soir, la jeune femme retira donc deux feuillets couverts de l'écriture déliée qu'elle avait identifiée au premier coup d'œil : pour que son père se donne la peine d'écrire, c'était que quelque chose de grave ou de notable s'était passé dans son patelin. Brigitte préférait ne pas attendre pour prendre connaissance des nouvelles qu'on avait cru bon lui envoyer.

Debout au milieu de la pièce, sans même saluer madame Simone qui avait soulevé un sourcil curieux, Brigitte se mit à lire.

Assise à la table, comme tous les jours à la même heure, alors qu'elle s'apprêtait à peler les légumes du dîner, Simone Foucault, tout en s'activant, jeta un œil inquisiteur sur sa jeune chambreuse. La lettre devait être d'importance, puisque Brigitte n'avait absolument rien dit en entrant dans la pièce. Pas le moindre mot de salutation ni le plus infime regard dans sa direction...

Et comme tout ce qui touchait la jeune femme touchait Simone Foucault par ricochet...

Les sourcils de la vieille dame se froncèrent dès qu'une ride d'impatience apparut sur le front de Brigitte. Celle-ci poussa alors un soupir contrarié, voire un soupir d'exaspération, toujours sans rien dire.

Simone Foucault ne put se retenir plus longtemps.

— Alors, jeune fille, demanda-t-elle enfin, sa curiosité mise à mal par l'attitude de la jeune femme. Que se passe-t-il, grands dieux, pour que vous ayez l'air aussi soucieuse ?

Brigitte leva un œil surpris.

— J'ai l'air soucieuse, moi ?

Simone Foucault leva les yeux au plafond et, sans répondre à la question, elle asséna une petite tape sur la table.

— Regardez-moi ça, elle sait encore parler ! fit-elle sarcastique. Bonjour tout de même, Brigitte, la journée s'est bien passée ?

— Bonjour, madame Simone... Oui, la journée se passait bien, très bien même, jusqu'à ce que je lise cette lettre.

— Et de qui est-elle, cette lettre qui semble avoir le pouvoir de changer votre humeur à ce point ?

— De mon père, précisa Brigitte tout en secouant les deux feuilles de papier... En fait, de mes parents, mais c'est mon père qui l'a écrite... Chez nous, c'est toujours mon père qui s'occupe du courrier et qui écrit les lettres. Je me demande bien pourquoi, d'ailleurs... Mais peu importe.

— Alors ?

D'un petit geste rapide de la main, repoussant quelques pelures de légumes devant elle avec le bout du couteau, Simone Foucault affichait son impatience sans la moindre vergogne.

— Qu'est-ce qu'elle dit, cette lettre ? demanda-t-elle

encore, naturellement indiscrète. Rien de malheureux, j'espère!

— Pas vraiment, non. Elle me demande tout simplement de retourner à la maison…

Simone Foucault accusa le coup, comme elle le faisait toujours lorsque son petit confort quotidien risquait d'être bouleversé. Elle s'était créé une petite famille à sa mesure, aidée en ce sens par le destin, sans aucun doute, mais ce fait n'empêchait pas qu'elle ne voulût rien perdre de ses acquis qui s'appelaient Eva, Johannes et Brigitte. Une fois de plus serait, dans son cas, une fois de trop.

Simone Foucault jugeait qu'il y avait eu suffisamment de souffrance et de larmes pour justifier un peu de bonheur sans faille jusqu'à sa mort.

La main qui tenait le couteau et déplaçait les pelures resta donc immobile durant un court moment, avant de se mettre à trembler légèrement.

— Retourner chez vous? Pas pour toujours, j'espère bien?

Brigitte comprit aussitôt la méprise. Oubliant momentanément la lettre de son père et son contenu, elle se fit rassurante.

— Mais qu'est-ce que vous allez penser là? Bien sûr que non, madame Simone! Et quand bien même ce serait le cas, et que mes parents laisseraient entendre qu'ils aimeraient me voir revenir pour de bon, j'aurais mon mot à dire. Quand même!

Sur ce, Brigitte leva les yeux vers madame Simone à l'instant précis où l'économe reprenait du service, puisque la vieille dame se voyait tranquillisée par cette réponse. Le cliquetis du couteau avait un petit son de soulagement, un son de normalité qui rasséréna curieusement la logeuse. Elle intensifia le mouvement. Mais avant qu'elle n'ait pu poursuivre son interrogatoire, devenu brusquement son unique priorité, Brigitte la devança et elle rentama ses explications qui prirent rapidement la forme d'une diatribe.

— C'est qu'il ne se doute de rien, mon père ! s'insurgea-t-elle alors avec humeur. Je n'ai ni le temps ni l'envie de faire un saut en Normandie. J'ai des études, moi, au cas où il l'aurait oublié, et un travail… Non, mais ! À lire les mots, j'ai le sentiment que mon père s'imagine qu'il n'a qu'à exiger, qu'à claquer des doigts pour que j'accoure ventre à terre…

— C'est ce qu'il vous demande ?

— À peu près, oui…

— Ah bon… Je vois, laissa tomber Simone Foucault qui, en fait, ne voyait rien du tout.

Madame Simone maniait l'économe avec dextérité et les pelures de pommes de terre qui avaient commencé à s'empiler sur la table devant elle virevoltaient maintenant à une vitesse stupéfiante.

— Et si vous preniez le temps de vous asseoir pour tout relire ? proposa-t-elle avec une aménité qui ne lui était pas habituelle, sans toutefois lever les yeux de son travail.

Sa curiosité naturelle était mise à rude épreuve, nul doute, néanmoins, il y avait tout de même l'horaire à respecter, n'est-ce pas ? Pour madame Foucault, c'était sacré. D'autant plus qu'à la seconde où Johannes mettrait les pieds dans la maison, revenant de faire ses livraisons de linge propre après les heures de classe, il serait affamé !

— Donnez-vous la peine de tout reprendre tranquillement, et à voix haute, suggéra alors madame Foucault, qui espérait ainsi satisfaire son indiscrétion sans pour autant perdre son temps. Si vous le permettez, tout en travaillant, je vais tenter d'y voir clair avec vous.

Sans répondre formellement, Brigitte tira tout de même une chaise vers elle et s'y laissa tomber en soupirant bruyamment une seconde fois. Puis, baissant les yeux sur le papier, Brigitte donna suite à la proposition de madame Simone et elle se mit à tout relire d'une voix boudeuse. Quand elle eut terminé, elle leva la tête et fixa sa logeuse.

— Vous le voyez bien que mon père a écrit en noir sur blanc qu'il faudrait que je retourne à la maison… Comme s'il avait encore des ordres à me donner !

— Des ordres ! Voyez-vous ça ! Tout de suite les grands mots.

L'économe s'activait au-dessus de la dernière pomme de terre. Ensuite, quelques carottes ramollies par un long hiver d'attente dans le caveau aboutiraient à leur tour dans le chaudron tout cabossé.

— Moi, jeune fille, ce n'est pas du tout ce que j'ai cru comprendre des propos de votre père, expliqua madame Simone, de ce ton qui lui était coutumier, celui qui n'acceptait pas les réfutations. Il ne vous ordonne d'aucune façon de retourner chez vous, comme vous le dites. Il vous demande plutôt de venir aider votre amie Françoise, celle dont vous me parlez depuis des années, celle que vous appelez votre « presque sœur » ! Admettez que ce n'est pas tout à fait la même chose !

— Alors là, je ne suis pas d'accord…

— Comment, pas d'accord ? Mais qu'est-ce qui se passe avec vous, aujourd'hui, Brigitte ? Je ne vous reconnais plus ! Françoise, LA Françoise dont votre père parle dans sa lettre, c'est bien votre amie, ou quoi ?

— Bien sûr que Françoise est mon amie ! Comment pouvez-vous en douter, ne serait-ce qu'une seconde ? Depuis le temps que je vous en parle…

— Ben justement, coupa madame Simone. Je ne comprends pas votre réaction, jeune fille. Si votre père dit qu'elle a besoin de vous et qu'il vous suggère une petite visite dans votre patelin, pourquoi y voir une contrainte ou un commandement ?

Le temps que ces quelques mots se fraient un chemin dans l'esprit de Brigitte, et elle se mit à secouer vigoureusement la tête.

— Non, non, madame Simone…

La jeune femme exhala encore une fois un long soupir.

— Oubliez ma réaction pour un instant, s'il vous plaît.

Subitement, Brigitte semblait préoccupée. Entièrement plongée dans ses réflexions, elle fixait la table.

— L'interprétation que j'ai faite des propos de mon père était probablement erronée, vous avez raison… Disons qu'elle était à tout le moins exagérée, admit-elle facilement d'une voix évasive. La fatigue, sans doute… J'ai eu de longues heures de cours à l'institut, aujourd'hui, et monsieur Jacob était débordé quand je l'ai retrouvé… Mais qu'importe, puisque le problème n'est pas là.

Brigitte reporta les yeux sur la lettre, secoua encore un peu la tête avec ce qui sembla être une bonne dose de découragement, puis, lentement, elle revint à madame Foucault.

— Quand mon père dit que Françoise a besoin d'aide, il a tout faux, annonça-t-elle avec une assurance imprévue. À partir de ce principe, je ne vois pas pourquoi je donnerais suite à la demande de mes parents. Me rendre en Normandie serait une perte de temps pour moi, un dérangement pour monsieur Jacob, et une visite complètement, mais alors là, complètement inutile pour Françoise.

C'était bien la première fois que madame Foucault entendait Brigitte affirmer avec autant d'aplomb qu'elle n'aiderait pas quelqu'un. Et ce quelqu'un, en l'occurrence, était sa meilleure amie. Curieux ! Mais avant qu'elle n'ait pu intervenir, Brigitte reprenait.

— Françoise n'a pas besoin de moi, justifia-t-elle au même instant, en écho aux pensées de madame Simone. Elle a besoin de son mari. Et de son père, cela va de soi. Mais de part et d'autre, ça sonne occupé, depuis la fin de la guerre ! Ce qui fait qu'elle se retrouve seule, Françoise. Seule pour voir à tout, et elle n'en peut plus. Il est là, le problème, et pas ailleurs. Je le sais, on en a longuement parlé, elle et moi, quand j'étais chez mes parents à Noël. Et elle me l'a réitéré dans sa dernière lettre… Là-dessus, je suis d'accord avec mon père quand il dit que Françoise a besoin d'aide. Toutefois, on ne voit pas la situation avec le même bout de la lorgnette, lui et moi, car s'il croit que je peux faire la différence, il se trompe. Je n'ai absolument rien à voir là-dedans.

Madame Simone trépignait intérieurement de devoir écouter sans rien dire, puisque Brigitte parlait rapidement et sans interruption. Elle profita du fait que la jeune femme reprenait son souffle pour enfin donner son avis.

— L'un n'empêche pas l'autre, vous ne croyez pas? Même si votre amie n'a pas besoin de vous, sauf peut-être comme soutien au quotidien, et cela, je peux facilement concevoir que vous ne pourriez donner suite, il n'en reste pas moins qu'elle est votre amie. Il arrive parfois que la présence d'une amie sincère donne bien du courage et fasse la différence.

— Que vous dites, oui!

La réplique de Brigitte avait fusé avec une intonation étrange, presque douloureuse, qui surprit et attrista Simone Foucault.

— C'est bien parce que vous ne connaissez pas Françoise comme je la connais que vous parlez comme ça, madame Simone, poursuivit Brigitte, inconsciente des émotions que ses propos suscitaient. Elle n'a besoin de personne, Françoise. Elle a toujours été comme ça. Sur ce point, elle ressemble à sa mère, qui savait très bien ce qu'elle voulait et la plupart du temps, elle savait aussi comment l'obtenir… Et je ne parle pas uniquement des corvées du quotidien… Non, ce n'est pas Françoise qui a un problème à régler, comme semblent le croire mes parents, ce sont plutôt son mari et son père qui ont, tous les deux, de sérieuses complications avec eux-mêmes. Et voyez-vous, madame Simone, je me vois bien mal en train de leur parler, à ces deux-là…

Tout en brossant le tableau de la situation, Brigitte s'enflammait.

— Non, je ne me vois pas du tout en train de faire la

morale au père de Françoise ou à son mari! Allons donc! Quant à Françoise... Elle a tout pour elle, Françoise! Et elle le sait fort bien. D'accord, sa mère est décédée, de façon tout à fait tragique, et à partir de là, la famille Nicolas a changé, je le reconnais. Elle prenait beaucoup de place, la mère de Françoise, et son départ s'est fait beaucoup sentir, sans aucun doute. Mais Madeleine Nicolas aurait pu mourir de toute autre chose, n'est-ce pas? Et si tel avait été le cas, je ne crois pas qu'on en ferait tout un plat, encore aujourd'hui. On serait peiné, oui, c'est normal, mais comme tout le monde meurt un jour, on finirait par passer à autre chose... N'oublions pas que des millions de personnes viennent de mourir et la Terre continue de tourner. Il va falloir que monsieur Nicolas le comprenne et l'accepte. C'est bête comme chou et je suis surprise que personne ne le voie comme ça. Et ça vaut pour mes parents comme pour tous les autres, d'ailleurs. Si la présence de sa propre fille et celle de son petit-fils n'arrivent pas à faire sortir François Nicolas de sa torpeur, comment voulez-vous que moi, je puisse y arriver? Non, je vous le répète: je n'y peux rien changer. C'est triste à dire, mais des milliers de familles vivent exactement la même chose que ce que vit Françoise et c'est comme ça.

D'une traite, Brigitte avait brossé une grande partie du tableau. Essoufflée, elle s'arrêta, et madame Simone, encore une fois, en profita pour intervenir. Elle était estomaquée d'entendre Brigitte parler ainsi, elle qui avait toujours défendu les plus démunis.

— Ouf! Vous êtes dure, jeune fille, observa-t-elle, abasourdie. Vous êtes très dure.

Brigitte leva vivement la tête.

— Dure ? demanda-t-elle, sans que le mot sonne vraiment comme une question. Dure envers qui ? Envers Françoise ? Envers son père ou son mari ? Non, madame Simone, je ne crois pas que je sois dure, comme vous dites. Envers personne. Je suis tout simplement réaliste. La vie de Françoise n'est pas tragique, loin de là. Pas facile, par les temps qui courent, je vous l'accorde, mais en aucune manière elle n'est tragique.

Jamais madame Simone n'avait vu Brigitte aussi déterminée, aussi catégorique. Elle entendait même une pointe d'irritation dans sa voix, ce qu'elle ne comprenait pas.

— Bon ! arriva-t-elle à placer entre deux phrases. Vous avez l'air en colère, maintenant ! Mais qu'est-ce que c'est que cette humeur, aujourd'hui ? Je ne vous ai jamais entendue parler ainsi et…

— Désolée !

Cette fois-ci, le ton était sans réplique. Simone Foucault l'entendit comme tel et, à sa façon, elle fit amende honorable. Il valait probablement mieux faire montre d'une certaine tolérance envers Brigitte si elle voulait avoir le fin mot de l'histoire.

— D'accord, d'accord, concéda-t-elle, tout en ayant l'impression de marcher sur des œufs. Tout le monde a droit à ses petites sautes d'humeur, j'en sais quelque chose… Donc, votre amie Françoise n'a pas de problèmes. Si vous le dites, je veux bien vous croire… Mais qu'est-ce que ça change au fait que, selon votre père, votre seule présence pourrait soulager votre amie ?

— Justement, ça ne changerait pas grand-chose…

Françoise a aussi un mari, voyez-vous, et c'est de lui qu'elle a probablement le plus besoin!

Ça y était! Brigitte était repartie dans un long monologue, toujours sur ce même ton emporté.

— C'est bien certain que les retrouvailles ne ressemblent pas à ce que Françoise avait espéré, expliqua Brigitte, sans regarder madame Simone. Et après? Qu'est-ce que ça change?

Du bout du doigt, la jeune femme grattait la table avec acharnement, comme si elle puisait son inspiration dans le geste. Ce fut à ce moment-là que Simone Foucault s'aperçut que les mains de Brigitte étaient toutes gercées. Comment se faisait-il qu'elle ne l'ait pas remarqué avant aujourd'hui? Cette constatation la chagrina et cela fit en sorte que la vieille dame se montra encore plus attentive. Où donc Brigitte voulait-elle en venir avec son long discours sur la vie de son amie?

— Ce que Rémi et Françoise n'ont pas eu le temps de vivre au moment du mariage, poursuivait justement Brigitte, inconsciente de l'examen qu'elle subissait, c'est maintenant qu'ils vont devoir le faire. C'est Françoise elle-même qui m'en a parlé, et elle l'a fait exactement avec ces mots-là. Au bout du compte, elle constate qu'elle va devoir s'habituer à vivre avec un homme qu'elle connaissait bien peu au moment de leur mariage et qu'elle n'a pas eu le temps d'apprivoiser, par la suite. Comme elle me l'a écrit, il n'y a pas si longtemps de cela, tout au long de la guerre, Françoise s'est ennuyée d'un mirage. Voilà! Rémi et elle vont devoir apprendre à vivre ensemble, et je suis d'accord pour dire qu'ils ont du chemin à faire.

Mais Rémi est là, non? Bien vivant. Ce qui n'est pas le cas dans toutes les familles de France. Puis, Françoise est formelle: elle l'aime, son Rémi, infiniment. Le peu qu'ils ont eu la chance de vivre avant l'emprisonnement de Rémi a été sincère et intense. Alors, que demander de plus? Non, je vous le dis, je ne vois aucun problème du côté de Françoise. Rémi et elle vont bien finir par trouver une solution et c'est ensemble qu'ils peuvent le faire. Je n'ai absolument rien à voir dans tout ça. Et cela, c'est sans compter la présence de Nathan.

À ce nom, Brigitte esquissa un sourire.

— Mon filleul est un gamin adorable... Françoise est chanceuse d'avoir un fils tel que lui. Oh! J'admets que le petit garçon reste un peu farouche devant son père, et ça ne doit pas être facile tous les jours, car il a du caractère, le beau Nathan. Mais si Rémi y met un peu du sien, ça devrait aller, non? Après tout, Nathan, c'est son fils à lui aussi. De toute façon, ça se sent: le gamin ne demande que ça, avoir un père... Vous devriez voir le regard du petit quand il pose les yeux sur Rémi! Mais comment pourrait-il en être autrement? Françoise lui en a tellement parlé durant la guerre... À Rémi de voir au reste, maintenant.

— Vous m'en apprenez des choses, jeune fille! glissa enfin Simone Foucault, tout étourdie de cette avalanche de mots. C'est vrai que, vue sous cet angle, la situation n'est pas celle que...

— Vue sous tous les angles, cette situation ne m'appartient pas, madame Simone, interrompit Brigitte d'une voix toujours aussi ferme. Mon amie Françoise n'a pas besoin de moi... Elle a plutôt besoin d'avoir deux hommes solides à ses côtés, capables de reprendre la place qui est la leur et de la seconder. Deux hommes qui, malgré leur peine et leur souffrance, accepteront enfin de tourner la page. Ça ne sera pas facile, je vous l'accorde, mais c'est ainsi. La guerre est finie, il faudrait peut-être qu'ils le comprennent. C'est certain qu'il y a des blessures qui vont perdurer, c'est certain qu'ils doivent, l'un comme l'autre, apprendre à vivre avec des différences, des deuils qui font mal, mais il n'y a qu'eux qui peuvent trouver des solutions à leur vague à l'âme. Même Françoise ne peut pas faire grand-chose si, au bout du compte, François Nicolas et Rémi Chaumette ne veulent, ni l'un ni l'autre, faire l'effort nécessaire pour s'en remettre. Alors, que voulez-vous que moi, j'y fasse ? Absolument rien, n'est-ce pas ? Françoise les aime, tous les deux, envers et contre tout, de cela je suis intimement convaincue, alors, je me dis que normalement, ça devrait finir par porter fruit. De plus, mon amie a un avenir tout tracé devant elle. Elle en parle depuis que nous sommes gamines. C'est dire à quel point elle l'a souhaité, cet avenir...

Alors que Brigitte continuait de dresser le bilan de la vie de son amie, quelques larmes s'étaient mises à rouler au coin de ses paupières. Simone Foucault comprit alors que tout ce long discours n'était pas improvisé et que, pour une raison ou pour une autre, ce n'était pas la première fois que Brigitte détaillait ainsi l'univers de Françoise Nicolas.

— En dépit de tout le reste, poursuivit-elle, essayant tant bien que mal de contenir un chagrin que madame

Simone n'avait pas vu venir et qu'elle comprenait encore moins, Françoise a un domaine qui lui appartient, parce que le verger de son père, il est à elle, en quelque sorte. Et ce domaine a besoin, lui aussi, de ses soins, de son attention, de ses efforts... Françoise n'a jamais calculé son temps. Comme elle me l'a souvent dit : son père en partant rejoindre les Résistants lui avait tacitement confié le verger. Il n'était pas question pour elle de lui redonner une terre en friche. Et à l'exception de la colline bombardée, à son retour, François Nicolas a retrouvé sa propriété intacte et son commerce aussi florissant que possible, en dépit des circonstances. Si les Nicolas, aujourd'hui, ne manquent de rien, s'ils n'ont pas tout perdu durant la guerre, c'est en grande partie grâce à mon amie... D'autant plus qu'elle a travaillé pour deux, à partir du départ de son père, et pour trois, à la suite du décès de sa mère. Elle avait tout pour s'effondrer, Françoise, et elle ne l'a pas fait. Elle ne s'est même pas lamentée sur son sort ! Elle s'est retroussé les manches et elle a foncé. Non, je le répète : Françoise a tout pour être heureuse et elle n'a surtout pas besoin de moi. Il suffit peut-être d'ajouter tout simplement un soupçon de bonne volonté de la part des siens pour que son ciel se débarrasse une bonne fois pour toutes de tous ces nuages gris apparus au cours de ces dernières années. En ces temps de l'après-guerre, tout le monde ne peut pas en dire autant...

Brigitte termina sa longue plaidoirie, à bout de souffle, et le visage ruisselant de larmes. Incapable de voir pleurer cette jeune femme qu'elle aimait depuis longtemps comme sa propre fille, Simone Foucault se leva péniblement et, tout en claudiquant, elle contourna la table. Qu'importent les raisons malhabiles qui auraient pu expliquer un tel débordement émotif, et sans vraiment comprendre le pourquoi de la chose, la vieille dame entendait une infinie tristesse cachée derrière les mots prononcés et cela lui était intolérable.

Maladroitement, madame Simone tapota l'épaule de Brigitte, essayant de trouver quelques paroles de réconfort.

— Allons, allons, mon petit, il ne faut pas pleurer pour cela. Vous venez de le dire : votre amie est capable de s'en sortir.

— Oh! Je ne pleure pas sur Françoise. Je le sais, allez, qu'elle est capable de faire bien des choses sans moi. Non, si je pleure, c'est parce que je trouve parfois la vie injuste, madame Simone.

À ce moment, Brigitte hésita. Allait-elle enfin confier ce qu'elle ressentait intimement depuis quelque temps? Ne risquait-elle pas de passer pour une ingrate? D'un autre côté, cela lui ferait sans doute un bien immense de se confier à une personne qu'elle savait bienveillante à son égard. Oui, ce serait un grand soulagement que de partager ses déceptions. Mais, alors que Brigitte allait reprendre, une pensée inopinée pour monsieur Jacob mit un terme prématuré aux confidences.

— Il y a tant de gens qui mériteraient mieux que ce qu'ils vivent, précisa-t-elle enfin, de manière bien générale, toujours sans rien avouer de ses sentiments intimes et profonds.

L'injustice à travers le monde...

Le sujet était récurrent entre madame Simone et

Brigitte. Elles avaient eu toute une guerre pour palabrer sur cette question. La vieille dame n'y vit donc que du feu.

— Oh! Là-dessus, je ne vous donne pas tort, renchérit-elle. J'en ai bavé, moi aussi, et vous le savez.

— Et vous n'êtes pas la seule, n'est-ce pas? Regardez monsieur Jacob! S'il y a quelqu'un victime d'injustice, c'est bien lui, non?

Aux yeux de Brigitte, parler de Jacob Reif, c'était, d'une certaine façon, se donner le courage qui parfois lui manquait. Ce fut donc avec une certaine assurance dans la voix que la jeune femme poursuivit:

— Monsieur Jacob a perdu sa femme dans des circonstances troublantes, et quand il en parle, il a encore les yeux pleins d'eau. Il a perdu sa maison, aussi, son travail de dentiste, sa famille, ses amis… C'est l'impitoyable constat qu'il a fait en allant à Berlin. Il m'en a parlé avec des sanglots dans la voix et son regard était tellement malheureux… Il ne reste rien de son passé. C'est terrible, ça, madame Simone.

Parler de lui, c'était le meilleur moyen que Brigitte avait trouvé pour arriver à relativiser les choses. Quand on rencontre plus malheureux que soi, il est facile de se sentir réconforté même si, à première vue, cela peut sembler complaisant et opportuniste. Néanmoins, Brigitte poursuivit:

— Il doit souffrir terriblement, monsieur Jacob, et, cependant, ça ne l'empêche pas de regarder devant. Comme il me le dit, parfois: son avenir à lui s'appelle désormais Klara et Anna. Ses deux filles sont à la fois tous ses souvenirs, son fragile présent et l'espoir d'un avenir meilleur. Ce sont ses propres mots. À lui de faire en sorte que la vie leur soit belle et douce. Voilà ce qu'il me dit, monsieur Jacob. Même s'il n'en parle jamais, je devine qu'il a survécu à ces camps de la mort dont on entend parler de plus en plus souvent, et c'est déjà un véritable miracle. Mais que ce même homme arrive à l'emporter sur la haine que, normalement, il devrait ressentir, qu'il reste à ce point généreux envers les autres et envers la vie, et ce, malgré tout ce qu'il a enduré, ça tient de l'abnégation la plus totale, rien de moins. Comme monsieur Jacob me le dit, avec son si gentil sourire, c'est que c'est ce que sa femme aurait voulu qu'il fasse, donc il le fait. Il va continuer d'aimer leurs filles pour elle comme pour lui… Alors, qu'on ne vienne pas me dire que Françoise a besoin de moi. Mon énergie, c'est à monsieur Jacob que je veux l'offrir, même s'il ne demande rien. Justement parce qu'il ne demande rien. Je considère que c'est lui qui en a le plus besoin et c'est comme ça… Quant à Françoise, il y a ces quelques lettres que l'on échange, elle et moi. Comme soutien moral, je crois que c'est amplement suffisant.

Malgré tout ce que Brigitte venait de lui confier, malgré cette générosité naturelle chez elle et qu'elle avait enfin discernée dans ses derniers mots, Simone Foucault sentait qu'il y avait autre chose. Quelque chose de secret, d'à peine perceptible, mais d'une grande sensibilité. C'était comme une plaie à vif que l'on veut cacher à tout prix, en essayant de garder le sourire, même s'il est un peu tendu.

Madame Foucault en était persuadée : il y avait une douleur profonde qu'elle venait de déceler dans l'attitude de Brigitte, et cela l'avait grandement décontenancée. Il y avait aussi une certaine désillusion, dans les propos qu'elle venait d'entendre, et cela était tout aussi troublant.

Se fiant alors à son instinct, la vieille dame décida de se faire l'avocat du diable, pour une dernière fois, espérant ainsi ouvrir la porte des confidences. Madame Simone avait tellement peur que la jeune femme regrette sa décision, un jour.

— Mais est-ce à vous de décider une telle chose, Brigitte ? demanda-t-elle finalement, une main posée sur l'épaule de la jeune femme. Est-ce à vous de choisir qui a besoin de vous et qui n'a pas besoin de vous ? Si, par la voix de votre père, c'était la vie, tout bêtement, qui vous demandait d'aller vers votre amie et que vous...

— S'il vous plaît, madame Simone, coupa Brigitte d'une voix lasse, n'insistez pas. Je n'irai pas en Normandie... Pas pour l'instant, du moins. Si la demande venait de Françoise elle-même, j'y penserais peut-être, mais là...

La jeune femme leva une main pour venir serrer celle de sa logeuse avec affection. Puis, d'un geste fatigué, elle ramassa la lettre qui était restée sur la table. Elle la replia sommairement en la froissant un peu et la remit dans l'enveloppe.

— Maintenant, vous allez m'excuser, madame Simone, mais j'aimerais bien me rafraîchir un peu, déclara-t-elle en se relevant. Je sens la lessive à plein nez, vous ne trouvez pas ? J'embrasse Eva en passant, je me change, et je reviens de suite pour vous aider avec le dîner.

Mais, alors qu'elle allait quitter la pièce, elle ajouta, dans un souffle :

— Et je vous en prie, on ne parle plus de cette lettre. Plus jamais.

Brigitte arriva à contenir ses larmes jusqu'à l'instant où elle parvint à l'étage des combles, même si, au moment où elle se penchait sur la tête bouclée d'Eva, qui faisait ses devoirs dans sa chambre, elle avait senti sa gorge se nouer jusqu'à lui couper le souffle.

Elle avait alors quitté la chambre de la petite sans dire un mot et elle s'était précipitée vers l'escalier.

Brigitte referma la porte de sa chambre silencieusement derrière elle, et, un poing plaqué contre sa bouche pour retenir ses sanglots, elle se jeta enfin sur son lit.

Non, elle n'irait pas en Normandie, et, bien qu'elle soit convaincue de la force morale de son amie, ce n'était pas uniquement ce qui justifiait cette décision qui, de toute évidence, échappait à madame Simone.

Brigitte pleura un long moment, la tête enfouie sous l'oreiller pour étouffer le bruit, puis, à court de larmes et à force de longues inspirations, elle réussit à surmonter ses pleurs et elle se releva.

Par réflexe, elle s'approcha de la fenêtre, qu'elle ouvrit toute grande malgré la fraîcheur de l'air. Le printemps avait beau être arrivé, dès que le soleil baissait à l'horizon, une certaine humidité froide s'emparait de la ville.

Brigitte se retourna et, comme la chambre qu'elle occupait était minuscule, elle n'eut qu'à se pencher et à tendre le bras pour arracher le couvre-lit. Elle s'en drapa aussitôt, avant de s'installer sommairement sur le large rebord de la lucarne qui donnait sur les toits du quartier. À droite, quand Brigitte tendait le cou, elle pouvait apercevoir la tour Eiffel qui se détachait contre le ciel, qui virait lentement à l'indigo, et cette image, malgré le passage du temps, arrivait encore à la ravir.

C'était son petit coin de Paris bien à elle. Celui où elle aimait se réfugier quand elle était soit malheureuse comme les pierres, soit heureuse à vouloir crier son bonheur sur les toits.

Encore quelques minutes, puis Brigitte changerait de vêtements, elle rafraîchirait son visage et elle irait rejoindre madame Simone.

Mais auparavant, pour une dernière fois, elle voulait relire la lettre de son père, lentement, sans s'emballer, laissant les mots l'imprégner jusqu'au cœur, car bien sûr, ça l'attristait de voir que rien n'allait pour le mieux chez Françoise.

Comment Brigitte aurait-elle pu réagir autrement ? Françoise, c'était sa meilleure amie, sa presque sœur, n'est-ce pas ?

Pourtant…

Brigitte poussa un long soupir encore tout rempli de sanglots.

Malgré cette amitié profonde qui liait les deux femmes, tout ce que Brigitte avait dit à madame Simone restait vrai, et, si elle avait échappé quelques larmes devant sa logeuse, ce n'était nullement par inquiétude pour Françoise. Son amie était une femme forte, malgré sa fragile stature, et jusqu'à maintenant, rien ne lui avait résisté.

Non, Brigitte ne s'en faisait pas outre mesure pour celle qui finirait bien par trouver des solutions à ses problèmes. Sinon, si elle avait vraiment besoin d'aide, Françoise Chaumette était bien capable de lui écrire toute seule.

Non, c'était plutôt sur elle-même qu'elle avait pleuré,

la belle Brigitte, même si elle s'était trouvée ridicule de le faire.

Posément, la jeune femme leva les deux mains devant elle. À contre-jour, ça paraissait un peu moins, bien entendu, n'empêche que les gerçures étaient là, elle en sentait la douleur au moindre mouvement des doigts. L'eau des cuves de trempage était impitoyable.

Brigitte esquissa un sourire résigné.

Dire qu'elle avait rêvé de mains soigneusement manucurées tapant négligemment sur le clavier d'une machine à écrire.

Secrétaire!

Le rêve de toute une jeunesse, qu'elle avait perçu comme étant le rêve de toute une vie!

Brigitte Lacroix serait secrétaire de direction, rien de moins. Elle deviendrait rapidement l'indispensable soutien d'un patron reconnaissant. Elle voyagerait de par le monde, et elle aurait un bel appartement, dans un quartier chic de Paris. Elle porterait des bas de soie et des talons hauts, et elle s'habillerait uniquement avec les robes les plus élégantes.

Voilà à quoi ressemblerait la vie de Brigitte Lacroix.

Harassée par la présence de nombreux frères dont elle s'était occupée avec sa mère, il va sans dire qu'elle se voyait sans enfants et sans mari, libre comme l'air.

C'était la vie qu'elle avait choisie, Brigitte, du haut de ses dix-sept ans, une vie dont elle avait parlé avec tant d'insistance, que parfois, on lui demandait de se taire.

Son beau rêve n'avait pas tardé à éclater comme une bulle du savon doux qu'elle employait parfois à la blanchisserie de monsieur Jacob, quand celui-ci lui confiait les soins à donner à de la lingerie fine.

Cela n'avait pris que quelques semaines pour que Brigitte comprenne qu'elle n'était pas faite pour passer la majeure partie de ses journées assise devant un pupitre. Elle était d'un naturel actif, elle avait besoin de bouger, et pas seulement du bout des doigts !

Quelques semaines à s'échiner devant un clavier récalcitrant, lui semblait-il, à tenter d'apprendre le doigté précis et la vitesse d'exécution, surtout, comme d'autres apprennent à faire des gammes, et Brigitte avait admis hors de tout doute qu'elle était en train de perdre son temps.

Tout juste quelques semaines, qu'elle avait trouvées fort longues, et Brigitte avait concédé en son for intérieur que la réalité ne serait jamais comme au cinéma, pour le peu de films qu'elle avait vus jusqu'à maintenant.

Et par-dessus tout, Brigitte détestait la sténographie !

Mais comment le dire sans perdre la face ? Brigitte n'avait nulle envie d'essuyer des moqueries ou de recevoir des blâmes. D'autant plus que ses parents seraient horriblement déçus de voir que leurs pauvres économies avaient été dilapidées en vain.

Cette perspective de devoir leur avouer son changement d'orientation minait la jeune femme.

Comment admettre que, finalement, devenir secrétaire n'était plus du tout ce qu'elle espérait de la vie ? Et cela, parce que la réalité ne ressemblait pas tout à fait au rêve si longtemps entretenu ? Ça lui paraissait un peu futile et, surtout, difficile à expliquer.

Puis, trop de gens étaient morts autour d'elle pour qu'un emploi qu'elle voyait aujourd'hui comme étant un peu surfait devienne un but acceptable pour occuper le reste de ses jours. Peut-être bien qu'elle pourrait ajouter cela à sa plaidoirie. Ça donnerait du poids à sa décision.

La guerre, telle qu'elle l'avait connue, lui avait appris à se battre pour l'essentiel et non pour l'emballage.

Oui, voilà des mots que ses parents comprendraient.

Puis, Brigitte avait croisé l'amour et André Constantin avait irrémédiablement changé la perspective de son avenir. Cela, par contre, elle n'avait pas envie de le partager avec ses parents. C'était son jardin secret où seules madame Simone et Françoise avaient accès, parfois. N'empêche que c'est à partir de ce moment-là que Brigitte avait envisagé la vie de Françoise d'un tout autre œil. Non, Françoise ne perdait pas son temps, non, elle n'était pas l'esclave de son fils ou du quotidien.

Tout à coup, avoir un enfant bien à elle ne ressemblait plus du tout à la corvée que Brigitte s'était imaginée.

Le corps tout chaud de bébé Nathan blotti au creux de ses bras avait irrémédiablement changé sa vision de la vie. Oh! À ce moment-là, elle s'était dit qu'elle serait toujours secrétaire, l'un n'empêchant pas l'autre, mais dorénavant, Brigitte acceptait d'y joindre un mari et un enfant. Un seul enfant, qui ferait sa fierté.

Et elle s'était alors mise à faire de la vie de son amie une sorte de modèle à copier, selon ses propres choix et ses perspectives bien personnelles.

De savoir qu'aujourd'hui, malgré tous ses déboires, Françoise cherchait à s'en sortir toute seule l'attristait un peu. Brigitte aurait aimé que son amie fasse appel à elle directement, et non par personne interposée. De se voir ignorée lui faisait mal.

Le décès d'André avait tout remis en question et, à partir de là, Brigitte en était venue à envier le quotidien de son amie au point qu'elle préférait s'en tenir éloignée. Peut-être Françoise l'avait-elle senti à travers ses lettres ?

En fin de compte, si Brigitte avait entrepris son cours, malgré tout, c'était uniquement parce qu'elle ne voyait rien d'autre devant elle. Aujourd'hui, elle était capable de l'admettre.

Brigitte Lacroix s'était trompée, en choisissant le secrétariat, et plus le temps passait, plus elle enviait le sort de Françoise.

Brigitte avait vécu suffisamment de désillusions, ici, à Paris, sans vouloir en ajouter.

Voilà pourquoi elle refusait d'aller en Normandie pour le moment, et elle continuerait de repousser le moindre séjour chez ses parents tant et aussi longtemps qu'elle n'aurait pas fait la paix avec elle-même.

Brigitte tendit le bras et elle leva lentement la main gauche jusque devant son visage. Le geste lui échappa, car elle le trouvait enfantin, mais elle se mit à agiter les doigts.

Que n'aurait-elle pas donné pour y voir briller une alliance !

Le nom d'André Constantin lui traversa l'esprit.

C'est avec lui qu'elle aurait voulu vivre. Ici ou au Canada lui importait fort peu, pourvu qu'André ait été là.

Malheureusement, la guerre avait eu raison de leur

bel amour naissant, et, à bientôt vingt-sept ans, Brigitte Lacroix était encore seule. Rien n'indiquait que ça allait changer bientôt.

Un picotement sous les paupières lui fit bien vite fermer les yeux. Pas question de se remettre à pleurer. Dans sa vie, il y avait aussi madame Simone, et Eva, et Johannes, et ses parents, malgré tout, et Françoise… Il y avait autour d'elle plein de gens qui l'aimaient et qu'elle aimait en retour.

Après tout, vingt-sept ans, ce n'était pas la fin du monde, n'est-ce pas? Comme son père le disait parfois, elle avait encore toute la vie devant elle.

Ensuite, et surtout, il y avait monsieur Jacob.

Si, d'une part, Brigitte était consciente du peu d'avenir qu'il y avait à travailler dans une blanchisserie, d'autre part, elle s'entêtait à y rester, parce que monsieur Jacob avait besoin d'elle, tout comme elle, Brigitte Lacroix, avait besoin de lui. Cet homme-là faisait du bien à son âme. De le côtoyer au quotidien était devenu pour Brigitte un véritable viatique.

En un mot, en ces temps où la mélancolie s'imposait bien malgré elle, Brigitte reconnaissait que la présence de monsieur Jacob lui était aussi essentielle que de boire et de manger. Ne serait-ce que pour cette raison, la jeune femme n'avait pas envie de s'éloigner de Paris.

Si Jacob Reif avait réussi à garder confiance en la vie, après avoir perdu tout ce qui avait pu bâtir ses souvenirs, au fil des ans, ceux que la guerre lui avait enlevés sauvagement, Brigitte Lacroix finirait bien par se sortir de ce vilain cafard qui l'affectait, non?

Pour ses études, cependant, la décision était déjà prise et elle serait irrévocable : elle finirait l'année en cours, sans plus. Par lettre, elle en aviserait ses parents, et qu'importe leur opinion, elle tiendrait son bout.

Mais auparavant, elle ferait parvenir une autre lettre, annonçant que pour l'instant, il n'était pas question pour elle de faire le voyage vers la Normandie. Brigitte justifierait son refus par le fait que le travail débordait à la blanchisserie, et elle laisserait entendre qu'ils n'avaient pas le choix d'accepter sa position. Le ton serait poli, certes, mais ferme.

En fait, la seule chose qui semblait claire et limpide aux yeux de Brigitte, c'était que, désormais, sa vie passerait par Paris, et que son port d'attache resterait toujours la maison de madame Simone. Et ce, malgré l'attachement qu'elle avait pour la Normandie et l'amour qu'elle ressentait pour sa famille.

C'est pourquoi, avant que son esprit ne se mette à voguer de nouveau en eaux troubles, Brigitte s'arracha à la contemplation des toits de Paris. Pour l'instant, il y avait plus important que ses états d'âme ! Il y avait à la cuisine une certaine Simone Foucault, un peu courbaturée par l'âge, acariâtre à ses jours, soit, mais si aimable à d'autres que c'en était déroutant, une Simone Foucault qui devait espérer sa présence pour mettre en train le repas du soir.

Et cette vieille dame, il s'avérait que Brigitte l'aimait tendrement.

En moins de deux, elle troqua sa blouse de blanchisseuse sentant la Javel pour une robe confortable à l'odeur de grand air, et passant par la salle d'eau de l'étage, elle baigna ses yeux pour en effacer la rougeur.

Ensuite, par réflexe, elle jeta un coup d'œil dans la chambre d'Eva, où la gamine était toujours penchée sur sa copie. Brigitte se dirigea donc vers le bout du corridor, où se trouvait le long escalier en colimaçon qui menait à la cuisine.

— Je suis là, madame Simone, lança-t-elle en mettant le plus d'enthousiasme possible dans sa voix. Qu'est-ce que vous aviez prévu pour le dîner? Je peux peut-être vous aider.

Ce soir-là, contre toute attente, Brigitte s'endormit rapidement, épuisée qu'elle était par les nombreuses larmes versées et la longue journée d'ouvrage. Le souper avait été joyeux, car Johannes, qui n'avait pas son pareil pour raconter drôlement les petites anecdotes du quotidien, avait réussi à dérider tout le monde.

Au même instant, à des kilomètres de là, Françoise mettait de l'eau à chauffer pour infuser quelques feuilles de thé. Elle avait sérieusement besoin d'un moment de répit, d'une accalmie silencieuse dans sa trop longue journée pour espérer trouver le sommeil sans ce petit expédient.

Heureusement, depuis quelques jours, elle pouvait à nouveau compter sur son père. Oh! François Nicolas n'était pas encore le dirigeant au flair infaillible qu'il avait déjà été, ni le travailleur acharné pour qui les mots labeur, épouse et fille se conjuguaient au même temps, tant dans son cœur que dans ses préoccupations quotidiennes, d'accord, mais au moins recommençait-il à s'intéresser à la production et Françoise en soupirait d'aise.

— Il faudrait songer à contacter ce grossiste à Rennes, lui avait-il justement dit ce matin, au petit déjeuner. Cet homme-là avait de bons contacts, avant la guerre. Je te donnerai ses coordonnées.

Non, si François Nicolas était encore un homme blessé et fragile, la convalescence semblait à portée de main, et, depuis ces dernières semaines, il s'occupait de son petit-fils.

C'était un réel plaisir que de les voir ensemble.

Et surtout, aux yeux de Françoise, c'était d'un grand secours, dans le rythme effréné de ses journées.

Tous les matins, beau temps mauvais temps, on pouvait les voir remonter la colline en discutant vivement.

Tous les jours, dès le petit déjeuner expédié, le grand-père et le petit-fils passaient ensemble de longs moments sur la colline avant de venir rejoindre Françoise dans le verger derrière la maison. Ils lui racontaient alors tout ce qu'ils avaient fait, les bébés pommiers étant invariablement le sujet de leurs propos.

— Ils grandissent, maman ! Et il y en a beaucoup !

Françoise avait alors l'intuition que pour François Nicolas, le pire était derrière, et que, petit à petit, elle retrouverait l'homme qui, autrefois, avait été son père. Sans que ce dernier en ait parlé de quelque façon que ce soit, elle se doutait bien que Maurice Lacroix était derrière tout cela, car elle l'avait souvent aperçu depuis la fenêtre. Françoise s'était donc promis de lui en glisser un mot, lui dire merci, la prochaine fois qu'elle irait saluer la mère de Brigitte, geste qu'elle n'avait jamais perdu l'habitude de faire.

Ne restait plus que Rémi, qui n'était toujours que l'ombre de l'homme qu'elle avait un jour marié.

Si au moins Françoise savait ce qu'il avait vécu en captivité pour qu'il change à ce point, peut-être pourrait-elle l'aider. Mais non! Rémi refusait obstinément d'en parler.

— N'insiste pas, Françoise. Tout ce que je souhaite, c'est oublier.

Cela, Françoise pouvait le comprendre. Elle aussi, elle avait bien des choses à oublier, à commencer par le décès de sa mère. Alors, elle avait cessé de questionner, se disant que le temps finirait bien par arranger les choses pour tout le monde.

Elle avait même accepté, dans les premiers temps suivant le retour de Rémi, qu'il s'installe chez ses parents en attendant que ça aille mieux.

— Je suis encore un peu faible, avait-il allégué. Ainsi, je serai moins loin du garage du père Talon. Il faudrait bien que je m'y remette tranquillement, n'est-ce pas?

C'était plein de bons sens.

Malheureusement, les jours, puis les semaines et les mois avaient passé, sans grand résultat.

Puis, il y avait eu un certain dimanche.

Ce jour-là, Françoise avait été transportée par l'espoir, quand Rémi s'était présenté à leur porte. Sans préavis, il lui avait annoncé qu'il revenait vivre avec elle, sous le toit de François Nicolas.

Quand il avait ajouté qu'à cause de ses mains, il ne pourrait jamais plus travailler comme mécanicien, Françoise avait fort bien entendu la déception et, aussi, comme une forme d'excuse dans la voix de son mari.

Comme s'il y était pour quelque chose, dans cette blessure de guerre qui lui avait enlevé toute sensibilité au bout des doigts!

Françoise avait alors pris Rémi dans ses bras pour lui faire comprendre qu'à ses yeux, cela n'avait guère d'importance. L'essentiel était qu'il soit revenu vers elle. C'était donc que ça allait mieux, n'est-ce pas?

Enfin, elle allait retrouver un mari, et Nathan, un père.

Toutefois, ni l'épouse ni le fils n'avaient retrouvé qui que ce soit.

À partir de ce jour-là, Rémi s'était enfermé dans un monde secret et silencieux. Il passait la majeure partie de ses journées à la fenêtre, le regard fixé sur l'horizon. Parfois, Nathan arrivait à le faire sortir de son mutisme, le temps d'une question, d'un sourire, mais c'était à peu près tout. Les histoires lues avant l'heure du coucher du petit garçon se comptaient sur les doigts d'une main.

Depuis qu'il était revenu vivre avec eux, Rémi était plus taciturne que jamais, et, s'ils partageaient le même lit, il n'y avait toujours pas eu de rapprochement amoureux entre Françoise et lui.

— Une vraie huître, oui, murmura Françoise, tout en prenant une mesure de feuilles de thé, qu'elle fit tomber au fond d'une tasse. Comme les Belons de Bretagne qu'il aime tant, tiens! Qu'il aimait tant, se reprit-elle en versant l'eau bouillante sur les feuilles. Parce qu'aujourd'hui, il ne mange presque plus. J'ai retrouvé un fantôme! Voilà ce que la guerre m'a redonné: une ombre insaisissable.

Le cœur gros, Françoise se retourna et, les reins appuyés contre le rebord du plan de travail, elle se mit à siroter son thé à petites gorgées.

Dire qu'elle avait tant espéré le retour de son mari!

En effet, malgré l'absence de lettres de sa part, Françoise avait entretenu cet espoir de retour sans jamais douter, et c'est sans doute ce qui lui avait permis de traverser la guerre sans y laisser son âme. Durant des années, à défaut d'avoir une preuve tangible, Françoise s'était contentée de dire autour d'elle qu'au fond de son cœur, elle sentait que son Rémi était toujours vivant.

Sa conviction était si lumineuse que personne, au village, n'avait osé la contredire.

Puis un matin de juin, des années après la disparition de Rémi, il y avait eu une première lettre.

La nouvelle avait fait le tour de la paroisse, passant par chacun des rangs du village.

Néanmoins, malgré le regard inquisiteur de la postière posé sur elle, Françoise s'était faite discrète. Sait-on jamais ce que pouvait contenir cette lettre venue d'Allemagne!

Après l'avoir lue et relue en toute intimité, Françoise s'était alors fait un plaisir de la montrer et ainsi, faire taire les nombreux sceptiques.

Malgré la guerre qui perdurait, Françoise avait ressenti un sentiment de paix l'envahir.

Dans cette première lettre, Rémi s'excusait de ce trop long silence et il promettait qu'un jour, il lui expliquerait ce qui s'était passé. Malheureusement, Rémi n'avait jamais accepté de parler de cette raison expliquant son long silence. De plus, c'est à peine s'il s'occupait de Nathan, alors qu'il avait écrit, après avoir appris la naissance de son fils, que jamais de toute sa vie, il n'avait été si fier.

Pourquoi? Pourquoi Rémi était-il si différent de l'homme qu'elle connaissait, de celui qu'elle avait cru reconnaître à travers ses lettres?

Jamais Françoise n'aurait pu se douter que quelqu'un pouvait autant changer.

Elle ne comprenait pas.

À partir du jour où elle avait reçu cette première lettre, comprenant que son espoir n'avait pas été vain, Françoise s'était mise à imaginer le retour de Rémi. Elle avait sincèrement cru que son mari allait apparaître, là, au bout de l'allée, avec son barda à l'épaule et un sourire aux lèvres. Ils allaient se regarder durant un moment, un peu intimidés, puis ils allaient se jeter dans les bras l'un de l'autre. Les horreurs de la guerre disparaîtraient alors à tout jamais et la vie reprendrait naturellement, tout comme avant.

«Je l'aime tant», se disait-elle.

On était alors en juin 1944. Cela faisait un mois que Françoise savait que Rémi était vivant, et le débarquement des Alliés avait eu lieu quelques semaines auparavant. Sa mère venait de mourir et toute l'espérance d'une vie meilleure de Françoise reposait sur le retour de Rémi et sur celui de son père.

La guerre allait bientôt finir, n'est-ce pas, et les deux hommes reviendraient enfin.

Mais la guerre allait encore durer un bon moment. Si son père était revenu dans les semaines suivantes, Rémi, pour sa part, ne reviendrait que de nombreux mois plus tard. Brisé. « Comme un pantin désarticulé », avait alors pensé Françoise.

Mais elle l'aimait toujours. Elle s'était alors dit que l'amour finirait par l'emporter.

Mais l'amour n'est pas tout, n'est-ce pas ?

Françoise l'avait vite compris.

L'hiver avait été long et difficile.

Françoise traversait les journées avec l'impression de devoir retenir son souffle, tellement Rémi et son père étaient devenus des êtres imprévisibles. Heureusement, il y avait eu Nathan pour donner un sens à sa vie durant ces longs mois où le labeur au verger était impossible et qu'il ne restait que le temps de chauffe à vérifier et la mise en bouteilles, ce qui n'étaient pas les activités préférées de la jeune femme.

Puis, le printemps était arrivé avec son lot d'occupations, et, malgré la lourdeur de la tâche, ce fut un véritable soulagement pour Françoise que d'être ainsi occupée. Jour après jour, elle côtoyait quelques employés avec qui elle avait enfin l'impression de mener une vie presque normale. Avec eux, elle pouvait discuter, prévoir, aménager la saison à venir, à défaut de pouvoir le faire avec son père et son mari.

On était alors en avril et, un bon matin, François Nicolas était revenu de sa longue promenade matinale, le verbe facile et le sourire aux lèvres.

« Une véritable résurrection », avait alors pensé Françoise, le cœur si léger qu'elle en avait eu les larmes aux yeux.

À partir de ce jour-là, son père, comme la Belle au

bois dormant, avait semblé sortir d'un profond sommeil. Chaque jour, il démontrait un intérêt de plus en plus marqué pour la ferme et tout ce qui s'y rattachait, à travers les soins et l'attention qu'il prodiguait à son petit-fils.

— On va s'en contenter, murmura alors Françoise, tout en déposant sa tasse vide au fond de l'évier. Je sais que papa va mieux et c'est là l'essentiel. Le reste viendra plus tard.

Ce fut à ce moment que la jeune femme entendit un bruit particulier venant de l'étage.

On aurait dit quelqu'un qui pleurait.

Inquiète, Françoise tendit l'oreille, pensant aussitôt à Nathan. Depuis le bombardement qui avait emporté sa grand-mère et le verger, il arrivait régulièrement que le gamin fasse des cauchemars, sans qu'il soit capable de les décrire, alors qu'un grand chagrin couplé à une intense panique le réveillait.

Françoise se précipita vers l'escalier, le cœur serré. Quand donc ces mauvais souvenirs cesseraient-ils de hanter les nuits de son fils ?

Cependant, une fois parvenue à l'étage, Françoise s'arrêta brusquement. Alors que la chambre de Nathan était à l'autre bout du corridor, les pleurs, parce que c'étaient bien des pleurs qu'elle avait entendus, venaient de derrière la porte en diagonale devant elle. La porte de sa chambre.

Rémi...

Nul doute, c'était Rémi qui pleurait.

Le cœur de Françoise se serra encore plus fort.

Fallait-il que son mari soit infiniment malheureux, pour pleurer ainsi ! Elle se doutait, bien sûr, qu'il n'allait pas mieux, qu'il n'allait pas bien du tout, mais elle ne l'avait jamais entendu pleurer…

Françoise resta interdite durant une fraction de seconde. Puis, poussée par l'instinct, elle s'approcha tout doucement de la porte.

Cet homme-là, Françoise l'aimait du plus profond de son cœur et c'était ce qu'elle avait l'intention de lui dire.

De lui montrer aussi.

Depuis le retour de Rémi, Françoise rêvait de se blottir dans les bras de son mari. De s'abandonner à lui, de se donner à lui. Si de lui répéter son amour et de lui montrer son désir ne permettaient pas d'ouvrir la porte des confidences, elle savait que ses propres larmes finiraient par couler et qu'elles se mêleraient à celles de son homme, car elle n'en pouvait plus d'attendre.

Tant pis, Françoise allait prendre le risque, parce qu'ainsi, Rémi saurait qu'il n'était pas seul à souffrir.

Françoise ouvrit alors la porte de leur chambre, sans faire de bruit, et elle entra silencieusement.

CHAPITRE 10

« N'oublie jamais que tout est éphémère, alors
tu ne seras jamais trop joyeux dans le bonheur
ni trop triste dans le chagrin. »
SOCRATE

Pointe-à-la-Truite, le samedi 3 mai 1947

Dans la cuisine de l'auberge
de la mère Catherine

De toute sa vie, Paul n'avait jamais été aussi anxieux devant un simple repas à préparer. Certes, il maîtrisait son art, et il le savait. Nombre de soupers d'importance avaient eu lieu dans la salle à manger de l'auberge, et il s'en était toujours sorti avec les honneurs de la gloire.

En un mot, et Paul n'en était pas peu fier, sa réputation comme chef cuisinier de l'auberge de la mère Catherine, à Pointe-à-la-Truite, n'était plus à faire. Elle dépassait, et de loin, les limites de Charlevoix.

En effet, il arrivait régulièrement que certains touristes résidant au Manoir Richelieu ou ailleurs dans la région choisissent de se déplacer pour venir manger à sa table, uniquement parce qu'ils en avaient entendu parler. Ils venaient, parfois, depuis aussi loin que New York !

N'empêche…

Aujourd'hui était une occasion vraiment particulière, et le repas se devait d'être parfait, de l'apéritif au dessert, tout simplement parce que Paul Tremblay connaissait depuis longtemps tous ceux qui occuperaient la salle à manger, un peu plus tard pour le dîner, et qu'il ressentait une affection particulière pour plusieurs d'entre eux.

Comme on l'entendait parfois : aujourd'hui, ça serait la fête au village !

Sous le couvert des confidences et des commérages, cela faisait des années qu'on espérait l'événement, qu'on en parlait à voix basse, que l'on supputait les chances grandissantes de l'un et les réticences persistantes de l'autre, et qu'on avait fini par ne plus y croire.

Malgré cela, contre toute attente, ça y était !

Dans quelques heures, mademoiselle Gilberte Bouchard, fille de feu Matthieu Bouchard et de feu dame Emma Lavoie, tous deux natifs de la paroisse, et monsieur Ernest Constantin, un citadin bien connu dans la région, allaient enfin unir leurs destinées à l'église de Pointe-à-la-Truite, et c'était à lui, Paul Tremblay, qu'on avait confié la préparation du banquet.

Au tout début, on avait parlé d'un simple repas regroupant quelques convives. — Dans la plus stricte intimité, avait exigé Gilberte. À nos âges, ça serait plus convenable.

La chère Gilberte et ses conventions ! Ernest avait alors plié de bonne grâce et c'est donc avec beaucoup d'enthousiasme et fort peu d'inquiétude que Paul avait accepté le mandat.

— Pour quelques convives, je vous le dis, ça sera un véritable festin! avait-il promis.

En moins de deux semaines, le pauvre cuisinier avait compris que la réception ne serait pas «un simple dîner»!

L'événement avait rapidement pris des proportions démesurées, et, chaque jour ou presque, Gilberte passait à l'auberge en coup de vent pour demander d'ajouter un ou deux noms à la liste des invités.

— Vous comprenez, n'est-ce pas? Si on invite untel, il ne faut surtout pas oublier sa sœur et sa mère... Ça ne se ferait pas. Mais inquiétez-vous pas, ça devrait être les derniers.

Jusqu'au lendemain, ou au surlendemain, alors que Gilberte se pointait de nouveau à l'auberge.

— Celui-là, je l'avais oublié! Pauvre Johnny Boy! Son père, James O'Connor, était devenu un bon ami, au fil des années... Pis en plus, c'est lui qui a sauvé la vie du fils de mon frère, au détriment de la sienne. Vous vous rappelez? C'est James O'Connor qui a sauvé Julien en soulevant l'auto qui était en train de l'étouffer, avant de mourir d'une crise cardiaque! Il faut donc inviter Johnny Boy et son épouse! C'est un peu fou tout ça! J'en reviens pas moi-même...

Et de fil en aiguille, la liste était devenue interminable. Ce qui faisait qu'en ce beau matin de mai, Paul était dans tous ses états, d'autant plus qu'il avait eu la curieuse idée d'accepter d'être de la cérémonie, en accompagnant sa mère qui, elle, conduirait la mariée jusqu'à l'autel.

— J'y tiens, avait plaidé Gilberte auprès de la vieille dame... Vous êtes la seule ici à avoir connu mes parents, la seule ou presque à être de la même génération qu'eux. S'il vous plaît! Ne me refusez pas ce petit plaisir!

Et quand le curé avait froncé les sourcils, alléguant que cela ne se faisait pas, une femme menant une autre femme à l'autel, un seul regard de Gilberte avait mis un terme à la discussion.

— D'accord, d'accord, si c'est ce que vous voulez...

Et ce fut ainsi que le grand jour arriva!

En ce moment, assis au bout de la longue table de la cuisine, l'aubergiste se tenait la tête à deux mains. Les yeux fermés, l'esprit en ébullition, il tentait de faire le bilan des plats déjà prêts et de ceux à terminer en un tournemain au retour de l'église. Concentré sur ses pensées, Paul sursauta quand il sentit deux mains se poser sur ses épaules.

— Fatigué, mon Paul?

Il y eut un soupir un peu las, signe de surmenage chez le cuisinier, puis, d'une voix à peine audible, il souligna:

— Non, pas vraiment.

À ces mots, Paul releva lentement la tête et la fit rouler un instant sur l'axe de son cou, comme pour vérifier.

— Non, reprit-il en même temps, pas vraiment fatigué, mais nerveux en diable, par exemple!

— Je m'en doutais un peu, t'as pas arrêté de gigoter de toute la nuit. Une vraie anguille hors de l'eau.

— Désolé.

À ce mot, Réginald, l'ami de Paul, poussa un soupir interminable, avant de faire un petit bruit d'impatience avec sa langue.

— Veux-tu ben te taire, Paul Tremblay! T'es toujours

en train de demander pardon pour une affaire ou ben une autre, pis t'as pas raison… T'as pas à t'excuser d'être un peu nerveux, voyons donc! Mais t'as pas à t'inquiéter comme un fou, non plus.

Tout en parlant, Réginald s'était mis à masser le cou et les épaules de Paul avec beaucoup d'adresse et d'affection. Paul referma aussitôt les yeux.

— Ça fait du bien, apprécia-t-il, en échappant un long soupir de bien-être. Encore une petite minute comme ça, et je devrais être d'attaque pour continuer les préparatifs.

— J'espère ben, mon homme, que tu vas être d'attaque, parce que la paroisse va être là quasiment au grand complet.

— J'avais surtout pas besoin que tu me le rappelles. Faut toujours que tu mettes le doigt sur…

— Tais-toi, Paul, pis laisse-moi finir…

Le massage de Réginald commençait à faire son effet et Paul sentait ses muscles se délier, les uns après les autres. Alors, malgré le temps qui filait inexorablement et qui allait peut-être finir par lui manquer, il ne put résister à la tentation de faire durer la détente encore un petit moment et il se montra conciliant.

— D'accord. Explique-toi!

— Ce que je veux dire par là, enchaîna Réginald, tout en poursuivant son massage, c'est que c'est arrivé assez souvent que tout ce beau monde-là s'est retrouvé assis en même temps dans ta salle à manger. Penses-y comme il faut, Paul! Tous ceux qui ont été invités à la noce d'aujourd'hui, ben, ils ont déjà mangé les uns avec les autres! C'était pas nécessairement pour une occasion spéciale, je te l'accorde, mais quand même… Des fois, c'était le dimanche soir, ou à la fête des Mères, ou à Pâques… Mais ils étaient là, tous en même temps. Un dans l'autre, admets avec moi que ça fait pas une ben grosse différence avec aujourd'hui.

— Vu comme ça, effectivement…

— Bon ! Tu vois bien que j'ai raison…

Après une petite tape sur l'épaule de Paul, Réginald recula d'un pas.

— Arrête donc de toujours t'en faire pour toute, lança-t-il de sa voix précieuse, celle qu'il employait quand il savait avoir raison. Fais-toi donc confiance, bonté divine ! Astheure, pour te changer les idées, prends juste une petite minute pour venir voir la salle à manger. Je suis pas mal fier de ce que j'ai réussi à faire avec le peu de fleurs qui sont sorties à ce temps-ci de l'année, pis ça devrait aider à te détendre.

— J'ai pas le temps, voyons donc !

— Ben, prends-le, le temps… Allez debout, Paul Tremblay, suis-moi !

Sachant fort bien qu'il ne servait à rien de s'obstiner, parce que Réginald finissait toujours par l'emporter, Paul se leva, et, ensemble, les deux hommes quittèrent la cuisine.

La grande salle à manger était tout simplement splendide !

Paul resta silencieux durant un moment, immobile sur le pas de la porte, ébloui par le résultat obtenu par Réginald, puis il entra dans la pièce et, lentement, il se mit à marcher entre les tables.

Ici, c'était chez lui.

C'était chez lui et chez Réginald.

Cette notion avait toujours été très claire dans l'esprit de Paul, même si, sur papier, il était l'unique propriétaire des lieux. C'est donc dire que tout à l'heure, sans en avoir l'air, ce serait Réginald et lui qui allaient recevoir tous ces gens. Paul Tremblay ne serait pas seul.

Cette pensée réconforta ce dernier au moment où un bruit sourd se fit entendre à l'étage. Machinalement, il leva la tête. Tout là-haut, dans sa chambre, sa mère devait être en train de se préparer.

Paul esquissa un sourire.

En quelque sorte, l'auberge était aussi devenue la maison d'Alexandrine, puisque c'était avec une infinie tendresse que Paul avait proposé à sa mère de venir s'installer avec eux, quand la vieille dame avait offert sa maison à son plus jeune fils, Léopold, pour que celui-ci puisse y élever sa famille. Dans quelques heures, ils seraient donc trois à recevoir parents et amis pour célébrer le mariage de Gilberte et Ernest.

De le dire ainsi, de le voir sous cet angle, procura une bonne chaleur dans le cœur de Paul et une partie de son anxiété s'envola.

L'homme à la chevelure spectaculaire, fournie comme celle d'un jeune de vingt ans, mais blanche comme la neige, promena un regard satisfait autour de lui.

Il en avait longtemps rêvé, de cette auberge, et c'était grâce à la confiance prodiguée par sa mère et à celle de Réginald, moult fois répétée, si un jour, lui, Paul Tremblay, avait eu l'audace de faire le grand saut en quittant Québec et sa profession d'architecte pour venir s'installer à la Pointe à titre d'aubergiste.

Malgré des débuts difficiles, il ne l'avait jamais regretté.

Brusquement, Paul vit le repas d'aujourd'hui comme une sorte de consécration et, bien malgré lui, il redressa les épaules.

Il y avait de quoi être fier, non ?

Les nappes avaient été soigneusement repassées, les verres étincelaient dans la lumière du matin qui entrait à flots par les larges fenêtres donnant sur la galerie, et l'argenterie luisait de toute sa patine. Sur chaque table, Réginald avait déposé une petite flûte à liqueur fine avec une tulipe et un peu de verdure. Il n'y avait qu'une seule fleur par table, soit rose, soit blanche. Le coup d'œil était à la fois simple et sophistiqué.

Sur la table d'honneur, tout au fond de la salle, sur le long buffet en bois verni, et sur le rebord de chaque fenêtre, il y avait d'immenses bouquets, réunissant toutes les fleurs printanières que Réginald avait pu cueillir.

— On avait autant de fleurs que cela dans le jardin ? demanda Paul, surpris par l'abondance.

— Pas vraiment, non... Le lilas est même pas sorti encore... Ça fait que j'ai demandé à Marguerite de nous en fournir quelques-unes, des tulipes surtout, pis, hier, en après-midi, j'ai arpenté la campagne environnante. J'avoue qu'il y a quelques champs qui ont l'air un peu dépouillés, à cause de moi... Pis ? Qu'est-ce que t'en penses, Paul ?

— C'est magnifique ! Veux-tu bien me dire comment tu fais pour toujours arriver à créer des petites merveilles avec trois fois rien ?

— C'est comme ça…

Réginald avait rougi sous le compliment.

— Je me laisse aller à mes émotions, pis ça vient tout seul, comme une sorte d'inspiration qui me tombe dessus…

— Disons que cette fois-ci, tu t'es surpassé !

— Ben là… Merci… Mais j'ai pas faite beaucoup plus que toi tu fais avec tes gâteaux, tu sais ! As-tu juste pris le temps d'admirer le gâteau de noces que t'as monté hier soir ? Trois étages, c'est pas des farces ! Un vrai chef-d'œuvre ! Ton gâteau est encore plus beau que dans les revues ! Pis…

Curieusement, Réginald, qui n'avait pas son pareil pour faire le pitre et en mettre plein la vue à un peu tout le monde, sembla brusquement intimidé. Il s'approcha de Paul et glissa un bras sous le sien.

— Pis si c'est beau comme ça, murmura-t-il, pour être bien certain de n'être entendu que par Paul, sait-on jamais, Alexandrine aurait pu être dans les parages, c'est juste que je me suis imaginé que c'était pour nous deux que je montais la salle.

— Ben voyons donc, répondit Paul sur le même ton retenu, une curieuse émotion écorchant sa voix. Tu le sais bien que c'est pas possible !

— Je le sais, mais on peut ben rêver, non ? J'ai pas de misère à m'imaginer, avec un bel habit tout blanc, pendu à ton bras…

— Arrête-moi ça, tout de suite ! Pour rêver, tu peux rêver, mon beau Réginald, l'interrompit Paul qui, en dépit d'une grande sensibilité, était moins enclin que son compagnon à se laisser aller à la rêverie, mais ça n'arrivera jamais que deux hommes comme nous aient le droit de se marier... Allons donc! Ça serait le monde à l'envers pour la majorité des gens... Déjà que de ne pas avoir de femmes dans nos vies, ça fait jaser ben du monde... Considérons-nous comme très chanceux d'avoir pu vivre toutes ces années-là ensemble, sous le même toit, sans encourir les foudres de tout un chacun au village.

— C'est vrai... T'as ben raison, Paul.

La voix de Réginald dégageait une gravité plutôt inusitée chez lui.

— Je prie pas souvent, ça tu le sais, observa-t-il, toujours sur le ton de la confidence, mais quand ça m'arrive, j'ai toujours envie de dire merci à quelqu'un ou au Bon Dieu, je sais pas trop... Ouais, j'ai envie de dire merci... Merci parce que je t'ai rencontré, pis merci d'avoir pu vivre la belle vie que tu m'as offerte...

Sur ce, Réginald effleura la joue de Paul d'un baiser tout léger, à peine un frôlement, puis il s'écarta de lui. Il prit une longue inspiration, secoua vigoureusement la tête, et sa voix, changeant brusquement du tout au tout pour revenir à ce registre haut perché qu'il prenait souvent, il lança:

— Astheure, tu files à la cuisine, mon Paul, t'as plus de temps à perdre! Faudrait surtout pas arriver en retard à l'église, c'est là que ça ferait jaser! Envoye, chenaille! Pendant que tu vas t'occuper de tes dernières affaires pour le repas, moi, j'vas aller repasser nos habits gris, pis nos plus belles chemises. C'est pas parce qu'on sera pas assis un à côté de l'autre dans l'église qu'on sera pas les plus beaux quand même. On va éblouir tout le monde, mon Paul, je te dis rien que ça! Quelle cravate tu veux mettre? La noire en soie moirée ou ben la gris souris?

Ramené dare-dare à toutes ces considérations qui lui donnaient le trac depuis son réveil, Paul se dirigea aussitôt vers la porte.

— Sors celle que tu veux, Réginald, lança-t-il par-dessus son épaule. Celle que tu veux! Pour l'instant, je m'en fiche un peu, de la couleur de ma cravate!

Sur ce, il disparut dans le corridor.

Si Paul était tendu comme les cordes d'un violon, ce n'était rien à côté de Gilberte!

— Veux-tu ben me dire ce qui m'a pris, aussi, de dire oui?

Plantée au beau milieu de la chambre de Lionel et de Marguerite, parce que celle-ci avait réussi à convaincre la future mariée que ça ne se faisait pas de partir tout bonnement de chez elle comme pour la messe du dimanche, alors qu'elle se rendrait à l'église pour se marier, Gilberte se tordait les mains d'inquiétude. Vêtue tout simplement d'un jupon blanc amidonné et sans chaussures aux pieds, elle regardait nerveusement autour d'elle.

— Veux-tu ben me dire ce qui m'a pris de dire oui!

Cette fois-ci, ce n'était plus une interrogation, mais bien une affirmation remplie d'angoisse.

— Dire oui à quoi, Gilberte? À Ernest?

Tout en parlant, Marguerite s'affairait à déposer diffé-rents accessoires sur le lit.

Gilberte poussa un bruyant soupir.

— Dire oui à toute, saudit de saudit!

Ça y était! Le gros mot était sorti et d'avoir osé le prononcer détendit la future mariée. Marguerite, qui ne l'entendait pas dans le même sens, se retourna vivement. Elle avait les sourcils froncés.

— Es-tu en train de me dire, toi là, que t'aimes pas Ernest Constantin? Pas assez pour le marier?

— J'ai-tu dit ça?

De toute évidence, Gilberte était indignée qu'on puisse douter de ses sentiments à l'égard de celui qu'elle considérait comme le meilleur des hommes, rien de moins!

— C'est sûr que je l'aime, Ernest. Voyons donc! Pis depuis pas mal longtemps, à part de ça. C'est pas parce que ça paraissait pas que c'était pas là. Mais on aurait pu continuer comme avant, lui pis moi, non? Me semble, à matin, que tout le reste est de trop.

— Quel reste?

— Ben voyons donc! C'est clair, non?

D'un large geste du bras, Gilberte balaya la chambre et s'arrêta devant le lit à baldaquin.

— C'est toute ça qui est de trop! émit-elle sur un ton désespéré, en secouant l'index en direction du lit. Tu le vois ben! La robe blanche, le voile, les fleurs, les gants! C'est pour les jeunes femmes, tout ça, pas pour moi. Même les souliers sont blancs… J'ai jamais eu ça de toute ma vie, moi, des souliers blancs. Même pas pour ma première communion! C'est pour les dames de la haute société, toutes ces amanchures-là, pas pour quelqu'un comme moi! Pis as-tu vu tout le monde qui va être là? C'est épeurant, rien qu'à y penser! C'est pas pantoute ce que je voulais, moi, un grand mariage de même!

Le curé, Ernest pis moi, avec nos témoins, installés dans la sacristie, ça aurait été ben en masse ! Pis le pauvre Paul serait pas dans tous ses états, parce que c'est de même qu'il doit être à matin, le pauvre homme. Je le connais assez pour savoir qu'il doit être énervé sans bon sens. Non, non, non, ça a pas une miette d'allure, tout ça... On peut-tu toute arrêter ?

— Gilberte Bouchard !

Marguerite se retourna vivement, un brin choquée devant tant d'entêtement. Cependant, voyant perler deux larmes dans le regard de sa belle-sœur, Marguerite sentit son impatience fondre comme neige au soleil et elle s'approcha de Gilberte pour entourer ses épaules d'un bras protecteur.

— Ben non, ma pauvre fille, on peut pas arrêter tout ça, fit-elle gentiment. Pis tu le sais. Mais contrairement à ce que tu penses, moi, je trouve que ça a beaucoup de bon sens, ce mariage-là, affirma-t-elle d'une voix très douce, mais convaincante. Depuis le temps que monsieur Ernest te courtise, il était juste normal que ça finisse par arriver.

— Ouais...

Gilberte renifla bruyamment.

— C'est vrai que ça fait pas mal longtemps qu'on se connaît, lui pis moi... Ça se compte en années, astheure. Me semble, par contre, que j'avais pas besoin de cette robe-là pour rendre la chose officielle. On va rire de moi. On dirait que je veux passer pour une jeunesse, pis que...

— C'est pas une robe blanche que tu vas porter, interrompit Marguerite, c'est un tailleur blanc. C'est pas du tout la même chose. C'est de ton âge, c'est chic et de bon goût… Pis laisse-toi donc gâter pour une fois. T'as passé ta vie à rendre le monde heureux autour de toi, c'est à ton tour d'en profiter. Aujourd'hui, ma belle Gilberte, c'est ta journée.

— Seigneur Dieu de la vie… Ma journée ! J'aurai ben toute entendu !

D'une main tremblante, Gilberte tenta d'essuyer toute trace de chagrin de son visage, et, contredisant aussitôt le ton agacé qu'elle venait d'employer, elle demanda dans un murmure :

— Tu penses vraiment ça, toi, Marguerite ?

— Que je pense quoi ?

— Ben, que c'est ma journée pis que je le mérite ? Me semble que j'ai rien faite de spécial pour mériter tout ça… Ma vie, c'est rien d'autre que de l'ordinaire, ma pauvre Marguerite. Mais de l'ordinaire agréable, par exemple. Ça mérite pas une récompense comme à la petite école quand on a eu une bonne note, ça là !

Marguerite dessina un sourire ému.

— Ça prend ben une Gilberte Bouchard pour parler comme ça ! Un vrai cœur sur deux pattes.

— Arrête donc, toi là ! Tu vas me mettre encore plus mal à l'aise, pis j'ai surtout pas besoin de ça, à matin…

Une main sur le cœur, Gilberte prit une longue inspiration, puis elle demanda encore :

— Marguerite ?

— Oui, Gilberte ?

— Tu peux-tu me promettre que j'aurai pas l'air folle dans ce costume-là ? Avec un voile, par-dessus le marché. Pis un bouquet, pis des souliers blancs… Ouais, peux-tu me promettre, Marguerite, que le monde va pas rire de moi parce que je suis trop vieille pour me marier, pis que… ?

— On est jamais trop vieux pour aimer pis se marier, Gilberte… Jamais trop vieux, sois-en certaine. Pis personne va avoir envie de se moquer de toi. Personne. On t'aime bien que trop pour ça.

L'intonation était catégorique. Néanmoins, devant la mine incrédule et toujours un peu chagrine de Gilberte, Marguerite enchaîna et proposa, à titre d'exemple :

— Regarde Lionel pis moi ! On était pas des jeunesses, nous autres non plus, quand on s'est mariés. Pis personne s'est moqué de nous autres. Je te dirais même que mon âge m'a pas empêchée de profiter de ma journée comme toutes les mariées de la terre, comme si j'avais eu vingt ans ! Pis le souvenir que j'en garde, ben, c'est que ce jour-là a été le plus beau jour de toute ma vie.

Gilberte poussa alors un second long soupir tout chevrotant.

— Je le sais ben que c'est toujours ce qu'on dit, pis que nos noces sont supposées être le plus beau jour de notre vie. Mais me semble que pour moi, ça aurait pu être ma journée autrement. Ouais… Comme dirait Célestin : « C'est mon idée pis personne va venir la changer… »

Maintenant, le ton était boudeur, et il n'appelait surtout aucune réplique.

Toutefois, malgré tout ce qu'elle venait de dire, Gilberte s'approcha du lit et, du bout des doigts, avec, semble-t-il, beaucoup de respect, elle caressa le satin de la jupe.

— C'est vrai, murmura-t-elle, que le tissu est ben doux.

J'ai jamais eu ça, moi, un beau costume de même.

— Pis t'en auras probablement pas d'autre non plus, répliqua alors Marguerite, un brin taquine. On se marie pas tous les jours.

— J'espère ben que je me marierai pas tous les jours ! C'est fatigant sans bon sens.

— C'est pourquoi il faut en profiter pleinement, Gilberte ! Parce que ça reviendra pas !

— T'as ben raison…

Sur ce, Gilberte ébaucha un sourire un peu nostalgique.

— T'étais belle en s'il vous plaît quand tu t'es mariée, Marguerite. Je m'en rappelle comme si c'était hier. T'avais l'air tellement heureuse.

— Et j'étais heureuse. Oh ! Oui, je l'étais ! Ça faisait longtemps que je l'attendais, mon Lionel… Ben des années… Pas mal plus longtemps, en tout cas, que toi avec ton monsieur Ernest.

— Peut-être ben, oui… Pis ça te faisait pas peur ?

— Peur de quoi ? Quand on est bien ensemble, on peut pas avoir peur de vivre sous le même toit.

— Je sais ben, mais…

Gilberte se tut brusquement et ferma les yeux, incapable de poursuivre.

Elle pinça même les lèvres, pour être bien certaine que les mots ne s'échapperaient pas d'eux-mêmes, la mettant encore plus mal à l'aise, comme si elle avait à être honteuse d'avoir de telles pensées.

Il y a de ces choses dont on ne parle qu'avec sa mère ou avec celle qui l'a remplacée, n'est-ce pas ? Et comme Emma était morte alors que Gilberte n'était qu'une enfant, et que Prudence n'était plus en état d'avoir une discussion éclairée avec elle…

Le menton de Gilberte se mit à trembler d'émotion contenue.

Bien au-delà de la cérémonie, de l'habit ou de la réception, encore plus que toute cette foule qui l'attendrait à l'église, tout à l'heure, il y avait quelque chose qui lui faisait débattre le cœur depuis le fameux jour où, sans prendre le temps de réfléchir, elle avait spontanément dit oui à Ernest, en lui confiant sa main et le reste de sa vie.

En effet, ce jour-là, un grand frisson d'inquiétude avait vite remplacé l'euphorie d'un moment presque irréel, trop vite passé. Une inquiétude si grande qu'elle l'avait même empêchée de dormir.

Et ce matin, la peur était de retour, irrépressible, lui causant des battements de cœur à ce point intenses qu'ils rendaient Gilberte irritable, jusqu'à l'empêcher de se réjouir et d'être heureuse.

— C'est comment, Marguerite, quand tu te retrouves toute seule dans l'intimité avec ton mari? demanda alors Gilberte, d'une voix étranglée, les yeux fermés sur son malaise.

Malgré la meilleure volonté du monde, les mots lui avaient échappé, car présentement, l'angoisse se faisait démesurée, beaucoup plus grande que cette pudeur excessive qui l'avait toujours habitée.

Jamais de toute sa vie d'adulte, Gilberte ne s'était montrée nue à qui que ce soit, hormis quand elle avait été hospitalisée, et encore! À l'hôpital, c'étaient des infirmières et des religieuses qui s'étaient occupées d'elle.

Quand le médecin l'avait opérée, Gilberte était déjà profondément endormie et elle s'était fait un devoir d'oublier rapidement que peut-être…

Tout cela pour dire que la perspective d'une première nuit aux côtés d'Ernest, couchée dans le même lit que lui, effrayait Gilberte au point qu'elle en avait perdu le sommeil, depuis plus d'une semaine. Pourtant, elle avait choisi elle-même une longue jaquette blanche, très chaste, la couvrant du cou jusqu'aux orteils. Mais brusquement, ce vêtement qu'elle avait vu comme un rempart ne suffisait plus à la rassurer et la dentelle joliment appliquée aux poignets lui semblait osée.

Marguerite comprit fort bien le message sous-entendu dans les quelques mots pudiques que Gilberte avait prononcés comme un secret, tout comme elle savait qu'elle n'avait pas le choix de répondre à cette dernière. Il n'y avait qu'elle qui puisse le faire, n'est-ce pas?

— Ernest a-t-il déjà été malpoli avec toi? demanda-t-elle alors, ne sachant quel mot employer pour ne pas effaroucher Gilberte.

— Malpoli? Je comprends pas.

— Comment dire… Trop empressé, peut-être? ajouta Marguerite, au bout d'un instant de réflexion et avec le plus de délicatesse possible.

— Trop empressé? Achalant, tu veux dire? Ben non, voyons!

La réponse de Gilberte avait fusé avec une sincérité désarmante. Comment pouvait-on douter de la galanterie d'Ernest Constantin?

— Alors, t'as rien à craindre, rassura Marguerite, se

sachant comprise, même à demi-mot. Il y a de ces choses qui vont toutes seules, entre un homme pis une femme. C'est un peu comme une main qui se pose spontanément sur une épaule pour encourager quelqu'un.

— Ah oui? C'est un peu comme ça?

— Oui, si on veut. C'est un peu comme ça, mais en mieux... Dis-toi bien, Gilberte, que désormais, vous avez toute la vie devant vous deux pour apprendre à mieux vous connaître, Ernest pis toi. Pas juste une nuit... Dis-toi surtout qu'il y a rien qui presse.

— C'est vrai que dans le fond, il y a rien qui nous presse, répéta Gilberte, songeuse. Normalement, on a encore un bon bout de vie devant nous deux, Ernest pis moi... En tout cas, je l'espère. Ouais, t'as ben raison, Marguerite, il y a rien qui presse.

Avec une grande sobriété, à mots couverts et sans entrer dans le détail, Marguerite avait su lui parler de l'intimité d'un couple. Sans heurter la sensibilité de Gilberte, elle avait su démythifier la chose, et elle fut persuadée que celle qu'on avait longtemps surnommée «la vieille fille» arriverait à se détendre, que ses craintes finiraient bien par s'émousser pour faire place à la confiance et même au désir. Ernest Constantin était de ces hommes courtois jusque dans leur chambre à coucher, Marguerite en était convaincue.

Comme pour lui donner raison, Gilberte leva un regard rempli d'espoir vers elle.

— Si tu savais à quel point j'espère que toute va ben se passer. Pour moi, c'est sûr, mais pour Ernest aussi.

— Tout va bien se passer, Gilberte. Promis!

— On dit ça, ouais…

Gilberte secoua mollement la tête en fermant les yeux, avant d'ajouter avec un peu plus de fermeté :

— Si tu dis que j'ai pas à m'en faire, je veux bien le croire, Marguerite. Après toute, t'es déjà passée par là…

— Eh oui ! Je te le dis, Gilberte, va surtout pas gâcher la belle journée qui s'en vient avec quoi que ce soit. Ça serait ben dommage.

Gilberte souleva alors les paupières et prit une profonde inspiration.

— D'accord… Je vas me fier sur toi… Astheure, faut que je m'habille, on a assez perdu de temps. On dit souvent que les mariées se font toujours attendre, pis c'est vrai ! J'étais ben placée pour le savoir, hein ? Comme sacristine, j'en ai vu, des mariages, des centaines peut-être, pis plus souvent qu'autrement, la mariée se faisait attendre.

Avec une infinie précaution, Gilberte détacha les boutons de la veste du tailleur. Puis, elle s'attaqua à ceux du chemisier d'organdi qui l'accompagnerait. Ce faisant, elle poursuivait son monologue. Comprenant alors qu'en agissant ainsi, Gilberte évacuait ses derniers tiraillements, Marguerite se garda bien de l'interrompre.

— Mais ça, c'était avant, c'était parce que j'étais pas encore passée par là… Je sais pas si tu le sais, Marguerite, mais j'haïs ça ben gros, moi, faire attendre le monde, pis là, du monde, il va y en avoir ! Juste à y penser, j'en ai des gargouillis dans le ventre… Ça fait que : « On se grouille », comme dirait Célestin… En parlant de lui, justement… Je me demande ben comment ça se passe à la maison.

— Avec Ernest pis Lionel, qui s'occupent ensemble des garçons, t'as pas à t'en faire, rassura Marguerite, qui savait qu'elle pouvait faire confiance à son mari, même si ce dernier était, lui aussi, dans tous ses états, puisqu'il serait le témoin de sa «petite» sœur Gilberte. On va toutes finir par se retrouver à l'église en même temps! Pis avant que tu m'en reparles encore une fois, inquiète-toi pas pour Prudence. J'ai trouvé une bonne personne pour lui tenir compagnie, le temps que va durer la cérémonie. Après, je vas venir voir comment elle se sent, pis si notre Prudence est dans une de ses bonnes journées, elle va venir à l'auberge pour manger avec tout le monde.

— Ça, ça me ferait pas mal plaisir!

Le regard de Gilberte se mit à briller de joie. En ce moment, rien n'aurait pu la rendre plus heureuse que de savoir que celle qui avait remplacé sa mère, alors qu'elle n'était qu'une adolescente, serait peut-être de la fête, malgré le fait qu'elle n'ait plus toute sa tête, comme on le disait communément.

— Ouais, ça serait ben agréable que Prudence soye avec nous autres. Même si peut-être elle me reconnaîtra pas.

Marguerite échappa un long soupir.

— On s'y fait difficilement, n'est-ce pas? Pauvre Prudence... Mais quoi qu'il en soit, on va continuer de l'aimer, souligna Marguerite. Astheure, approche que je t'aide à fixer le voile! Faut qu'on se dépêche un peu, le monde doit commencer à arriver à l'église.

— Déjà? C'est vrai qu'il y en a qui viennent de loin pis qu'ils ont dû s'y prendre pas mal à l'avance... Bonté divine que ça m'énerve, Marguerite! Tout le monde que je connais va être là, je pense ben! Toute ma parenté, plus des amis d'Ernest, plus d'autres de la Pointe, pis de l'Anse... Ça finit plus! Il y a même René Canton, celui qui vient de la France, qui va être là. C'est même à cause de lui si on fait ça aussi de bonne heure dans la saison parce qu'il est supposé prendre son bateau la semaine prochaine, pour retourner chez eux... Parce que cet homme-là a ben connu son fils André, Ernest tenait mordicus à ce qu'il soye là... Bonne sainte Anne que ça va faire du monde! J'ai de la misère avec ça, moi, quand il y a beaucoup de monde! Mais qu'est-ce qui m'a pris, aussi, de dire oui?

Quand elle entra à l'église, ce matin-là, la mariée n'avait pas une seconde de retard. Elle n'était plus très jeune, soit, ni très mince ni très jolie, d'accord, mais aux yeux d'Ernest, elle était la plus belle sous son court voile de tulle blanc.

Droite comme un «i», Gilberte remonta l'allée de la petite église de Pointe-à-la-Truite au bras d'Alexandrine. Toutes les deux, intimidées d'être ainsi le point de mire de l'assemblée, avaient les mains qui tremblaient.

Juste derrière elles venait Célestin.

Sans la moindre hésitation, c'était lui qui avait été choisi pour porter les alliances, déposées sur une petite assiette en argent.

— Ben là, je suis content, Gilberte! Oui monsieur. Merci d'avoir pensé à moi pour faire ça!

Jamais Célestin n'avait été aussi fier de lui qu'en ce moment. Non seulement monsieur Ernest l'avait-il écouté et donné suite à sa proposition, mais Gilberte n'avait même pas protesté. Aucune remarque, pas la moindre réprimande ! Elle avait dit oui comme ça, tout d'un coup !

Célestin avait alors pensé qu'il avait eu pas mal raison de réfléchir et d'insister, oui monsieur !

C'était donc un peu à cause de lui si, ce matin, on célébrait en grand apparat le mariage de sa sœur Gilberte. Alors, le grand gaillard en oubliait d'être gêné. Tout souriant, raide comme une barre de fer, Célestin marchait lentement, tout en comptant jusqu'à deux entre chaque pas, comme on le lui avait enseigné. Cependant, il avait hâte que la cérémonie finisse parce que son frère Antonin venait d'arriver. Il avait fait le voyage depuis l'Anse-aux-Morilles, dans la goélette de Léopold, pour assister au mariage de celle qu'il appelait affectueusement sa deuxième maman. Comme les deux hommes n'avaient pas eu le temps de se parler vraiment, Célestin avait un petit peu hâte que la cérémonie se termine parce qu'il avait beaucoup de choses à raconter à Antonin.

En troisième lieu venait le marié.

Plutôt que d'être accompagné par son fils Raymond qui serait son témoin, comme l'aurait voulu la tradition, Ernest donnait fermement la main à deux hommes à têtes grises, aux yeux en amande, et au sourire particulier, immense, qui leur mangeait tout le visage. En effet, il n'avait jamais été question pour Gilberte et pour Ernest que Germain et Hubert soient écartés de la cérémonie.

Après tout, c'était beaucoup grâce à eux si, un jour, Ernest Constantin avait eu l'envie de faire plus ample connaissance avec cette mademoiselle Gilberte

Bouchard, que Germain appelait « maman ». Alors, sans discussion possible, il avait été décidé que Germain et Hubert seraient avec eux en cette belle journée, et, comme les deux hommes refusaient habituellement la présence d'étrangers à leurs côtés, Ernest avait déclaré qu'il s'en occuperait lui-même. Pour ce faire, il avait donc demandé qu'on installe, à l'avant de l'église, deux chaises supplémentaires, une à la droite de Gilberte, et une autre, à sa gauche.

— C'est bien dit, ça, Ernest. J'aurais pas mieux faite, avait alors approuvé Gilberte.

En ce moment, bien qu'il soit entouré par ces deux hommes un peu différents, curieux de tout, qui n'arrêtaient pas de tourner la tête dans tous les sens pour dévisager les invités, comme l'auraient fait de tout jeunes enfants, monsieur Ernest Constantin avait tout de même très fière allure, dans son habit queue-de-pie.

La cérémonie fut brève, tel que demandé par Gilberte.

— Faut pas espérer que Germain pis Hubert vont rester tranquilles ben ben longtemps, surtout sans bouger, avait-elle expliqué. Vous le savez ça, monsieur le curé, vous les voyez à la messe tous les dimanches. Pis ça aurait l'air un peu fou d'apporter leur pile de revues de magasins avec eux autres pour un mariage. Ça fait que... Y aurait-tu moyen de faire ça court, pour ces deux-là ? Ça serait ben apprécié.

Le curé avait levé les yeux au ciel... et la cérémonie fut courte !

Au son des cloches qui sonnaient à toute volée, l'assemblée au grand complet se déplaça ensuite vers l'auberge de la mère Catherine, traversant une bonne partie du village, Paul Tremblay en tête, courant jusque chez lui, l'esprit encombré par mille et un détails.

En compagnie d'Alexandrine, Réginald remplit son rôle d'hôte avec grand art, et le repas fut en tous points parfait.

Après que les invités eurent quitté la salle, laissant toute la place à quelques intimes visiblement fourbus, Gilberte poussa un long soupir de soulagement, et, incapable de résister plus longtemps, elle retira ses fichus souliers blancs pour se masser les pieds.

— J'en peux plus ! Tu parles d'une journée ! Belle, ça, c'est plus que certain… Comme un rêve, hein, Ernest ? Un beau rêve qui a passé trop vite, mais qui a été quand même pas mal fatigant… J'espère juste que tout notre monde était content !

— Mais qu'est-ce que c'est que cette hésitation ? Comment ne pas être heureux et satisfait après un si bon repas ? souligna René Canton, surpris que madame Gilberte puisse entretenir le moindre doute.

— C'est vrai que monsieur Paul s'était surpassé, renchérit Ernest. Le poulet à la crème fondait littéralement dans la bouche et le gâteau… Que dire du gâteau ! Il était spectaculaire et délicieux.

— Pour être bon, il était bon, avec sa glace au beurre ! Une vieille recette de Victoire, ça… Je pense qu'il y a eu ben du monde pour penser à elle quand monsieur Paul est entré dans la salle à manger avec le gâteau déposé sur sa petite table roulante, précisa Gilberte tout en bâillant.

— Oui, on a eu droit à un très beau mariage, ajouta

Ernest en glissant un regard amoureux vers Gilberte, mais il est vrai que c'était une journée plutôt chargée, vous avez tout à fait raison, chère amie. On n'a plus vingt ans, n'est-ce pas?

— À qui le dites-vous!

Malgré l'insistance d'Ernest, Gilberte n'arrivait toujours pas à le tutoyer, à employer de ces petits mots doux qui ponctuent une relation amoureuse. Sa timidité excessive l'en empêchait. Cependant, elle avait promis de faire de gros efforts pour y arriver... avant au moins la fin de l'été.

Au même moment, Paul fit son entrée dans la pièce. Échevelé, les manches de sa chemise roulées jusqu'aux coudes et un long tablier protégeant son pantalon d'habit, il avait l'air épuisé. Les tables avaient été débarrassées et, avant de s'attaquer à la montagne de vaisselle sale avec Réginald, il voulait prendre un moment de repos bien mérité.

— Quelle journée! lança-t-il en écho à tout ce qui venait de se dire.

Tout en se dirigeant vers la table d'honneur, Paul jeta un regard insistant vers Gilberte, puis un autre vers Ernest, assis l'un à côté de l'autre, avant de leur demander:

— Alors, vous deux? Tout était-il à la hauteur de vos espérances?

— Et même plus, répondit chaleureusement Ernest. Merci, monsieur Paul. Infiniment. Et merci aussi pour la gentillesse de tous nous accueillir sous votre toit.

— C'est la moindre des choses. Comment auriez-vous pu être à l'aise chez Gilberte? La maison est beaucoup trop petite pour tous vous loger adéquatement, même pour une seule nuit... Mais ne craignez pas! Maintenant que la noce est passée, je m'y mets, et avant le mois de juillet, vous allez l'avoir, votre maison.

En effet, Paul s'était engagé à dessiner les plans et à voir lui-même aux travaux de rénovation qui agrandiraient la minuscule maison de Gilberte. En attendant la fin des travaux, la petite famille pouvait habiter à l'auberge comme bon lui semblait, puisque la saison touristique n'était pas commencée.

Tout en suivant la conversation de loin, René Canton avait retiré sa veste et relâché le nœud de sa cravate. Laissé à lui-même par Raymond, qui avait suivi Johnny Boy à son atelier où il travaillait le fer forgé, René n'avait pas perdu un mot de ce qui se disait à l'autre bout de la salle. La joyeuse ambiance de la journée avait attisé en lui l'ennui de son village et, surtout, celui de ses amis. Il était grand temps de retourner en Normandie. Aujourd'hui, René l'avait ressenti jusque dans ses tripes. Heureusement, le voyage se ferait la semaine suivante, en compagnie de Raymond, avec qui il avait rapidement créé des liens d'amitié. Ce dernier s'était donc spontanément offert à l'aider pour tout reconstruire.

— Et votre père? avait alors demandé René, quand Raymond lui avait proposé son aide.

— Mon père? Disons que pour l'instant, il n'a pas vraiment besoin de moi... Sa Gilberte lui suffit, croyez-moi. Il n'a que ce nom à la bouche.

— Et votre frère?

— Gérard? C'est le nom de Rita qui occupe toutes ses

pensées. Non, je vous le dis, s'il y a un moment où je peux m'absenter, c'est bien maintenant !

— Dans ce cas, votre aide n'est pas de refus…

Et avec un large sourire, René avait ajouté :

— C'est mon copain François qui va être content de vous revoir ! Vous ressemblez tellement à votre frère… Toutefois, dès que l'on vous connaît, on constate la différence entre vous deux et elle est grande !

— Ainsi va la vie, avait alors rétorqué Raymond, qui n'en était pas à une remarque près en ce sens.

Puis, après quelques instants d'introspection, Raymond avait ajouté, avec un vague sourire sur les lèvres :

— Moi aussi, je vais être heureux de revoir tout ce beau monde, très très heureux !

C'est alors qu'il repensait à cette conversation que René aperçut Célestin, qui venait d'apparaître dans l'embrasure de la porte.

Du regard, le grand gaillard survola la pièce et, dès qu'il vit Gilberte, il fonça droit sur elle.

— Ça y est ! lança-t-il, nullement gêné d'interrompre la conversation. Germain pis Hubert sont couchés pour une petite sieste. Dans la même chambre, par exemple, parce qu'ils voulaient pas être séparés.

— Pas de trouble, mon homme. L'important, c'est qu'ils puissent se reposer un peu.

— C'est sûr qu'ils vont se reposer, ils dormaient déjà quand j'ai fermé la porte de la chambre. Oui monsieur ! Pis ?

— Pis quoi, Célestin ?

— De quoi vous parlez, vous autres ?

Tout en discutant, Célestin avait rejoint Gilberte. Il se laissa tomber sur une des chaises qui émit un petit craquement inquiétant.

— Attention, mon homme, c'est fragile, ces belles chaises-là, prévint machinalement Gilberte, qui retrouvait avec aisance et soulagement toute la place qui était normalement la sienne auprès de ses hommes. Pis, pour répondre à ta question, nous autres, on était en train de parler de la maison que monsieur Paul va nous construire.

— Ah oui?

Célestin avait l'air tout heureux.

— C'est une bonne idée, ça. J'aime pas mal ça, moi, parler de la maison qu'on va avoir!

Le regard de Célestin s'était mis à briller.

— Ça va être une belle maison qu'on va construire pour toute la famille, hein, Gilberte? Monsieur Ernest a eu une pas mal bonne idée, pour agrandir notre maison, oui monsieur! Comme ça, t'auras pas besoin de déménager, Gilberte. Pis c'est une bonne affaire. Je le sais, moi, que t'aurais pas aimé ça, partir pour la ville de Québec. Pis en plus, moi, je vas avoir une chambre à moi tout seul... C'est un peu drôle, mais avant, je voulais pas avoir une chambre à moi tout seul. Non monsieur! J'avais peur de m'ennuyer d'Antonin. Mais astheure, ça me fait plus peur d'être tout seul, pas pantoute. Je le sais maintenant que je peux parler à Antonin quand je veux, pis ça me suffit... Même que ça me tente d'avoir enfin un petit peu la paix pour bien dormir. Il est gentil, Germain, mais il ronfle pas mal fort, des fois.

Sur ce, Célestin se tourna vers Paul.

— C'est-tu ben long, construire une maison ? Je connais pas ça, moi, les maisons qu'on construit.

— Long ? Pas vraiment, mon Célestin. C'est sûr que ça se fait pas en claquant des doigts, mais ce n'est pas si long que ça… Comment je pourrais dire… Disons que votre maison va être prête quand l'école du village va fermer ses portes pour l'été. Ou presque. Est-ce que ça te donne une petite idée, ça ?

— Ouais… Comme le lilas au coin de la maison va avoir ses fleurs bientôt, analysa Célestin, c'est vrai que ça sera pas trop long pour que les vacances arrivent. Je sais ça, moi. Ça veut dire que ça sera pas trop long non plus pour construire notre maison.

Tout en parlant, Célestin opinait vigoureusement du bonnet.

— C'est vrai, d'abord, monsieur Paul, répéta-t-il en tournant les yeux vers l'aubergiste, que c'est vraiment pas trop long construire une maison.

— Alors là, je vous interromps, messieurs.

René Canton s'était levé. Tout en zigzaguant entre les tables, il s'approcha de Paul et de Célestin, assis tous les deux à la table d'honneur.

— J'aimerais bien dire comme vous, poursuivit-il en s'asseyant à son tour, mais je crains qu'il y ait certaines constructions qui demandent nettement plus de temps que d'autres.

— Vous avez bien raison, approuva aussitôt Paul. Il y a même des cathédrales qui ont demandé des centaines d'années de construction ! Mais quand un projet est bien préparé, que les plans sont fiables, et que la main-d'œuvre met tout son cœur à l'ouvrage, pour une maison d'habitation normale, ça va assez rondement. Mais pourquoi vous me dites ça?

— Parce que chez moi, en Normandie, j'ai une maison à reconstruire, moi aussi, et que j'ai l'impression que ça va me prendre des mois et des mois avant d'y arriver... Cette maison-là a vu passer trois générations de Canton, vous savez. Mais les Allemands ont eu la courtoisie de tout détruire avant de partir, conclut-il avec sarcasme.

Le ton était amer. Cependant, René n'entrerait pas dans les détails. Il voulait vraiment oublier ce triste passage dans sa vie.

Voilà ce que le voyage en Amérique lui aura apporté de bon: quelques amis sincères, et l'envie irrésistible de tourner la page une bonne fois pour toutes, de mettre le passé à sa place, derrière lui, et de regarder franchement vers l'avenir. En quelques mois à peine, René avait pris conscience que les années passaient trop vite pour en gaspiller la moindre parcelle en vains regrets, et, puisqu'on ne pouvait rien changer au passé...

Curieusement, c'était toujours un peu de cette façon que René Canton avait envisagé la vie, même quand il n'était qu'un tout jeune homme. Toutefois, la déception qui l'attendait à son retour au village, après la libération de Paris, avait été si grande qu'elle avait tout gommé de ses habituelles valeurs, ne laissant qu'une grande colère en lui, une véritable déferlante d'amertume et de rage. Cependant, à vivre presque seul durant tous ces derniers mois, René avait eu le temps de bien réfléchir, et il n'avait eu aucune difficulté à admettre que sa destinée à lui, c'étaient les copains, les clients et sa buvette.

Et que personne ne vienne lui dire que ce choix de vie avait moins d'importance que les autres !

Aux yeux de René, ne pas reconstruire aurait donné raison aux Allemands, et de cela, il n'était pas question.

— Mais on va y arriver, reprit René en secouant la tête. Une maison, ça se construit et ça se reconstruit. Raymond a promis de m'aider, j'ai pas mal de copains sur qui je peux compter, alors, oui, on va y arriver.

— Si vous n'habitiez pas si loin, ça me ferait plaisir de vous aider, moi aussi. J'ai beau savoir que je suis aubergiste dans l'âme, il n'en reste pas moins que j'aime encore me pencher sur ma table à dessin et, chaque fois que quelqu'un m'approche pour un plan ou des conseils, je ressens un petit frisson d'excitation.

— Et moi, je ne suis pas trop maladroit avec un marteau, lança Ernest avec conviction.

Il avait suivi ce bref échange avec intérêt, un petit sourire au coin des lèvres, tenté qu'il était de connaître, lui aussi, tous ces pays qui avaient eu un si grand pouvoir d'attraction sur ses fils. Au point où l'un d'entre eux y avait sacrifié sa vie.

— J'aime bien, à l'occasion, travailler de mes mains, expliqua Ernest. Ce que je vais faire ici, d'ailleurs, si on m'en donne l'occasion… Dommage, en effet, que vous habitiez au bout du monde.

Cette dernière expression accrocha l'oreille de Célestin. Intrigué, il se tourna vers Gilberte.

— C'est vrai, ça, que lui, il demeure au bout du monde ? demanda-t-il en pointant son gros pouce boudiné vers

René. Même si je le connais un peu, monsieur René, je savais pas ça, moi, qu'il demeurait au bout du monde. Non monsieur !

— Le bout du monde, c'est une façon de parler, Célestin, précisa Gilberte. Monsieur René habite pas vraiment au bout du monde, mais c'est quand même assez loin. Il habite de l'autre côté de l'océan… Pis arrête de pointer les gens comme ça, Célestin, c'est pas poli.

— Je m'excuse, Gilberte, lâcha alors le grand gaillard dans un soupir d'impatience, tout en cachant la main dans son dos… C'est juste que je suis en train de penser pas mal fort, pis dans ce temps-là, des fois, j'oublie un petit peu d'être poli.

Sourcils froncés, Célestin avait détourné le regard et, présentement, il fixait intensément René Canton. Ce dernier lui fit un beau sourire, accompagné d'un clin d'œil. René aimait bien ce grand bonhomme au parler franc et sans détour. Brusquement, Célestin se redressa et ramena les yeux sur Gilberte.

— Ben voyons donc, Gilberte, ça marche pas ton affaire, déclara-t-il en se tapant sur la cuisse. Je pense que tu t'es un petit peu trompée… Ouais, je pense ça, moi, parce que lui, là, expliqua-t-il en pointant René avec le menton, cette fois-ci, il peut pas avoir envie de retourner de l'autre côté de l'océan, pas pantoute, même, parce que c'est là qu'il y a la guerre. Je sais ça, moi.

— C'est là qu'il y avait la guerre, Célestin… Aurais-tu oublié qu'elle est finie, la guerre ? Depuis un petit boutte, à part ça.

— Ah ! Ben oui, c'est vrai. Même qu'on est allés à la

gare des trains chercher le garçon de monsieur Ernest parce qu'il revenait de la guerre qui était finie. Je l'avais un petit peu oublié... Comme ça, ajouta Célestin, en pointant toujours le menton en direction de René, il peut retourner chez eux sans danger?

— On dirait bien.

— Je suis content, d'abord, pis c'est tant mieux pour lui... Moi aussi, j'aime ça, revenir à la maison quand je fais un petit voyage à Québec... Ouais... Pis monsieur René, est-ce qu'il a dit qu'il avait une maison à construire, ou je me suis encore trompé?

— Non, cette fois-ci, tu t'es pas trompé, Célestin. C'est ça qu'il a dit, monsieur René: il a une maison à construire, lui aussi. À reconstruire, plutôt, parce que sa maison à lui a été détruite durant la guerre.

— Ah! C'est pas drôle, ça, avoir une maison démolie à cause de la guerre. Je savais pas ça, moi, que la guerre pouvait briser les maisons... Mais c'est quand même un petit peu drôle, deux maisons à construire en même temps. Tu trouves pas, Gilberte?

— Peut-être oui.

— Je comprends, maintenant, pourquoi monsieur René veut retourner chez lui. Il veut refaire sa maison.

Tout en parlant, Célestin opinait encore une fois vigoureusement quand il s'arrêta brusquement.

— Pis lui, pour sa maison qu'il faut construire, c'est-tu monsieur Paul qui va lui faire le dessin? demanda-t-il en tournant la tête vers Gilberte.

— Ben non, voyons! Monsieur Paul, c'est notre maison à nous, qu'il va dessiner. Pis après, il va devoir surveiller les ouvriers qui vont la bâtir. Il peut pas être à deux places en même temps, monsieur Paul !

— T'as ben raison, Gilberte... Tu vois, j'avais oublié ça avec... J'en oublie des affaires, moi là...

— C'est pas ben grave, mon Célestin. Ça arrive, des fois. On vient d'avoir une grosse journée. Tu dois être fatigué.

— Ben non, je suis pas fatigué pantoute ! J'ai juste encore un petit peu faim, pis ça m'achale, mais pas plus...

Célestin avait répliqué à sa sœur d'une voix un peu vague. Les coudes appuyés sur ses cuisses, le regard au sol, il semblait plongé dans une profonde réflexion.

— C'est un peu triste pour lui que monsieur Paul pourra pas faire la maison de monsieur René, marmonna-t-il juste pour lui, parce qu'il est bon dans le dessin des maisons, monsieur Paul, oui monsieur ! C'est ça que mon frère Antonin a dit tantôt, pis mon frère, il est comme Gilberte : il dit toujours la vérité... Oh ! J'ai une idée...

Célestin s'était redressé, tout excité.

— Gilberte ! Je pense que j'ai une idée, une bonne idée, à part de ça...

Célestin se tourna vivement vers sa sœur.

— Oh ! Mon idée est comme toute mêlée dans ma tête... Je trouve ça difficile, des fois, quand je pense trop fort... Il y a plein d'affaires en même temps dans ma tête pis j'ai peur de toute perdre mes idées.

Célestin inspira profondément avant de poursuivre. Comme Gilberte l'avait déjà expliqué, il fallait se calmer, pour ne pas perdre ses idées.

— Gilberte, c'est toi, hein, qui m'as dit l'autre jour que durant un bout de temps, on aura pas de maison ?

— Oui, c'est moi. Je t'ai expliqué qu'on aura pas le choix de mettre toutes nos affaires dans des grosses boîtes, sauf notre linge, pis on va ranger tout ça dans le hangar de Lionel en attendant que notre maison soye prête. T'as une bonne mémoire, Célestin…

— C'est vrai ça, que j'ai une bonne mémoire, mais c'est pas ça l'important pour astheure… Non monsieur! L'important, pour nous autres, c'est que pendant ce temps-là, on va demeurer un petit peu ici, à l'auberge, pis un petit peu à Québec dans la maison de monsieur Ernest qui est pas encore vendue. C'est-tu pas mal correct ce que je dis là, Gilberte?

— En plein ça.

— Me semblait aussi…

Célestin avait l'air soulagé.

— Ben, si c'est de même, pis qu'on aura pas de maison pour un boutte, comme tu dis, on pourrait peut-être aller aider monsieur René pour construire sa maison à lui? On aurait le temps de faire ça, non?

— Ben voyons donc, Célestin! C'est bien que trop loin, la place où monsieur René demeure. C'est de l'autre bord de l'océan!

— Pis ça? Monsieur René, il va ben y aller, lui, de l'autre bord de l'océan. Pis monsieur Raymond aussi. J'ai entendu ça, l'autre jour. Pourquoi nous autres, on pourrait pas y aller?

— En effet, pourquoi nous, on ne pourrait pas y aller? répéta en écho la voix d'Ernest Constantin, s'immisçant ainsi dans la conversation.

— Ben voyons donc, vous là!

Gilberte s'était retournée tout d'un bloc vers Ernest.

— Vous êtes toutes en train de virer fous, ma parole! Ça a pas d'allure ce que vous proposez là, Ernest. Ça a pas une miette de bon sens, répéta Gilberte en séparant exagérément les mots. Nous voyez-vous partir loin de même avec les garçons? Pis avec Célestin? Pis avec toutes les bagages que ça prendrait pour traverser jusqu'en Europe? Pis ça, c'est sans parler de ce que ça coûterait.

Gilberte ne savait plus trop si elle devait regarder Célestin ou Ernest pour se faire comprendre. Son regard allait de l'un à l'autre, sans arriver à se poser. Le grand gaillard la dévisageait la bouche entrouverte, tandis qu'Ernest, de son côté, l'observait avec une pointe de gaminerie au fond des prunelles. Ce fut ce petit reflet amusé qui attisa la détermination de Gilberte.

— Ernest! C'est quoi ces yeux-là? Vous le savez, pourtant, que j'ai pas les moyens de me payer un voyage comme celui-là. Aller en France! C'est complètement ridicule... Pis toi, Célestin Bouchard, comment peux-tu imaginer que je...?

— Vous n'êtes plus seule, ma belle, ma tendre amie, interrompit Ernest quand le regard de Gilberte croisa le sien. Maintenant, nous sommes deux pour nous occuper de notre famille et pour prendre les décisions la concernant.

Ma belle, ma tendre amie...

Dans un premier temps, confondue, Gilberte n'entendit rien d'autre. Elle en perdit ses mots et se mit à rougir comme une toute jeune femme. C'était nouveau, cette gentille appellation de la part d'Ernest.

Nouveau et plus intime.

Gilberte sentit son cœur bondir dans sa poitrine. C'est vrai, elle était désormais madame Ernest Constantin et ils seraient deux pour voir à la famille!

Malgré la rougeur de confusion qui lui maquillait joliment les joues, Gilberte dut admettre que ça n'était pas nécessairement désagréable, tout ça.

Comment Marguerite avait-elle dit cela, encore? Comme une main posée sur une épaule pour encourager quelqu'un?

Bien malgré elle, les yeux de Gilberte se posèrent sur les mains d'Ernest à l'instant où Célestin se décida à intervenir encore une fois et d'une voix tonitruante, de surcroît, pour être absolument certain de capter l'attention de sa sœur.

— Gilberte!

Ainsi interpellée, cette dernière sursauta.

— Célestin! Veux-tu ben me dire ce qui te prend?

— Rien… Il me prend rien pantoute, je veux juste que tu m'écoutes, Gilberte, pis là, t'avais ta face un peu dans la lune. C'est pour ça que j'ai parlé fort… Je veux juste que tu me dises pourquoi on peut pas aller aider monsieur René. Me semble que c'est une bonne idée, mon idée. C'est toi qui dis que c'est gentil de vouloir aider les autres. Pourquoi, là, tu veux pas? Pis dis-moi pas que c'est à cause des sous parce que c'est pas une raison, ça. Tu dis souvent que les sous c'est important, pis finalement, tu finis souvent par en trouver, des sous, surtout quand toi aussi tu veux la même chose que moi. Pourquoi, toi, tu veux pas y aller de l'autre bord de l'océan?

Que répondre à cela sans devoir expliquer devant tout le monde que c'était souvent Lionel qui avait permis la réalisation de certains rêves? Mais de là à envisager un voyage en Europe…

Gilberte, mal à l'aise, tentait de trouver une réponse satisfaisante quand elle sentit la main d'Ernest se poser sur la sienne.

— Et si nous nous donnions le temps d'y penser, chère Gilberte? Après tout, rien ne presse, n'est-ce pas?

Ernest n'aurait pu si bien dire. Le regard reconnaissant de Gilberte fut la plus éloquente des réponses.

— Vous avez bien raison, Ernest. On a tout notre temps.

— Alors, voilà ce qu'on va faire, Célestin! proposa aussitôt Ernest Constantin en se tournant vers le grand gaillard qui, incapable de se retenir, avait commencé à se dandiner sur sa chaise, roulant maladroitement d'une fesse à l'autre. Ce soir, Gilberte et moi, on va reparler de tout ça ensemble, à tête reposée. Comme j'avais justement l'intention de faire un voyage au cours de l'été, un voyage de noces, comme on dit, ton idée peut avoir du bon. Tu peux donc continuer d'espérer, mon Célestin.

— Ça veut dire quoi, tout ça? Je comprends pas, moi là… Ça veut dire oui ou ça veut dire non?

— Ça signifie peut-être. Tu dois bien comprendre ce que ça veut dire « peut-être »?

— Ben oui… Mais j'aime pas ça, moi, des peut-être, parce qu'on sait jamais quoi penser. Pis je vous l'ai déjà dit, monsieur Ernest: quand je pense trop, j'arrive pas à dormir, pis je trouve ça ben fatigant.

— D'accord... On te donne une réponse demain matin, au déjeuner, est-ce que ça te va ?

— Ouais... Demain, c'est juste un petit peu loin... Ouais, demain, ça me va ! Oui monsieur !

Quand Raymond monta à bord du transatlantique qui le mènerait jusqu'en France, il savait déjà qu'en août, son père et Gilberte, en compagnie de ceux qu'ils appelaient maintenant affectueusement les trois compères, viendraient le rejoindre en Normandie pour un séjour de quelques semaines.

— Beaucoup de préparation en vue, avait déclaré Gilberte, mais ça va m'occuper, vu que pour astheure, j'ai pas de maison.

Quant à Gérard, il n'était pas question pour lui de retourner en Europe, il en avait assez vu durant la guerre.

— Et puis, je ne veux pas laisser Rita pour un si long moment. Profitez bien de votre voyage, rapportez-moi des photos si vous y tenez, mais moi, pendant ce temps-là, je vais me contenter de surveiller la maison et de la faire visiter s'il y a des acheteurs potentiels, avait-il dit sur un ton catégorique. Bon voyage !

C'était encore ce souhait qui résonnait aux oreilles de Raymond, tandis qu'accoudé au bastingage, il admirait l'immensité de la mer.

Alors qu'après la guerre, il s'était tenu à la poupe pour voir le continent s'estomper à travers la brume et les embruns, attristé de devoir repartir, aujourd'hui, Raymond se tenait à la proue, pour voir le bateau fendre les flots. Il lui tardait d'arriver au Havre, là où il débarquerait dans quelques jours. Et si René Canton lui avait spécifié qu'il allait profiter de la traversée pour mettre sur papier tout ce qu'il fallait planifier en prévision des travaux, Raymond, lui, en profiterait pour tenter d'imaginer à quoi ressemblerait l'accueil chez les Nicolas.

Ils avaient été prévenus de leur arrivée par lettre et par télégramme !

Dans sa valise, Raymond emportait avec lui deux photos d'André, prises de nombreuses années auparavant, au moment où le jeune soldat quittait le Canada pour l'Angleterre. Avec son calot de l'armée de l'air, André Constantin avait fière allure.

Raymond remettrait une photo aux Nicolas, pour les remercier d'avoir si généreusement accueilli son frère, et la seconde serait pour mademoiselle Brigitte.

C'était là l'excuse qu'il avait bêtement conçue pour être certain de la revoir : il avait une photo d'André à lui remettre en souvenir de ces quelques mois où ils s'étaient fréquentés, et si la jeune femme n'était pas en Normandie, il irait jusqu'à Paris pour la retrouver. Il l'inviterait aussi à venir rencontrer son père quand celui-ci serait de passage en Europe.

Par la suite, Raymond n'avait pas la moindre idée de ce que l'avenir lui réservait, et il préférait ne pas trop espérer, ne pas trop rêver, en se disant que le destin déciderait pour lui.

Et peut-être aussi, son sourire. Pourquoi pas ?

Après tout, ce sourire ressemblait passablement à celui d'André…

ÉPILOGUE

« Être heureux ne signifie pas que tout est parfait.
Cela signifie que vous avez décidé de regarder
au-delà des imperfections. »
SOCRATE

Paris, un an plus tard, le lundi 3 mai 1948

À la blanchisserie de monsieur Jacob

C'est à peine si Jacob Reif pensait parfois à son ancienne profession. Le temps lui manquait, certes, car les journées étaient bien remplies, mais il y avait maintenant dans sa vie tellement plus qu'un horaire chargé !

Les résultats financiers découlant de son petit commerce dépassaient, et de loin, ses estimations les plus optimistes, ce qui lui faisait dire que, pour l'instant, le revenu suffisait amplement pour museler toute envie de regarder ailleurs.

Malgré l'absence de sa Bertha, qui resterait toujours un rappel douloureux de ces années de guerre, Jacob Reif avait la sensation euphorique que la vie avait repris et qu'elle lui souriait enfin. Il avait bien l'intention de profiter de sa bonne étoile !

— Venez voir, mademoiselle Brigitte ! lança-t-il, le nez enfoui dans son cahier de comptabilité. C'est bien ce que je pensais : nous allons pouvoir investir dans cette machine de nettoyage à sec dont on a tant parlé, vous et moi ! Finies les cuves de trempage pour détacher les vêtements !

Jamais Brigitte n'avait vu Jacob Reif aussi exubérant, à sa façon bien entendu. Pourtant, ce matin, cela ne la touchait guère.

Hier en fin de journée, Raymond était reparti pour la Normandie, et sans qu'elle l'ait avoué à personne, ce jeune homme ne la laissait pas indifférente. Chacune de ses visites, depuis bientôt un an, l'avait laissée à la fois ravie et perturbée.

Voilà pourquoi, ce matin, Brigitte n'avait pas envie de sourire : elle était dans l'une de ses journées qui la voyait totalement bouleversée !

Seul monsieur Jacob semblait la comprendre, puisqu'il avait deviné le secret, le contraire ayant été surprenant. Il y avait peut-être aussi madame Simone qui se doutait de quelque chose, car elle avait, à l'occasion, de ces regards qui se passent de mots, sans compter qu'elle employait sa voix mielleuse dès que Raymond se présentait à sa porte. Brigitte avait beau prétendre qu'ils parlaient ensemble d'André et de ce temps qu'il avait passé en Normandie, allez donc savoir ce que pensait Simone Foucault, puisqu'elle ne disait rien qui sorte de l'ordinaire.

Sinon qu'elle avait de curieux regards et, depuis la troisième visite de Raymond, cette voix doucereuse tout à fait surprenante, pour s'adresser à lui !

En ce moment, cependant, Jacob Reif semblait à des lieues de se préoccuper des états d'âme de Brigitte, et, malgré l'absence de réponses à ses exclamations, il continuait de faire des projets, tout heureux des résultats du dernier trimestre.

— On pourrait en profiter pour changer le nom de l'entreprise, qu'est-ce que vous en pensez? poursuivait justement Jacob Reif, sur ce même ton enthousiaste. Blanchisserie, ça fait vieillot, non?

Par simple politesse, et parce qu'elle aimait toujours autant monsieur Jacob, Brigitte fit l'effort d'une courte réplique.

— Peut-être bien, oui, que blanchisserie, ça fait vieillot, mais moi, voyez-vous, je trouve ça plutôt joli!

Malgré la bonne intention, le ton resta boudeur.

— Allons, mademoiselle Brigitte, un peu d'entrain, s'il vous plaît... Alors? Si on parlait d'un «pressing», plutôt? Ça sonne bien, n'est-ce pas? Ça fait chic et moderne, et il y en a partout dans Paris.

— Si vous y tenez...

Cette fois-ci, monsieur Jacob se donna la peine de lever le nez de ses calculs et il envisagea Brigitte par-dessus ses demi-lunes.

— Mais qu'est-ce qui se passe ce matin?

— Mais rien, monsieur Jacob! Rien du tout.

Quand mademoiselle Brigitte avait cette mine renfrognée, c'était qu'il y avait de l'ennui dans l'air, et, malheureusement, ce n'était pas lui qui pouvait y changer quoi que ce soit. Il ne s'appelait pas Raymond et il n'avait plus vingt ans non plus!

Parce qu'en ce moment, il avait la tête ailleurs, Jacob Reif décida donc de ne pas insister, comme il le faisait parfois avec sa fille Anna, quand celle-ci était de mauvaise humeur, ce qui arrivait, ma foi, un jour sur deux !

Il retourna à ses calculs en se disant que certains jours, comme ce matin, mademoiselle Brigitte lui faisait vraiment penser à Anna, qui avait catégoriquement choisi de ne pas aimer Paris.

— Je ne changerai pas d'avis, papa, faisait-elle, butée, quand son père tentait de la raisonner. Je n'aime pas cette ville parce qu'elle n'a pas su nous protéger. De plus, tout est vieux, ancien et gris, à Paris, et moi, je préférerais quelque chose de franchement plus moderne. Voilà, c'est dit. C'est ainsi, et il ne sert à rien d'en discuter. Je n'aimerai jamais Paris.

— Comme si la ville y était pour quelque chose, dans tous nos malheurs ! Pourtant, aujourd'hui, cette ville charmante fait amende honorable, non ? Il me semble que nous y menons une bonne vie, plaidait régulièrement Jacob. Meilleure que tout ce que j'avais espéré pour toi et ta sœur !

— Qu'importe, papa. Je sais que je ne manque de rien. Je suis consciente que c'est à vous que je le dois et je vous en remercie. Mais ça ne change rien au fait que le jour où je serai en âge de m'établir ailleurs, je le ferai, soyez-en prévenu. Les soirées à l'Opéra ou les gâteries n'y changeront absolument rien.

C'était à s'en arracher les cheveux, pensait alors Jacob, découragé devant tant de mauvaise foi et d'entêtement. Pourtant, il avait sincèrement cru que les bouderies de sa fille passeraient avec l'âge. De toute évidence, il n'en serait rien et, à moins de déménager, ce que Jacob Reif n'envisageait pas du tout, il devrait prendre son mal en patience.

Cependant, avec mademoiselle Brigitte, il n'avait pas abandonné la partie. À son âge, la jeune femme devrait finir par se montrer plus raisonnable, et, à sa défense, il fallait avouer qu'elle venait de passer une année remplie de surprises, d'indécisions, de larmes et de sourires, et tout cela à cause de l'arrivée imprévue d'un jeune homme se prénommant Raymond.

Ça avait été par un beau lundi du mois de juin de l'année précédente que mademoiselle Brigitte avait mentionné son nom pour une première fois. Ce jour-là, monsieur Jacob avait vite constaté que son employée n'était à l'ouvrage qu'à moitié, et qu'elle sursautait au moindre bruit.

— Raymond... Il s'appelle Raymond Constantin. C'est le frère d'André, vous savez... Je l'avais pourtant déjà rencontré, mais je l'avais oublié. Je n'avais pas remarqué non plus à quel point la ressemblance entre eux était frappante. Voilà pourquoi je suis si déstabilisée, ce matin... Je m'en excuse, mais j'ai eu l'impression, hier, de voir un fantôme !

À partir de ce jour, Brigitte avait beaucoup changé. Rêveuse à ses heures, critique à d'autres, souriante ou morose, Jacob Reif en déduisait, selon les humeurs de la jeune femme, qu'un jour, c'était oui, alors que le lendemain, elle ne savait probablement plus du tout où elle en était concernant Raymond.

— Qu'est-ce qui ne va pas, mademoiselle Brigitte ? Vous semblez distraite, aujourd'hui.

— Peut-être oui… J'ai vu Raymond Constantin hier. Il est gentil, bien sûr, mais il me semble que ça ne serait pas honnête.

— Pas honnête… Je ne comprends pas. Qu'est-ce qui serait malhonnête et envers qui, mademoiselle Brigitte ?

— Vous le savez très bien, monsieur Jacob ! Ne jouez pas aux devinettes avec moi, s'il vous plaît.

— D'accord… Mais tout de même, répondez à ma question.

— Malhonnête envers André. Qui d'autre ?

Puis, dans un soupir :

— Pourquoi la vie est-elle si difficile, monsieur Jacob ?

— Peut-être est-ce vous qui la voyez ainsi ? Moi, au contraire, je trouve que la vie vous sourit, en ce moment, mademoiselle Brigitte. Et de si belle façon !

— Si vous le dites.

Dans ces moments de grand découragement, monsieur Jacob faisait tout en son pouvoir pour remonter le moral de Brigitte. Parfois, il arrivait à lui arracher un sourire. Alors, il en profitait.

— Il faut suivre la route que notre cœur nous indique, conseillait-il sans plus de détails.

— Justement… Mon cœur m'indique trop de chemins en même temps.

— Allons, mademoiselle Brigitte, ce n'est pas si compliqué. Au moins, il vous parle, votre cœur ! N'est-ce pas là l'essentiel ?

— Je ne sais plus.

— Et si votre chemin s'était appelé André, auriez-vous suivi votre cœur ?

Quand monsieur Jacob faisait allusion à André de manière aussi directe, Brigitte essayait d'éviter la réponse parce qu'elle ne savait plus quoi répondre.

En fait, il était là, le problème.

Attirée indéniablement par Raymond, la jeune femme ne s'autorisait pas à l'aimer à cause d'André.

« Pourquoi faut-il que ces deux-là aient été des frères ? », pensait-elle, le soir en s'endormant.

Et pour cette même raison, elle répétait à monsieur Jacob :

— Il me semble que ça ne serait pas honnête.

— Encore ?

— Encore.

Au fil du temps, tous les prétextes étaient devenus valables pour justifier sa position.

— Raymond ne veut pas quitter la Normandie et moi, je ne veux pas quitter Paris. Vous voyez bien que rien n'est possible entre nous.

— Ce que je vois, répondait finement monsieur Jacob, avec cette patience infinie qui était probablement sa plus belle qualité, c'est que c'est plutôt vous qui êtes impossible, jeune demoiselle ! Paris ou la Normandie, quelle importance ? Si vous en êtes rendus là, ce ne sont plus que des détails de dernière minute à régler.

Quand monsieur Jacob lui parlait sur ce ton, la jeune femme devenait rouge comme un coquelicot.

— Justement, demandait-elle alors, en est-on rendus là ?

Le lendemain, se croyant ainsi à l'abri des reproches, Brigitte se servait de madame Simone comme bouc émissaire.

— Je ne peux l'abandonner, pauvre femme! Elle me le répète souvent: je fais partie de sa famille, vous le savez bien.

— Et alors?

— Et alors, elle compte sur moi. Pourquoi cette question?

— Parce qu'il fut un jour où vous avez quitté la maison de vos parents pour aller de l'avant. Rappelez-vous, mademoiselle Brigitte! Je venais tout juste de vous connaître quand vous en parliez, de ce grand rêve de devenir secrétaire! Et pour le réaliser, vous vous êtes éloignée de vos parents. Pourtant vous les aimiez.

— C'est vrai. Et je les aime toujours.

— Néanmoins, vous vivez à Paris et eux en Normandie. Pourquoi madame Simone aurait-elle droit à un traitement différent? L'amour sincère ne connaît ni la distance ni les frontières.

Quand monsieur Jacob lui tenait des discours de ce genre, Brigitte n'avait pas non plus de réplique à lui servir, puisqu'il avait raison.

Tout comme ce matin, d'ailleurs.

Pourquoi ce bougonnement quand il faisait si beau, que Raymond avait été si gentil hier, et que la voix de madame Simone avait coulé, plus onctueuse que jamais, comme de la crème douce, au moment de la collation, servie dans le jardin?

— On a tous besoin les uns des autres, venait d'ajouter Jacob Reif à son habituel refrain, arrachant Brigitte à ses pensées.

Il avait quitté le petit pupitre où il rangeait ses papiers et s'était approché de la jeune femme.

— C'est la vie qui le veut ainsi, mademoiselle Brigitte. Personne n'est fait pour vivre en solitaire. Mais ça ne veut pas dire qu'on doit tout sacrifier pour répondre aux exigences de la vie. Si madame Simone n'était pas là, qu'est-ce que vous feriez?

— Je ne sais pas… Je ne sais pas, monsieur Jacob… Et je suis honnête en disant cela. D'un autre côté, je devine bien, allez, que je ne passerai pas toute ma vie sous son toit. Du moins, j'ose le croire. Et il y a vous, aussi. Je ne veux pas vous quitter ni quitter mon emploi.

— Allons, mademoiselle Brigitte! La distance et le temps ne nous empêcheront jamais de nous apprécier l'un et l'autre. Ni de nous voir, et vous le savez. Si la guerre n'a pas réussi à nous séparer, alors rien ne pourra le faire. Jamais… Il fut un jour où vous avez quitté votre campagne pour vous installer à la ville. C'est votre cœur qui vous avait dicté de venir à Paris. Vous l'avez écouté et voyez ce que la vie vous avait réservé de beau en retour! Il y a eu madame Simone, la petite Eva et son frère, et tous ces gens que vous avez aidés durant la guerre. Si vous n'aviez pas écouté votre cœur et que vous étiez restée en Normandie, rien de tout cela ne serait arrivé… Aujourd'hui, vous voilà de nouveau à la croisée des chemins. Raymond n'est pas André, je le concède, mais ce n'est pas une raison pour l'ignorer, si votre cœur vous pousse vers lui. Et ce n'est surtout pas une raison pour vous sentir coupable. Vous avez droit à l'amour, mademoiselle Brigitte, comme le plus humble ou le plus riche d'entre nous. Au pays des senti-ments, nous avons tous notre place, ne l'oubliez jamais. L'amour, c'est le plus merveilleux cadeau que l'existence puisse nous offrir et je parle ainsi en toute connaissance de cause. Et vous le savez, n'est-ce pas ? Ne laissez donc pas filer votre chance, surtout pas sous de vains prétextes. Le temps qui nous est alloué est parfois beaucoup plus court que ce que l'on avait espéré.

Un ange passa et tous les deux, Brigitte comme monsieur Jacob, eurent une pensée pour Bertha. Puis, la réflexion de Brigitte bifurqua naturellement vers André, avant de se diriger finalement vers Raymond.

La jeune femme poussa un long soupir.

— Voyez-vous, monsieur Jacob, tenta-t-elle d'expliquer, ce que je trouve déroutant, c'est qu'au fil des mois, j'ai constaté que Raymond était peut-être celui que je croyais avoir trouvé chez André. Ils se ressemblent, tous les deux, certes, mais en même temps, ils sont si différents l'un de l'autre… Et j'aime tout ce que j'apprends à connaître de Raymond… C'est un peu ce que je veux dire quand je répète que j'ai la sensation de ne pas être tout à fait honnête. Comme si je demandais à André, même après sa mort, d'être un autre que lui-même.

— Que de scrupules pour si peu de choses ! Dites-vous, mademoiselle Brigitte, que c'est peut-être André qui, du haut de son ciel, a décidé de vous envoyer son frère.

À ces mots, Brigitte esquissa un sourire.

— Alors là…

Elle tourna la tête vers monsieur Jacob.

— Ne vous faites pas du souci pour moi, je vais y arriver… Quand je vois mon amie Françoise attendre son deuxième enfant, j'ai l'impression qu'elle me pousse dans le dos, qu'elle m'envoie un message. À tout le moins, ça éclaire la situation sous un tout autre angle.

— Vous voulez des enfants, mademoiselle Brigitte ?

— Quelle question ! Bien sûr que je veux des enfants.

— Vous avez déjà une partie de votre réponse, il me semble... Alors votre amie ? Heureuse de ce deuxième bébé ?

— Et comment !

— Cela veut-il dire que cela va mieux entre votre amie Françoise et son mari ?

— En effet. Je crois que Rémi prend du mieux et, là encore, c'est en partie grâce à Raymond... Il a pris Rémi sous son aile dès son arrivée, et, depuis, il ne l'a jamais laissé tomber. « Entre copains mécaniciens, il faut bien s'entraider », que Raymond m'a rétorqué quand on en a parlé, lui et moi... Vous saviez, n'est-ce pas, que Raymond était mécanicien tout comme Rémi ? Alors, ils vont au garage du père Talon ensemble, ils sont aussi de corvée au verger, au besoin, et ils ont appris les techniques de chauffe aux cuves de calvados... Ainsi occupé, Rémi n'a plus le temps de se morfondre, on dirait bien. Curieusement, il semblerait qu'en Normandie, la présence de Raymond a fait du bien à tout le monde ! Même monsieur Nicolas va mieux et le petit Nathan ne fait plus de cauchemars... Il est vrai, cependant, qu'il parle maintenant du futur bébé avec beaucoup d'enthousiasme. N'empêche... Je vous le dis : Raymond est tellement positif en tout...

— Mais qu'est-ce que vous attendez, mademoiselle Brigitte ? Vous en parlez avec des étoiles dans les yeux !

Brigitte sentit la rougeur de son visage virer à l'écarlate.

— C'est vrai que je suis bête, n'est-ce pas ?

— Bête, non, jamais je ne dirai cela de vous, toute-fois peut-être un peu trop prudente. Allez, foncez, que diantre! La vie est trop courte pour hésiter comme vous le faites. Soyez assurée que ni madame Foucault ni moi ne vous ferons le reproche d'aller vers le bonheur. Quand bien même il se cacherait en Normandie, ce bonheur! Vous reviendrez nous voir avec vos enfants... Quant à André, je suis persuadé qu'il va sourire dans sa barbe le jour où...

— Monsieur Reif?

Venue depuis la porte, une voix interrompit un Jacob Reif en pleine envolée. Il eut un regard d'excuse à l'intention de Brigitte avant de se diriger vers l'avant de la boutique.

— J'arrive!

C'était l'ancien propriétaire de Jacob Reif qui se tenait devant le comptoir. À la main, il secouait une lettre qui semblait officielle. Le cœur de Jacob Reif eut alors un soubresaut.

Mais qu'est-ce que c'était que cela, encore?

— Regardez, monsieur Reif, regardez ce que j'ai là!

L'ancien propriétaire ne semblait pas du tout inquiet.

— C'est inouï, après tout ce temps, ajouta-t-il. Je n'en reviens pas! Que cette lettre soit arrivée à destination tient du miracle!

Au second coup d'œil, Jacob Reif comprit aussitôt de quoi il s'agissait, et l'inquiétude fut aussitôt remplacée par la curiosité. C'était vraisemblablement une réponse à sa demande d'asile, adressée à l'ambassade des États-Unis d'Amérique.

— C'est incroyable, effectivement, que la lettre se soit rendue après toutes ces années...

La première pensée de Jacob, quand il l'eut en mains, fut de se dire que si cette missive était arrivée au bon moment, il y a de cela de nombreuses années, leur vie n'aurait pas été la même.

À moins que ça ne soit qu'un refus poli.

Incapable de résister, il décacheta aussitôt l'enveloppe, sans même attendre le départ de son ancien propriétaire, ce qui ne correspondait pas du tout à son sens inné de la discrétion. Mais tant pis, une fois n'était pas coutume, et il était curieux de savoir. Quant à mademoiselle Brigitte, il aurait sans doute ouvert l'enveloppe devant elle, alors...

En quelques lignes, Jacob Reif comprit que sa demande avait été acceptée. De toute évidence, la lettre avait été égarée puis retrouvée.

— Vous rendez-vous compte de ce que ça peut vouloir dire, monsieur Reif?

L'ancien propriétaire était tout excité.

— Oui, je sais, monsieur, répondit prudemment Jacob. Mais encore faut-il que tout cela ait une certaine valeur résiduelle. Après toutes ces années, je dois vous avouer que j'en doute un peu.

— Tout de même... Ça vaut peut-être la peine de vérifier?

— Je ne dis pas non... Je dois cependant en parler aux filles... Je vous remercie de votre diligence, cher monsieur, vous venez de modifier le cours de ma journée, c'est le moins que je puisse dire.

— Avec plaisir, monsieur Reif. Vous me tenez au courant des développements, n'est-ce pas?

— Bien sûr!

La réponse des filles fut en tous points conforme à ce que Jacob Reif avait anticipé: Klara se montra réservée, voire inquiète.

— Mais je ne parle pas anglais!

— Pourtant vous connaissiez l'allemand, en plus du français.

— J'ai déjà parlé allemand, moi?

— Oui, jeune fille, et très bien, d'ailleurs. Il en ira de même avec l'anglais, j'en suis persuadé.

Quant à Anna, elle poussa un cri de joie.

— Les États-Unis d'Amérique? New York? Mais c'est exactement le genre de ville que j'aimerais habiter. Allez! Dites oui, papa!

Tout en parlant, Anna esquissait déjà un pas de danse dans le salon. La danse de la victoire!

— Minute, jolie demoiselle!

Sans vouloir couper les ailes à sa plus jeune fille, Jacob Reif était néanmoins plus circonspect.

— Je n'ai pas dit que l'on partait demain matin, et il n'est pas dit, non plus, que ce papier a encore de la valeur. Il va falloir aller aux renseignements. Quoi qu'il en soit, il faut bien réfléchir avant de prendre une décision d'une telle importance. Au-delà de votre prétention à ne donner de valeur qu'aux choses modernes, Anna, moi, j'aime bien Paris, j'aime bien mon petit commerce, et j'ai ici quelques amis auxquels je tiens.

— Mais papa!

— Je ne dis rien de plus pour l'instant. Laissez-moi me renseigner, et on en reparlera à ce moment-là. Il ne sert à rien d'amorcer des projets que nous ne pourrons peut-être pas réaliser. C'est alors que la déception serait encore plus grande… Vois-tu, Anna, tu n'es pas la seule à prendre les décisions. Et à voir la physionomie de ta sœur, je doute grandement qu'elle partage le même enthousiasme que toi.

— Oh, ce n'est pas que je sois indifférente, papa, souligna alors Klara, je suis triste, c'est différent.

Klara se tourna alors vers sa jeune sœur.

— Vois-tu, Anna, si cette lettre était arrivée au bon moment, maman serait probablement encore avec nous. C'est à cela que je pensais. Alors, non, je n'ai pas envie de me réjouir pour l'instant… Plus tard peut-être, mais pas pour l'instant, répéta-t-elle. Maintenant, tu vas bien vouloir m'excuser, mais j'ai envie d'être seule.

En moins d'une semaine, les choses s'étaient précisées : oui, l'offre de s'installer aux États-Unis était encore valide, et non, Jacob Reif ne savait pas s'il allait y donner suite.

— Je crois que je vais repousser l'achat de la machine pour le nettoyage à sec de quelques mois, et je vais profiter de cet argent pour me rendre sur place. À titre de touriste. Rien de mieux que de voir par soi-même si quelque chose nous convient.

— Et nous ?

— Vous ? Eh bien vous m'attendrez ici. Quoi de plus simple ? Mademoiselle Brigitte accepte de prendre la relève à la blanchisserie et elle va avoir besoin d'aide. Comme vous serez justement en vacances, j'estime pouvoir compter sur vous.

— Mais papa, je ne veux pas…

— Il n'y a pas de «mais papa» qui tienne, Anna! interrompit Jacob Reif, pour une fois tout à fait catégorique. C'est ainsi que je vois les choses, et c'est ainsi qu'elles vont se passer… À moins que nous décidions ensemble, tous les trois, de rester à Paris sans donner suite à cette invitation de nous installer aux États-Unis? Qu'est-ce que tu en penses?

La traversée permit à Jacob Reif d'éloigner le souvenir de toutes les atrocités vécues durant la guerre. La nature était trop belle, trop grandiose pour continuer de voir le monde uniquement sous l'angle de ses mesquineries et de sa méchanceté.

Même le Ciel, qu'il boudait depuis tant de mois, lui semblait maintenant plus présent.

«Bertha doit veiller sur moi», se dit alors Jacob. «Peut-être veut-elle me dire que je suis dans la bonne direction.»

Alors, le temps d'une traversée, Jacob Reif se permit de faire la paix avec ses souvenirs.

La ville de New York, même si elle était étourdissante de bruits, de travaux, d'automobiles et de taxis, ne l'étouffa pas comme elle l'avait fait avec René Canton. Bien au contraire, cette effervescence et tous ces hauts bâtiments donnaient à Jacob Reif l'envie de se hisser, de monter plus haut, encore plus haut.

«Anna serait heureuse, ici», pensa-t-il aussitôt.

Le sourire de Klara, qui n'était jamais bien loin, le ramena à de plus modestes perspectives.

«Une première impression n'est rien», se dit-il alors. «Il me faut mieux connaître la ville et ce qu'elle a à m'offrir avant toute chose.»

Jacob Reif poursuivit donc sa route.

Ce fut à l'est de Central Park qu'il trouva ce qu'il cherchait, après deux jours de déambulation dans la ville, à regarder, à sentir, à écouter.

Mais dans l'East Side...

À marcher le long des rues et des avenues, par une matinée remplie de soleil et du pépiement des oiseaux, Jacob eut la sensation de rentrer chez lui dans ce Berlin d'avant la guerre. Les gens étaient souriants et Jacob comprit, du plus profond de son cœur, que s'il y avait un endroit susceptible de l'accueillir en Amérique, lui et sa famille, ce serait ici, dans ce quartier de New York. Le modernisme de la ville et de la pensée américaine semblaient côtoyer l'orthodoxie dans une certaine harmonie qui lui plaisait bien.

Que les gens soient souriants était déjà une belle preuve de ce qu'il ressentait, Jacob en était convaincu. Il ajusta donc sa redingote noire et il entra dans un café. Il était temps de faire le point.

Cependant, malgré tout ce qu'il pouvait en penser, ce n'était pas au fond d'une tasse de café que Jacob Reif avait rendez-vous avec son destin. Mais il n'en était pas loin...

Ce fut sur le chemin du retour, alors qu'il se dirigeait vers le modeste hôtel qu'il avait choisi pour son bref séjour, qu'on l'interpella.

Jacob resta un instant interdit. Ce n'était pas tant d'entendre prononcer son nom qui attira son attention, des Jacob, il pouvait y en avoir des milliers, juste dans cette ville, mais ce fut plutôt le fait qu'on l'ait interpellé avec cet accent allemand qu'il n'avait jamais oublié.

— Jacob ? Jacob Reif, c'est bien toi ?

Le passé, celui d'avant la guerre, celui des années heureuses, venait de rattraper Jacob. Le cœur en émoi, il se retourna lentement, comme s'il avait peur de briser un charme.

Malgré le passage du temps, le doute n'était pas permis.

— Irène ? Mais c'est impossible !

Le temps d'un regard incrédule, puis le frère et la sœur tombèrent dans les bras l'un de l'autre.

Ils retournèrent au café que Jacob venait tout juste de quitter.

Avant toute chose, il y avait une vie à raconter. Cependant, de part et d'autre, l'histoire serait brève.

On commencerait par se souvenir à deux de ces quelques années d'avant la guerre.

— Après ton départ, Jacob, Berlin n'a plus jamais été la même. On nous a tout enlevé, on nous a obligés à déménager dans un ghetto. Nos parents n'ont pas voulu partir et Marc a choisi de rester avec eux. Moi, j'ai pu m'enfuir.

— De notre côté, nous avons traversé l'océan pour nous voir refuser l'accès à La Havane, tel que promis. Un mois plus tard, nous étions de retour en Europe. Nous nous sommes installés à Paris.

Puis, ils avaient connu la guerre, chacun à sa façon.

— Dans le sud de la France, on a pu survivre chichement. Mais après 1942… J'ai fait la résistance, tu sais, à Marseille. Je me suis fait arrêter. Il y a eu quelques prisons françaises, puis Dachau.

— À Paris, c'était la peur en permanence. Bertha et les filles restaient cachées dans notre appartement.

Heureusement, elles ont pu s'enfuir grâce à une amie. J'ai été arrêté. Il y a eu Auschwitz, puis Mauthausen.

Un long regard remplaça les mots qu'on ne dirait pas. Puis, Irène détourna les yeux.

— Crois-tu aux miracles, Jacob?

Un long silence éloquent en guise de réponse. Non, Jacob ne croyait plus aux miracles, Irène le comprit. Néanmoins, elle poursuivit.

— Pourtant, je vais te raconter un miracle, Jacob. Ce que je vois de toi me dit que tu peux l'entendre. Malgré tout ce que tu sembles avoir vécu, je te sens fort. Je te demande simplement de ne pas m'interrompre, de me laisser tout raconter, aussi dur que cela puisse être.

Jacob sentit son cœur battre jusque dans sa gorge.

— D'accord, arriva-t-il à prononcer. Je t'écoute.

— C'est à Dachau que ce miracle a commencé.

Cela faisait déjà de nombreux mois qu'Irène faisait des travaux forcés au camp de Dachau, quand un matin, un train rempli de prisonniers était arrivé. Jusque-là, rien d'inhabituel, puisqu'il en arrivait toutes les semaines, de ces trains remplis de prisonniers qui finiraient tous par mourir d'une façon ou d'une autre. Irène le savait.

— Ce que je ne savais pas, par contre, c'est qu'à bord de ce train, il y avait une jeune femme que je connaissais et elle s'appelait Bertha.

À ce nom, les mains de Jacob se mirent à trembler.

— Si tu savais le bonheur que nous avons ressenti, elle et moi, à la simple pensée que nous n'étions plus seules. Puis, par un soir d'orage, alors que nous dormions toutes les deux dans le même lit, Bertha m'a raconté.

Elle avait été violée par les soldats d'une patrouille allemande et laissée pour morte sur le bord du chemin. Le lendemain, une autre patrouille l'avait trouvée et amenée à la caserne. Comme elle avait toujours refusé de dire où elle habitait, à cause des filles, on en avait déduit qu'elle mentait quant à son identité. On avait déchiré ses papiers et elle avait été emprisonnée. Puis envoyée à Dachau.

Le cœur de Jacob battait si fort que c'est à peine s'il entendait les mots. La colère lui durcissait les traits. Voilà comment sa Bertha avait disparu.

— Elle était enceinte, Jacob.

Malgré des conditions précaires, la grossesse de Bertha s'était rendue à terme et elle avait accouché d'un garçon.

— Un garçon qu'on a aussitôt étouffé sous les yeux de sa mère parce que c'était la règle, à Dachau. Nulle femme ne pouvait garder son bébé avec elle. Dans l'heure, on a ramené Bertha au baraquement. Elle avait les yeux secs et l'esprit ailleurs. Depuis, elle n'a plus jamais reparlé. En quelques semaines, elle n'était plus qu'une vieille femme silencieuse. Aujourd'hui, elle dort, elle mange un peu, et elle attend. Cela fait plus d'un an que nous sommes arrivées à New York et rien n'a changé depuis. Pourtant, j'espérais tellement que toute cette nouveauté l'aiderait à revenir parmi nous.

Le visage inondé de larmes, Jacob était déjà debout, tout tremblant.

— Où est-elle?

La voix de Jacob n'était qu'un murmure rauque, tant sa gorge était serrée.

— Où est ma femme?

— Minute, Jacob, il faut que tu saches aussi…

— Où est ma femme ?

Cette fois, le ton était catégorique. Nul retard ne saurait être ajouté à tout ce que Jacob avait déjà attendu. Personne, pas même Irène qui avait vécu l'enfer, elle aussi, ne pouvait prétendre comprendre ce que lui, Jacob Reif, était en train de vivre. De la main, il agrippa le chandail de sa sœur et l'obligea à se relever.

— Tu viens de me dire que celle que je croyais morte est toujours vivante, et tu me demandes d'attendre ? gronda-t-il de cette voix enrouée qui était présentement la sienne. Mais où donc as-tu la tête ?

Avec une infinie douceur, Irène posa sa main sur celle de Jacob qui tenait toujours le revers de son chandail.

— D'accord, je vais te conduire chez moi et je n'avais nulle intention d'agir autrement, expliqua alors Irène sans quitter Jacob des yeux. Je vous aime tous les deux et, pour moi, en ce moment, c'est peut-être le miracle qui se poursuit. Jamais je n'aurais pu imaginer ce matin, en me levant, que j'allais te croiser dans la rue… Oui, nous allons retrouver Bertha, mais je veux que tu saches qu'elle n'est plus celle que tu as connue.

— Peu m'importe.

L'impatience rendait Jacob Reif fébrile, lui qui, en d'autres circonstances, savait si bien garder son calme.

— Qu'importent les changements, cette femme-là sera toujours ma Bertha et ce qu'il y a entre elle et moi n'appartiendra toujours qu'à elle et moi. À partir de maintenant, c'est à moi de décider pour elle et de faire en sorte que le miracle se poursuive… Allez, Irène, montre-moi le chemin.

Irène Reif habitait à quelques coins de rues de là, dans un immeuble de cinq étages.

— Tu vas voir, ce n'est qu'un tout petit logement, avait-elle prévenu sur un ton d'excuse.

Cinq étages à monter l'un après l'autre. Néanmoins, quand il arriva devant la porte, Jacob Reif ne sentait pas qu'il avait le souffle court ni les jambes endolories. Il n'entendait que son amour qui battait la chamade à ses oreilles.

Irène ouvrit la porte sur un salon chichement meublé qui servait aussi de chambre.

Assise à la fenêtre, une dame un peu voûtée, aux cheveux gris.

Jacob en oublia de respirer, et, d'une main impatiente, il fit signe à Irène de ne pas intervenir, puis il s'approcha.

Irène avait raison, car ce que Jacob vit en premier lieu, ce fut une main de vieille dame à la peau diaphane et aux veines saillantes qui reposait sur le rebord de la fenêtre. Son cœur bondit dans sa poitrine, tellement les émotions étaient intenses, encore plus qu'au matin où il avait découvert Auschwitz.

— Bertha? demanda-t-il d'une voix très douce pour ne pas effaroucher celle qu'il sentait fragile et vulnérable. C'est moi, Jacob. Ton Jacob. Je te l'avais promis, je suis revenu.

La vieille dame ne bougea pas, pas même le plus infime tressaillement pour dire qu'elle avait entendu. C'était sans importance, car Jacob avait dans son cœur suffisamment d'amour pour deux et toute une vie devant lui pour aider sa Bertha à redécouvrir la beauté du monde.

Alors, s'agenouillant à côté de cette femme qu'il reconnaissait à peine, dans un geste de profond respect, Jacob Reif prit délicatement sa main entre les siennes et il la porta à ses lèvres en remerciant le Ciel.

Sa Bertha lui était revenue!

FIN

LISTE DES PERSONNAGES

Les noms en caractères gras représentent les nouveaux personnages du tome 3.

SECTEUR FRANÇAIS

Adrienne Lacroix : mère de Brigitte.

André Constantin : pilote canadien, fils d'Ernest (voir secteur québécois).

Anna Reif, fille de Jacob et de Bertha. Anne Dumontier (nom français).

Bertha Grosmann-Reif : épouse de Jacob. Berthe Dumontier (nom français).

Brigitte Lacroix : grande amie de Françoise.

Estelle et Étienne : ils accueillent les femmes Reif/ Dumontier à Échirolles.

Famille Engel (Stefan, Judith, Eva, **Johannes, Miguel** et 2 autres enfants) : Tziganes qui vivaient cachés dans la cave de Simone Foucault et qui ont péri après une attaque allemande.

François Nicolas : propriétaire d'un grand verger, producteur de calvados.

Françoise Nicolas : fille de François et de Madeleine, épouse de Rémi.

Georges : passeur.

Gérard Constantin : soldat canadien et fils d'Ernest (voir secteur québécois).

Jacob Reif : ancien dentiste berlinois, propriétaire de la blanchisserie à Paris.

Jasmin Nicolas : fils de François et de Madeleine, décédé.

Klara Reif : fille de Jacob et de Bertha. Claire Dumontier (nom français).

Madeleine Nicolas : épouse de François et mère de Françoise.

Marius : cousin de René.

Maurice Lacroix : père de Brigitte. A été sauvé par des soldats canadiens à la Grande Guerre.

Monsieur Joubert : ancien propriétaire de la blanchisserie.

Nathan Chaumette : fils de Françoise et de Rémi.

Raymond Constantin : soldat canadien et fils d'Ernest (voir secteur québécois).

Rémi Chaumette : mécanicien, époux de Françoise.

René Canton : propriétaire du bar-tabac en Normandie.

Simone Foucault : logeuse de Brigitte à Paris.

SECTEUR QUÉBÉCOIS

Alexandrine Tremblay : mère de Paul.

Célestin Bouchard : frère de Gilberte.

Docteur Émile Girard : médecin d'Hubert.

Émile Couture : celui qui va éventuellement remplacer Gilberte au presbytère.

Ernest Constantin : ingénieur civil spécialisé dans les sols, père de 4 garçons (Raymond, André, Hubert et Gérard).

Germain Bouchard : neveu de Gilberte, adopté par celle-ci.

Gilberte Bouchard : « vieille fille » du village de Pointe-à-la-Truite qui vit avec son frère Célestin et son neveu Germain.

Hubert Constantin : fils d'Ernest Constantin.

Julien Bouchard : fils de Lionel.

Lionel Bouchard : médecin et frère de Gilberte.

Marguerite Bouchard : femme de Lionel.

Paul Tremblay : propriétaire de l'auberge de la mère Catherine à Pointe-à-la-Truite.

Prudence Lavoie-Bouchard : deuxième épouse de feu Matthieu Bouchard (père de Gilberte, de Lionel et de Célestin).

Réginald : copain de Paul.

Rita : amie de cœur de Gérard Constantin.

MARQUIS

Québec, Canada

Achevé d'imprimer le 4 octobre 2016

RECYCLÉ
Papier fait à partir
de matériaux recyclés
FSC® C103567

Imprimé sur du Rolland Enviro,
contenant 100% de fibres postconsommation,
fabriqué à partir d'énergie biogaz et certifié FSC®,
ÉCOLOGO, Procédé sans chlore et Garant des forêts intactes.

PERMANENT   100%   BIO GAZ   Garant des forêts intactes